W9-AXV-909

ИРОНИЧЕСКИЙ ДЕТЕКТИВ

Читайте романы примадонны иронического детектива Дарьи Донцовой

Сериал «Любительница частного сыска Даша Васильева»:

1. Крутые наследнички
2. За всеми зайцами
3. Дама с коготками
4. Дантисты тоже плачут
5. Эта горькая сладкая месть
6. Жена моего мужа
7. Несекретные материалы
8. Контрольный поцелуй
9. Бассейн с крокодилами
10. Спят усталые игрушки
11. Вынос дела
12. Хобби гадкого утенка
13. Домик тетушки лжи
14. Привидение в кроссовках

Сериал «Евлампия Романова. Следствие ведет дилетант»:

1. Маникюр для покойника
2. Покер с акулой
3. Сволочь ненаглядная
4. Гадюка в сиропе
5. Обед у людоеда
6. Созвездие жадных псов
7. Канкан на поминках
8. Прогноз гадостей на завтра

Сериал «Виола Тараканова. В мире преступных страстей»:

1. Черт из табакерки
2. Три мешка хитростей
3. **Чудовище без красавицы**

Дарья Донцова

Москва
ЭКСМО-ПРЕСС
2001

ИРОНИЧЕСКИЙ ДЕТЕКТИВ

УДК 882
ББК 84(2Рос-Рус)6-4
Д 67

Разработка серийного оформления художника *В. Щербакова*

Серия основана в 2000 году

Донцова Д. А.

Д 67 Чудовище без красавицы: Роман. — М.: Изд-во ЭКСМО-Пресс, 2001. — 416 с. (Серия «Иронический детектив»).

ISBN 5-04-088231-9

Почему люди не летают? Да потому, что крылья мешали бы им ползать. Сколько же на свете гадов!.. Меня зовут Виола Тараканова. Однажды я пришла на урок к своему ученику Никите. В доме царил разгром: отца Кита накануне арестовали за хранение наркотиков. Его мама, Лена — художница, попросила меня спасти одно ее полотно, чтобы оно не попало в опись имущества. В мастерскую меня повел Кит, а когда мы вернулись, я нашла в спальне труп Лены. Я передала мальчика его бабушке, но и там его настиг убийца. Но он чудом остался жив. А дальше... похитили дочь моей подруги, и я должна заплатить за нее полмиллиона долларов или найти убийц Лены. Уверена на все сто — это одни и те же люди...

УДК 882
ББК 84(2Рос-Рус)6-4

ISBN 5-04-088231-9

роман

ИРОНИЧЕСКИЙ ДЕТЕКТИВ

Относительно родственников можно сказать много чего... и сказать надо, потому что напечатать нельзя.

Альберт Эйнштейн

ГЛАВА 1

Отчего люди не летают, как птицы? Странный вопрос: у них нет крыльев. И потом, если бы они имелись у человека, то страшно бы мешали тому ползать. Ну скажите, возможно ли, имея за плечами два чудесных приспособления для перемещения в воздухе, делать пакости, обманывать, пресмыкаться перед вышестоящими и обижать тех, кто стоит ниже нас? Существо, умеющее парить, — это ангел...

— Эй, Вилка, — раздраженно спросила Лера, — ты меня не слушаешь?

— Что ты! — я изобразила крайнее внимание. — Как можно! Очень внимательно слежу за всеми твоими мыслями. Только секунду назад ты заявила: «Кто еще, кроме любимой свекрови, способен довести человека до полной отключки сознания!»

— Ну и твое мнение по этому вопросу?

— У меня его нет, — спокойно ответила я, — как нет и свекрови. Олег достался мне сиротой, причем круглым. Впрочем, точно не знаю. О матери он сообщил, что она умерла достаточно давно, а об отце промолчал. Сказал, будто его воспитывал отчим, я поняла, что его тоже нет в живых. Там была какая-то неприятность в семье. То ли его родители разошлись, то ли разъехались, не оформляя ничего по закону... Одним словом, и свекор, и свекровь у меня отсутствуют.

Лерка взвизгнула:

— Нет, ты и не представляешь, как тебе повезло. А у меня полный боекомплект, даже чересчур полный: папенька, маменька и даже бабушка у Витьки живы, здоровы и веселы. Прикинь, что вчера произошло...

Я уставилась на Леру, наклеила на лицо самую приветливую улыбку и принялась кивать, изображая полнейшее внимание. Этому трюку я обучилась в семь лет. Моя мачеха, Раиса, когда напивалась, а случался запой, как по расписанию, два раза в месяц, второго и пятнадцатого числа, то есть когда выдавали получку, начинала бешено орать, тыча в меня пальцем: «Убью на фиг, ты почему не в школе, сволочь!» Сначала я пыталась объяснить разъяренной бабе, что часы давно пробили двадцать один час и телевизор демонстрирует программу «Время».

Но Раиса продолжала бушевать. Длился скандал, как правило, минут тридцать, потом мачеха рушилась в кровать и начинала оглушительно храпеть. Утром, страдая от головной боли, она притягивала меня к себе, прижимала к большой, мягкой груди и бормотала:

— Ну не сердись, кричу, значит, люблю, воспитываю. Иди-ка, глянь в сумку, я купила тебе с получки пряничков.

Очень скоро я сообразила, что спорить с Раисой в тот момент, когда она орет, бесполезно. Надо просто молчать, чтобы не злить бабу. Сначала просто кивала в такт ее воплям, но потом внезапно поняла, что научилась не слышать крики, изображая на лице полнейшее внимание. Это умение пригодилось в школе, когда во втором классе мне досталась новая училка, Валентина Никитична, визжащая так, что у детей кровь сворачивалась в жилах.

— Уроды, дебилы, кретины! Всем заткнуться!!!

Одноклассники начинали рыдать, а мне хоть бы хны! Закаленная тетей Раей, я преспокойненько дремала на задней парте, делая вид, что испугана сверх всякой меры. Наверное, поэтому я и окончила школу на одни пятерки, просто не воспринимала ничего, кроме знаний.

Умение отключаться пригодилось мне и во взрослой жизни. Вот сегодня Лерка Парфенова битый час жалуется на свекровь, пытаясь объяснить очень простую вещь: ей, несчастной, досталась в родственницы Медуза Горгона, от взгляда которой, как известно, все живое мигом превращалось в камень. Лерке надо выговориться, но мне ее взаимоотношения с этой женщиной совершенно неинтересны... но не обижать же подругу! Поэтому пусть болтает, а я подумаю о своем... Любопытно, когда сегодня явится с работы Олег? Это мой муж, Олег Михайлович Куприн. К сожалению, он служит в милиции, и я чаще разговариваю с ним по телефону, чем на кухне за столом, вдвоем... Хотя вдвоем в нашей семейке остаться проблематично, слишком много народу проживает в квартире. Но лучше начну по порядку.

Меня зовут Виола, а фамилия... Если стоите, то лучше сядьте... Тараканова. Вот уж повезло так повезло. В детстве я часто плакала от досады: ну почему меня зовут так по-идиотски? Как хорошо иметь незатейливые имя и фамилию: Таня Иванова или Лена Петрова... Я уже не говорю о Наташе Смирновой или Гале Михайловой... Но самый цирк начинается, когда я называю свое отчество. Нет, вы только это представьте: Виола Ленинидовна Тараканова. Папеньке моему дали имя Ленинид, что расшифровывается как «Ленинские идеи». Впрочем, хорошо еще, что весьма революционно настроенные родители не назвали его Оюшминальд, что является сокращением фразы «Отто Юльевич Шмидт на льдине», был такой полярник, страшно известный в прежние годы, или Статразав, что попросту означает «Сталинский тракторный завод»... «Ленинидовна» многие путают с «Леонидовной», а я и не возражаю, мое отчество могло оказаться куда более противным. В общем, как говаривала тетя Рая, пытаясь научить падчерицу уму-разуму:

— Не завидуй тем, кому лучше, погляди на того, кому хуже.

Маменьку свою я не помню, она бросила дочурку в младенчестве, папенька загремел на зону за кражу в первый раз, когда мне едва исполнилось шесть. И долгие годы я считала, что он умер. Воспитывали меня мачеха Раиса и родители лучшей подруги Томочки, дядя Витя и тетя Аня.

Но вот уже много лет мы с Томой живем одни. Мачеха Раиса умерла, а родители Томочки разбились в автокатастрофе. Мы с ней поселились в крохотной «распашонке» и долгие годы обитали вдвоем. Но потом произошел целый каскад событий, в результате которых я выскочила замуж за Олега, а Томуська за Семена, получив вместе с супругом и дочку, тринадцатилетнюю Кристину.

Теперь мы живем все вместе в огромной квартире, двумя семьями, есть у нас собака Дюшка, девушка неизвестной породы, кошка Клеопатра и Сыночек, выросший ребенок Клепы.

Впрочем, называть Дюшку девицей как-то не с руки. Со дня на день мы ждем, что она станет матерью.

Ни Семена, занимающегося издательским бизнесом, ни Олега никогда нет дома. Мы же с Тамарой настолько привыкли жить вместе, что просто не способны разъехаться. Кое-кто из подруг, та же Лера Парфенова, удивляется и спрашивает:

— Ну неужели вам не хочется пожить своей семьей?

Мы сначала с недоумением пожимали плечами, но однажды Тома не выдержала и ответила:

— А мы и живем своей семьей, только она у нас очень большая!

Скоро, однако, она станет еще больше. Дело в том, что где-то в апреле Томуська должна родить. Кого, мы пока еще не знаем, ультразвук ничего не показывает на таком маленьком сроке, и никаких изменений в стройной фигуре Томы пока не произошло...

— Вилка, — вновь возмутилась Лера, — ты что это сидишь, как китайский болванчик, с выпученными глазами? Спишь, да?

— Нет, конечно, — вынырнула я из глубин сознания, — разве можно спать с выпученными глазами. Просто на работу пора, скоро пять!

Высшего образования у меня нет. Но в свое время мы с Томой окончили так называемую специальную школу с преподаванием ряда предметов на немецком языке. Я же обладаю феноменальной памятью, позволившей мне не только получить золотую медаль, но и выучить немецкий так, что окружающие уверены, будто у меня за плечами иняз или, на худой конец, филфак МГУ, романо-германское отделение. Но институт я не посещала. После смерти дяди Вити и тети Ани нам с Томочкой пришлось идти работать, иначе мы бы просто умерли с голоду. К сожалению, я в основном проводила время с ведром и шваброй, пока однажды соседка не попросила подтянуть по немецкому своего сынишку Тему, вдохновенного двоечника и самозабвенного лентяя. В нынешние времена репетиторы совсем озверели и меньше, чем за десять долларов урок, и пальцем не шевельнут. Но у Наташи не было таких денег, и она сказала:

— Буду платить сто рублей за час, идет?

Так началась моя карьера домашней учительницы, учеников набралось много, в основном дети из малообеспеченных семей, родителям которых было не по карману нанять «настоящего» репетитора. Но вот парадокс. Среди толпы небогатых школьников оказались и три ребенка из более чем денежных семей. До того как попасть в мои руки, они прошли через многих дипломированных специалистов без всякого толку. В дневниках у них как были двойки, так и остались. Но через месяц занятий со мной дети начинают получать четверки, а потом и пятерки. Почему так происходит, я не знаю, дети тоже не могут объяснить, отчего в их мозгах после глубокой и темной ночи наступает солнечный рассвет. Впрочем, Тема один раз сказал:

— Знаешь, Вилка, ты объясняешь не как училка, а как человек.

— В кои-то веки пришла обсудить свои проблемы, а у тебя времени нет, — обиделась Лерка.

Я развела руками:

— Ну извини, но на самом деле мне пора идти!

— А Томка где? — хищно поинтересовалась Парфенова.

Я подавила улыбку:

— Пошла с Кристиной в ГУМ покупать девочке зимние сапожки, небось до ночи проходят, сама знаешь, какой теперь выбор.

Поняв, что все же придется уходить, Лерка двинулась вместе со мной в прихожую и, натягивая ботинки, недовольно забубнила:

— Денег вам, что ли, девать некуда, по ГУМу шляетесь, нет бы на рынок съездить!

Я молча вытолкала зануду на лестничную клетку. Сама я одевалась на Черкизовской толкучке, наивно полагая, что куртка за триста рублей, произведенная вьетнамцами, защитит тело от холода, а ботиночки из кожи «молодой клеенки» предохранят ноги от сырости... Но куртенка разваливалась после первой стирки, а у замечательных сапожек мигом отлетали подметки... Потом нам с Томуськой пришла в голову замечательная мысль: мы не настолько богаты, чтобы покупать дешевые вещи. Поколебавшись немного, отправились в ГУМ и, походив по всем линиям, сделали удивительное открытие.

Во-первых, в дорогих магазинах очень часто бывают распродажи, когда цена вещи падает вдвое. Во-вторых, покупатели бутиков люди капризные, избалованные. Они ни за что не купят модель прошлого года или пальто с крохотным пятнышком на рукаве. Мне же, ей-богу, все равно, какой воротничок у блузки: закругленный или острый, но данный факт оказывает решающее влияние на стоимость. В-третьих, вся одежда, приобретенная в ГУМе, сидит на нас идеально, что в общем-то совершенно неудивительно. В магазинах, расположенных тут, имеются примерочные, и вы натягиваете понравившиеся брюки в комфорте и тепле, окруженная зеркалами, а не стоя на кусочке грязной картонки за линялой тряпкой, которую держит подвыпивший торговец. В-четвертых, продавцы дорогих лавок вымуштрованы как рекруты, они мигом показывают уцененные вещи, да еще и советуют, что подешевле... Результат впечатляет. Моя черненькая курточка от Нины Риччи стоила всего на пятьдесят рублей дороже, чем произведение неизвестных «кутюрье» с толкучки... И ношу я ее третий сезон, а она как новая... В общем, теперь мы с Тамарой ходим только по дорогим магазинам...

Лерка Парфенова, решив забить последний гвоздь в историю своих отношений со свекровью, проводила меня до дома Никиты Федулова. Выслушав у входа в подъезд прощальные стоны на тему «Моя свекровь — ужас, летящий на крыльях ночи», я наконец-то избавилась от подруги и набрала на домофоне код квартиры.

— Кто там? — пропищал Никита.

— Вилка.

Дверь распахнулась. Никита Федулов замечательный мальчишечка семи лет. Папа его, Павел, бизнесмен. Честно говоря, сначала я считала, будто мужик просто бандит. Один раз, придя на урок, увидела в углу холла небрежно, горой, сваленное оружие: пару пистолетов, какие-то странные железные палки и что-то похожее на автомат...

— К папе друзья приехали, а маме не нравится, когда они по дому вооруженные ходят... — пояснил мальчик.

Маме Никитки, Лене, всего двадцать три. Сынишку она родила в шестнадцать. Впрочем, Павел ненамного ее старше, ему двадцать четыре. Но в отличие от многих браков, заключенных в юном возрасте, их союз не распался, и оба до жути любят Никитку. У мальчишки есть все — компьютер, музыкальный центр, горы игрушек и одежды... Но вот интересно, живя, как маленький принц, Кит абсолютно неизбалован, он хорошо учится, увлекается компьютером... Единственная тройка у него по немецкому, но мне кажется, что скоро проблем не будет.

Я люблю приходить в этот дом, и вовсе не потому, что Лена, всегда улыбчивая, приветливая, приносит на подносике кофе, булочки и конфеты, а после урока вручает конверт с десятью долларами. Именно конверт, Леночка никогда не сует мне «голую» бумажку... У них в доме очень уютно и спокойно, так хорошо бывает в семье, где люди просто любят друг друга. Кстати, Лена очень хорошая художница, мне ее простые, ясные картины нравятся.

Но сегодня в доме Федуловых царила непривычная нервозность. Хозяйка не вышла, как всегда, в холл, а двери в гостиную, кабинет и спальню, обычно распахнутые, были плотно закрыты. Да и Никитка вел себя странно, отвечал невпопад, а когда я удивленно спросила: «Кит, да ты не выучил, почему?» — внезапно расплакался.

Минут за пять до конца урока в детскую вошла Лена. Я поразилась ее виду. Лицо не накрашено, глаза лихорадочно блестят, нос распух, словно она долго плакала.

— Виола, — сказала Лена, — вас не затруднит пройти ко мне в спальню?

Я не раз бывала в красивой, уютной комнате с огромной кроватью и белыми шкафами с позолотой. Иногда мы с Китом играем в такую игру: я пишу записочки на немецком, ну, примерно такие: «Иди в кухню, посмотри на подоконнике». Мальчик кидается в «пищеблок», но там его ждет другое указание: «В спальне, на маминой половине кровати, под подушкой». Цель поисков — немудреный подарочек, чаще всего «Киндер-сюрприз». Естественно, Лена может купить сыну сразу коробку шоколадных яиц, но Никитке нравится сама забава. Поэтому квартиру Федуловых я знаю, как свою, и могу подтвердить: у Лены в доме всегда царит идеальный порядок.

Но сейчас спальня казалась разгромленной. Все шкафы открыты, ящики выдвинуты, вещи валяются на полу...

— Господи, — вырвалось у меня, — что у вас произошло?

Лена села на пуфик и спокойно сообщила:

— Павлуху арестовали, обыск был.

Я замерла с открытым ртом.

Увидав мою реакцию, Леночка хмыкнула, вытащила сигареты и продолжала:

— Если вы, Виола, сейчас скажете, что больше не хотите заниматься с Китом, ей-богу, я не обижусь. От меня уже ушли домработница и няня.

Я пожала плечами.

— Ну от сумы и от тюрьмы в нашей стране зарекаться нельзя. И потом, мой родной отец отсидел полжизни по лагерям и зонам. Я и увидела-то его совсем недавно, правда, теперь он взялся за ум, женился, работает. Но факт остается фактом, я — дочь вора, согласитесь, похвастаться нечем, но даже если бы мой папенька был академиком, я бы не бросила сейчас Кита. Ребенок-то при чем? Кстати, совсем необязательно платить десять долларов в час, подавляющее большинство учеников дает мне сто рублей за урок.

Лицо Лены просветлело.

— У меня нет пока проблем с деньгами. Виола, не могли бы вы мне помочь?

— С удовольствием.

Она протянула небольшой ключик.

— Вы ведь знаете, где мастерская?

— Конечно, на чердаке.

— Пожалуйста, поднимитесь туда, на стене, между гипсовыми масками, висит картина, она там одна висит, остальные просто стоят. Мое любимое произведение, дело жизни, изумительный пейзаж — пруд, лодка, лес. Я обожаю данную работу, писала три года, только недавно завершила... Выньте ее из рамы, скатайте аккуратно трубочкой, положите в пакет и заберите к себе. Только дома обязательно вновь вставьте в раму и повесьте где-нибудь в темном углу, от яркого света краски блекнут, а я мечтаю выставить полотно в ноябре на выставке в «Арт-Мо».

— Хорошо, — удивленно ответила я, — только зачем уносить вашу работу?

Леночка опять схватилась за сигареты.

— Павлик попался на наркотиках, согласился провезти в партии товара героин. Заработать хотел, дурачок. Статья, по которой его повязали, предполагает конфискацию имущества. Не хочу, чтобы картина, на которую я возлагаю такие надежды, попала в опись. Не смогу тогда ее ни выставить, ни продать...

Я кивнула.

— Конечно, сделаю. Хотите припрячу и что-нибудь еще: драгоценности, столовое серебро...

Лена печально улыбнулась:

— Да плевать на барахло, потом скорей всего удастся доказать, что вещи куплены на мои собственные сбережения, только процедура эта длительная, а выставка вот она, на носу. Я у вас заберу полотно недели через две.

— Она мне не помешает и в течение большего времени, — сказала я и пошла на чердак.

Никитка увязался со мной. Отсутствовали мы около часа. Сначала я никак не могла открыть замок. Очень жаль, что Лена сама не пошла в мастерскую, но она ждала прихода адвоката и боялась, что тот, позвонив в домофон, уйдет, не дождавшись хозяйки.

Наконец дверь распахнулась. На стене и впрямь висело только одно полотно. У Лены определенно был талант. От пейзажа веяло умиротворением. Большой пруд, темный, заросший ряской, на глади которого одиноко покачивалась самая простецкая деревянная лодочка, выглядел бы излишне мрачным. Тем более что по берегам стоял дремучий лес из старых, замшелых деревьев. Но наверху сияло голубое небо и тонкий луч золотил верхушки елей. «Федулова», — стояло в углу пейзажа.

Мы с Китом осторожно разобрали простую раму, превратив ее в набор беленьких палочек. Потом я аккуратно скатала полотно, засунула «трубочку» в пакет, положила туда же разобранный багет. Затем опять мы провозились с замком и пошли вниз.

Дверь квартиры была открыта. Я слегка удивилась, хорошо помня, что Лена, доведя нас с Никиткой до выхода, заперла замок... Впрочем, может, пришел адвокат, и Леночка забыла повернуть ключ.

— Мама! — заорал Никитка и побежал по коридору. В ту же секунду зазвонил телефон. Никита развернулся и бросился на кухню, откуда неслась трель. Я вошла в спальню и увидела Лену. Она сидела спиной к двери, положив голову на маленький туалетный столик.

— Лена, — позвала я.

Но Федулова не шелохнулась.

Испугавшись, что ей стало плохо, я быстро подошла к Лене и взглянула на повернутое вправо лицо. В ту же секунду из моей груди чуть не вырвался крик ужаса. Леночке и впрямь было плохо, очень плохо, так плохо, как в жизни не бывает. Огромные голубые глаза не мигая смотрели остекленевшим взором вдаль, словно она видела нечто, недоступное мне. А на ее виске чернела небольшая дырочка. Крови отчего-то почти не было, на губах Лены застыла улыбка, производившая еще более жуткое впечатление, чем предсмертная гримаса.

ГЛАВА 2

Только мысль о том, что в каждую секунду сюда с радостным кличем «Мама!» может ворваться Никитка, заставила меня на плохо слушающихся ногах выползти в коридор. Кстати, весьма вовремя, Кит уже закончил разговор и несся на всех парах в комнату к матери.

— Стой, — притормозила я его, — туда нельзя.

— Почему? — удивился мальчик.

— У мамы началась мигрень, она легла отдохнуть.

— А-а-а, — протянул Кит.

У Лены иногда случались приступы дикой головной боли, и Никитка совсем не удивился.

— У тебя ведь в семь вечера бассейн? — спросила я.

— Да, — радостно кивнул он, — с девятнадцати до двадцати тридцати.

— Тогда собирайся, — велела я, — быстро бери необходимое: мыло, мочалку, плавки, тапки и пошли.

— А кто меня заберет? — поинтересовался мальчик, выходя на лестницу.

Я заперла дверь ключами Лены, положила их в карман, подхватила пакет с картиной и сказала:

— Бабушка, сейчас позвоню Марье Михайловне, ты скорей всего к ней ночевать пойдешь, раз маме так плохо.

— Ура, — заскакал Никитка, — к бабе Маше, вот зыко, там Модест.

Модест — это разъевшийся сверх всякой меры перс, больше похожий на карликового бегемота, чем на представителя славной породы кошачьих.

Я отвела Никиту в бассейн, потом вернулась назад в квартиру Федуловых и позвонила сначала своему мужу Олегу, потом бабушке Никиты, Марье Михайловне.

Мой супруг хороший профессионал, кстати, мы и познакомились с ним благодаря его службе. Я пришла к нему в рабочий кабинет с одной просьбой... Роман наш протекал стремительно и завершился свадьбой. Но приятного ощущения от замужества у меня никак не возникает. Олега никогда нет дома, и все то, что обычно делает в квартире мужчина, лежит на моих плечах.

Я ловко вбиваю гвозди, меняю перегоревшие лампочки, могу просверлить дырку и, засунув туда дюбель, ввернуть шуруп. Мне известна разница между долотом и стамеской, и я никогда не путаю крестовую отвертку с обычной. Я спокойно справляюсь с засором в ванной или на кухне, не боюсь мышей и великолепно усвоила несколько постулатов женщины, в одиночку управляющейся с хозяйством: то, что нельзя поднять из-за большого веса и перенести, можно оттащить волоком. Не желающую откручиваться пробку у бутылки с газированной водой легко повернуть, зажав ее щипцами для колки орехов. Правило рычага, помните, проходили в школе по физике? Если же нет сил скрутить крышку у банки, последнюю следует перевернуть и аккуратненько поддеть тонким ножом железный кругляшок. Раздастся бульканье или звук «чпок» — и готово дело. Впрочем, справедливости ради замечу, что все вышеперечисленное я освоила еще до знакомства с Олегом.

В браке у меня появилась стойкая уверенность: в случае любых неприятностей следует звать на помощь Олега. В конце концов он появится и поможет! Ну повесил же все-таки новую кухонную полку, которая категорически не желала отрываться от пола, когда я пыталась ее приподнять. Правда, до этого мы три месяца жили, натыкаясь на нее на кухне...

Но сегодня, услыхав о том, что стряслось у Федуловых, Олег примчался через пятнадцать минут. Причем не один, а в компании мужиков, которые стали бесцеремонно ходить по квартире, открывая шкафы и перешагивая через горы неубранных вещей.

— У них всегда такой бардак стоит? — поинтересовался Олег.

Я покачала головой:

— Нет. Вчера был обыск. Мужа Лены, Павла Федулова, арестовали.

— Ясно, — протянул супруг, — ну, а ты где была в момент убийства?

— Поднималась вместе с Никитой в мастерскую, на чердак.

— Зачем?

Я уже хотела было сообщить правду, но мигом передумала. Картина Лены не имеет никакого отношения к данной истории. Федулова хотела выставить ее на вернисаже в «Арт-Мо». Вот я и отнесу туда пейзаж. Леночка очень мне нравилась, я должна выполнить ее последнюю волю... Взгляд упал на небольшой холст в красивой раме, стоявший у стены в кабинете.

— Да вот, — сказала я, — она просила принести эту картину, хотела здесь повесить.

— Чего же сама не пошла?

— Боялась пропустить приход адвоката!

— Понятно, — процедил муж и крикнул: — Юрка, забери эту мазню!

Я почувствовала ликование в душе. Так и знала! Скажи я правду про пейзаж, он бы мгновенно оказался среди вещественных доказательств. А мне очень хотелось отнести полотно в «Арт-Мо».

В кабинет влетел Юрка. Я знаю его всю жизнь, с самого детства, мы жили с ним в одном подъезде, и он частенько прибегал к нам просто так, на огонек. Кстати, именно он отправил меня в свое время к Олегу, и жена Юры, Лелька, долго потом говорила:

— Ну видали, замуж вышла благополучно, а сватам ничего? Ни мне шали, ни Юрке шапки...

— Здорово, Вилка, — сказал Юра, ухватил картину и присвистнул: — Ох, ё-мое, красота офигенная!

— Что там? — не утерпела я и подошла к приятелю.

В ярких лучах летнего солнца на полянке стояла, вытянув руки к небу, абсолютно обнаженная женщина с роскошной фигурой. Неизвестная натурщица была хороша статной, несовременной красотой. Грудь этак размера пятого, тяжелые бедра, полные ноги, но кожа белая-белая, сияющая, а по плечам рассыпан каскад рыжих, роскошных волос. Лицо же простецкое, с полными щеками, носом-картошкой, не слишком выразительными голубыми глазами и крупным ртом. Таких дам любил изображать Кустодиев.

— А ты не видела, что взяла в мастерской? — прищурился муж.

Я вздрогнула. Вот ведь какой наблюдательный — сразу заметил мою оплошность, надо выкручиваться.

— Естественно, видела, — сердито ответила я.

— Зачем тогда еще раз посмотреть решила? — спокойно осведомился Олег.

Я дернула плечом:

— Да интересно стало, что так понравилось Юрке. По-моему, ожиревшая корова.

— Ну не скажи, — улыбнулся тот, — очень даже ничего, этакий персик сочный.

Я хихикнула:

— Ну-ну, на Новый год обязательно подарю тебе репродукцию «Деревенской Венеры», повесишь в гостиной!

Юрасик с опаской глянул на меня:

— Ты всерьез?

Я подавила ухмылку:

— Конечно, раз так нравится, должно всегда находиться перед глазами.

Потом, глядя на смущенного Юрку, я не утерпела и продолжила:

— Представляю, в какой восторг придет Лелька!

Патологическая ревность Лели, жены Юры, отлично известна всем знакомым. Если бы она могла, то водила бы мужа по городу с завязанными глазами. Откуда взялась эта милая привычка, непонятно. Юрка добропорядочный семьянин, отец двух мальчишек-близнецов, жене своей не изменяет, но, как всякий субъект мужского пола, иногда с интересом поглядывает в сторону молодых, длинноногих и белокурых...

— Хватит паясничать, — хмуро велел Олег, — давайте, действуйте. Ты, Юрка, займись своим делом, а ты, Вилка, двигай домой, там и побеседуем, вечером!

Я покорно пошла в прихожую, чтобы натянуть куртку, но тут послышался громкий шорох. Из двери спальни показался мужик в синем комбинезоне, потом другой... Между ними покачивались носилки, на которых лежал наглухо закрытый на «молнию» мешок веселенького голубого цвета. Лена покидала родной дом. У меня перехватило горло, словно чья-то жестокая рука сжала его и не собиралась отпускать.

В нашей квартире витал дивный аромат, Тамара пекла в духовке свинину. Глядя на ее раскрасневшееся лицо, я сказала:

— По-моему, в твоем положении вредно толкаться на кухне.

— Почему? — изумилась Томочка. — И потом, стыдно признаться, но я абсолютно не ощущаю никаких неудобств. Отчего-то совершенно не тошнит, и голова не кружится, да и слабости никакой! Помнишь, как плохо приходилось несчастной Лере Парфеновой? Целый день лежала в кровати...

Я, ничего не сказав, пошла в ванную. Томуся человек невероятной доброты, а Лерка использует любой момент для того, чтобы пожаловаться на здоровье. Причем все ее стоны имеют только одну цель: вызвать у окружающих желание ухаживать за Парфеновой.

Она и впрямь девять месяцев провалялась в кровати, поедая фрукты и щелкая пультом телевизора, а «мерзкая свекровь» и муж бегали вокруг ее ложа на цырлах, не зная, чем угодить бедняжке. Кстати, родив ребенка, Лера не слишком-то изменила своим привычкам. Первые полгода после родов она чувствовала себя слишком слабой, требовалось восстановить потраченные силы, затем у нее оказался низкий гемоглобин. Одним словом, Лерка вновь осела у телика с коробочкой шоколадных конфет, а «Медуза Горгона» вскакивала ни свет ни заря и бежала на молочную кухню. Правда, теперь Парфенова утверждает, что свекровь избаловала внука «донельзя». А бедная бабушка молча воспитывает мальчика, Лерка совсем не интересуется сыном.

Раздалась веселая трель звонка. Дюшка с лаем кинулась в прихожую, следом с топотом понеслась Кристина.

— Ну и отлично, — воскликнула Томуська, — в кои-то веки кто-то из наших мужей успел к ужину.

— Вам кого? — спросила Кристина.

Из-за двери раздалось недовольное бурчание. Я подошла к створке, отодвинула Крисю и глянула в глазок. На площадке стояла странная парочка. Довольно высокий, полный мужик, одетый в нелепое пальто с огромным воротником, и маленькая, толстенькая тетка, отчего-то в мужской черной шляпе с широкими полями. Между ними маячил отвратительного вида потертый чемодан, перетянутый ремнями.

— Вам кого? — крикнула я.

— Олег Михайлович Куприн тут проживает? — визгливо отозвалась баба.

От злости я чуть не отгрызла дверную ручку. Среди сплошных достоинств у моего мужа имелся один недостаток. Этакая крохотная иголка в пуховой перине. Вы и не заметите ее, пока по случайности не сядете на острие задом. И тогда всем будет все равно, что иголка среди перьев одна...

Разъезжая по командировкам, Олег, будучи человеком добрым и сверх меры гостеприимным, раздает наш адрес провинциальным коллегам со словами:

— Будете в Москве, заезжайте в гости.

К сожалению, большинство людей понимает его буквально, поэтому наш дом частенько похож на гостиницу. Однако я не могу сказать приезжим фразу:

— Рада бы оставить вас у себя, да места нет!

Наша жилплощадь огромна. На самом деле она соединена из двух квартир: четырех- и двухкомнатной. «Лишнюю» кухню мы тоже превратили в спальню, правда, ванная и туалет существуют у нас, слава богу, в двойном варианте. Места полно, и приходится, скрежеща зубами, давать приют гостям. Ладно бы они просто ночевали, а потом уходили по делам... но ведь с этими посторонними людьми еще нужно разговаривать, улыбаться им... Вне себя от злости я прошипела Кристе:

— Пойди к Томуське и скажи, что Олег опять наслал на нас десант ментов из глубинки.

Кристя мигом развернулась и полетела в сторону кухни, где ничего не подозревающая Томочка разворачивала фольгу, в которую была укутана свинина.

Старательно навесив на лицо сладенькую улыбочку, я распахнула дверь и защебетала:

— Здравствуйте, Олег еще не пришел с работы, а я его жена Виола.

— Очень приятно, Филипп, — улыбнулся мужик в кретинском пальто.

— Давай входи, — пнула его баба, — потом познакомишься...

Парень покорно шагнул внутрь.

— А чемодан! — вскрикнула тетка. — Господи, что за ребенок! Ничего по-человечески не сделает! Да ноги вытри о тряпку, а теперь шагай, гляди, не запнись о порог...

Мужик молча втянул баул в коридор. Теперь я могла как следует рассмотреть парня. Он был полный, кажущийся еще более грузным в идиотском ратиновом пальто с бобровым воротником. На дворе, правда, стоял октябрь, но теплый. Сегодня с утра градусник за окном показывал пятнадцать выше нуля. Редкая погода для столицы, золотая осень, «бабье лето»... Представляю, как бедняге неудобно в зимнем одеянии. Мало того, что вошедший был в пальто, так еще и в шапке-ушанке, более уместной в декабрьском Норильске, чем в октябрьской Москве...

— Поставь чемодан, — велела бабища, — и помоги мне раздеться.

Филипп грохнул жуткий саквояж и улыбнулся:

— Ой, у вас собачка, какая миленькая!

— Животные должны выполнять функции, данные им от природы, — отрезала тетка, разматывая черный шарф, — корова дает молоко, кошка ловит мышей, а собака обязана охранять двор, а не валяться на диванах!

— Папа, — с укоризной начал Филипп.

— Я тебе сорок лет папа, — отрезала баба, — а ну живо сними с меня пальто!

Я уставилась на них во все глаза. Эта тетка — мужик? Но в ту же секунду гостья сняла шляпу, и я увидела обширную гладкую лысину. Когда тень от широких полей исчезла с лица этой особы, стало понятно, что она принадлежит к представителям сильного пола. Вернее, существо являлось женоподобным мужиком. Невысокий рост, абсолютно по-бабьи толстая фигура... У мужчин в почтенном возрасте отрастает живот, задница и ноги остаются относительно тощими. Это у женщин жир откладывается на спине и «мадам Сижу». Но у дядьки, недовольно развязывавшего ботинки, было тело как у нашей соседки Нюши с третьего этажа, просто не фигура, а мешок с арбузами. Зато лицо невозможно перепутать с женским: огромный, совершенно квадратный подбородок, крупный, бесформенный нос, из ноздрей которого торчали пучки седых волос, крохотные глазки непонятного цвета и тонкий, сжатый в нитку рот.

Когда мужчина наконец освободился от верхней одежды, по прихожей поплыл крепкий запах пота. Дюшка чихнула.

— Собака больна! — грозно поведал гость. — Отвратительно! Вы, надеюсь, в курсе, что у животных бывают жуткие инфекции!!!

Мое терпение лопнуло. Пнув ногой чемодан, я заявила:

— Дюша у себя в доме, а вас, между прочим, сюда не звали. Кстати, сейчас в Москве нет проблем с гостиницами. Можете оставить вещи и пойти на поиски подходящей!

Филипп покраснел и потянулся к пальто:

— Папа, она права, может, лучше...

— В этой жизни прав бываю только я, — отрезал папуля. — Кругом одни идиоты, вот пусть и слушают умного, образованного, много пожившего человека!

Потом ткнул в меня корявым пальцем и осведомился:

— Насколько понял, ты — жена Олега?

Кипя от негодования, я кивнула.

— Не могу сказать, что очень рад, — вещал хам, — но делать нечего, придется знакомиться. Аким Николаевич Рыков, отец Олега и твой свекор.

От изумления я плюхнулась на отвратительно воняющий чемодан и пролепетала:

— Я думала, вы давно умерли...

Аким Николаевич сжал губы еще плотней, однако промолчал. Я же продолжала говорить от растерянности:

— Но Олег по паспорту Михайлович, и фамилия его Куприн...

Рыков налился свекольным цветом, но тут в прихожую вышли Томуся с Кристей.

— Это кто такие? — бесцеремонно поинтересовался приезжий.

— Моя подруга Тамара и ее дочь Кристина, — стала я знакомить его с домашними.

Но Аким даже не улыбнулся.

— Время позднее, девять уже, приличные люди спят у себя дома, оставьте нас, тут дело семейное, обсудить многое надо без посторонних!

Повисло молчание. Минуты через две я выдавила из себя:

— Мы живем все вместе, в одной квартире: Тома, Семен, Крися, Олег...

— Табором, значит, — пригвоздил папенька, — по-цыгански!

Мой взгляд упал на пульт сигнализации. Так, сейчас нажму «тревожную кнопку», и через десять, максимум пятнадцать минут сюда ворвется патруль со служебной собакой. Скажу им, что мужики не имеют ко мне никакого отношения, вошли обманом. Пусть их заберут в милицию да подержат немного в «обезьяннике», авось в разум войдут.

И потом, почему я должна верить этому невоспитанному мужику, если он называется Акимом Николаевичем Рыковым, а мой супруг Куприн, и в паспорте у него четко написано: Олег Михайлович, а?

Рука сама потянулась к штуке, похожей на старомодный выключатель, нет уж, пусть лучше в дело вмешается милиция... Но тут во входной двери заворочался ключ, и появился Олег, страшно довольный, с коробкой торта «Медовик» в руках. Увидав чемодан и гостей, муж вежливо произнес:

— Здравствуйте.

— Ты их не узнаешь? — обрадовалась я.

Олег принялся, сопя, стаскивать ботинки. Мой супруг мужчина крупного телосложения, к тому же большой любитель пивка, поэтому к своим сорока пяти годам нажил такую штуку, которую немцы называют «Bierbauch», а попросту «пивной живот». Иногда я пытаюсь посадить его на диету, но у муженька при виде очень полезного и низкокалорийного салатика из капусты делается такой несчастный вид, что моя рука сама собой тянется к холодильнику и вытаскивает жирную буженину.

— Так ты не знаешь этих людей? — радовалась я. Слава богу, это просто аферисты, невесть как добывшие наш адрес! Вот был бы кошмар, если бы папа Олега и впрямь оказался таким!

Муж выпрямился и сказал:

— Простите, вы не из Ставрополя? Из криминалистической лаборатории? Помнится...

— Немедленно прекрати паясничать, — рявкнул Аким, — какое хамство! Счастье, что Нина не дожила до такого позора. Я, между прочим, всегда говорил: человек, не способный выучить стихотворение Пушкина «Пророк», никогда не добьется в жизни успеха!

Внезапно я увидела, как лицо Олега залила синева. Обычно его щеки и лоб, как у всех гипертоников, имеют слишком розовый оттенок, а в минуту гнева он и вовсе становится похожим на переваренную свеклу, но сегодня муж сравнялся по цвету с обезжиренным кефиром «Био-макс». Куприн лихорадочно полазил по карманам, вытащил очки, водрузил их на нос и потрясенно прошептал:

— Ты?

— Естественно, я, — фыркнул Аким. — У тебя что, несколько отцов? Имею в виду, конечно, родных, а не тех, которых приводила Нина, получив свободу, которую она, естественно, решила использовать неправильно.

Внезапно Олег посинел еще больше и замогильным голосом произнес:

— Пройдите в гостиную, сюда, налево.

Аким Николаевич нахмурился:

— Нам с дороги требуется помыться, да и не ели мы ничего с утра, с трудом твой дом нашли. По справочной дали другой адрес, там какие-то людишки живут.

— Олег сдает свою квартиру, — сообщила Кристя.

— Когда взрослые разговаривают, дети молчат, — мигом отрезал Аким.

— Идите в комнату, — велел Олег и почти втолкнул папеньку в гостиную, захлопнув за собой поплотней дверь.

Мы уставились на Филиппа. Мужик поежился под нашими взглядами.

— Хотите чаю? — вежливо осведомилась Томуся.

— С превеликим удовольствием, — отозвался гость.

Мы прошли на кухню. Тамарочка быстро наполнила тарелку гостя ароматной свининой и печеной картошкой.

— Вы великолепно готовите, — благодарно пробормотал Филя с набитым ртом.

Тут только я увидела, что он до отвращения похож на Олега. Те же глаза, тот же нос и подбородок, только уголки рта у него стекали вниз, придавая лицу обиженное выражение. Отчего-то мне стало совсем не по себе.

— Извините, — пробормотала я, отодвигая чашку с чаем, — голова разболелась, пойду лягу.

Томуська бросила на меня быстрый взгляд:

— Конечно, Вилка, отдыхай.

Я пошла к двери.

— Ну и что привело вас к нам? — обратилась Тома к гостю.

Уже выходя в коридор, я услышала ответ мужика:

— Диссертацию приехал защищать, кандидатскую.

Господи, он ученый!

ГЛАВА 3

Олег вошел в спальню около полуночи и против обыкновения зажег верхний свет. Я отложила детектив и спросила:

— Он и правда твой отец?

— Увы, да, — раздраженно ответил муж, — сей субъект и впрямь посодействовал моему появлению на свет. Честно скажу, этот факт не слишком меня радует.

— Но почему ты Михайлович и по фамилии Куприн?

Олег плюхнулся на кровать, с наслаждением потянулся и сказал:

— Вилка, ведь я никогда не рассказывал тебе о моей семье.

Я кивнула.

— Так вот, теперь наберись терпения и послушай чуток.

Мать Олега, Нина Андреевна, разошлась с Акимом Николаевичем, когда сыну едва стукнуло тринадцать. Вернее, сыновей в семье было двое: Олег и Филипп. Второй был на пять лет младше старшего брата и на момент разрыва между родителями едва успел отпраздновать восьмой год рождения. Когда отцу с матерью пришла в голову идея разъехаться, Олег вздохнул с облегчением. Жить с Акимом Николаевичем было невозможно.

Папенька работал в школе, преподавал русский язык и литературу. Профессия наложила неизгладимый отпечаток на его характер. Самая частая фраза, вылетавшая изо рта Акима, звучала так: «Слушать меня, только я знаю, как правильно поступать».

Спорить с отцом в доме даже не пытались. По каждому вопросу он имел определенное мнение, железобетонное и непоколебимое. Спать следует ложиться в девять вечера, читать в кровати нельзя, лирика Пушкина — вершина русской поэзии, детей нужно воспитывать в строгости, иметь много денег стыдно... Причем постулаты произносились четким «учительским» тоном и сопровождались поднятием вверх указательного пальца.

— Ты хорошо меня понял? — вопрошал Аким. — Теперь повтори!

Отец никогда не прислушивался к чужому мнению, считая себя абсолютным авторитетом во всем. Лет в девять Олег понял, что папенька просто злобный неудачник, прикрывающий свою неспособность заработать деньги ложной принципиальностью. Больше ста сорока рублей Аким отродясь не получал. Многие педагоги пополняют семейную кассу, занимаясь репетиторством, но к Рыкову никто не хотел идти, слишком уж занудлив и противен был мужик. Семья жила, одевалась, питалась, ездила отдыхать на деньги матери.

Нина Андреевна крутилась, как белка в колесе. Она работала парикмахером, имела обширную клиентуру, не гнушалась бегать по домам... У Олега сердце сжималось от жалости, когда мамочка вваливалась домой, потная и запыхавшаяся, около одиннадцати вечера. Отец, оказывавшийся дома не позже четырех, даже не выходил в коридор, чтобы встретить жену. Правда, он сам ходил за продуктами, считая, что супруга не умеет тратить деньги.

Дверь в самую большую комнату в их квартире была плотно закрыта. Сколько Олег себя помнил, папенька всем говорил, что пишет кандидатскую диссертацию о Пушкине. Именно поэтому Акиму и создали все условия. Жена и два сына ютились в крохотной комнатенке, «диссертант» один занимал двадцать пять метров.

В двенадцать лет Олег сообразил, что отец врет. Никакого научного труда нет и не будет. Наверное, одновременно со старшим сыном это же поняла мать... Через год Нина Андреевна подала на развод.

Аким, смекнувший, что он может лишиться дармовой прислуги и жить ему придется на свой скромный оклад, попытался, как мог, помешать разрыву. Но Нина Андреевна натерпелась под завязку от мужа-«ученого» и довела начатое дело до конца. Ее не остановило даже то, что судья, смущенная велеречивостью Акима, присудила ему младшего ребенка. Собственно говоря, Филипп был совершенно не нужен отцу. Рыков думал, что угроза остаться без одного из сыновей отрезвит жену и вернет ее в лоно семьи, но Нина Андреевна закусила удила и сказала судье:

— Вот и хорошо. Двоих парней мне не поднять, пусть уж Филиппа Аким Николаевич до ума доводит.

Женщина разменяла квартиру. Бывшему муженьку досталась отдельная однокомнатная жилплощадь, а Нине Андреевне комната в коммуналке, на которую ее сначала не согласились прописать с разнополым ребенком, но в конце концов недоразумение уладилось, паспортистки тоже хотят иметь красивую стрижку. Одним словом, свое четырнадцатилетие Олежек впервые встречал за праздничным столом, в компании одноклассников. До сих пор в их семье ничего такого не отмечали.

— Деньги не следует тратить впустую, — вещал Аким.

О брате Олег не жалел, впрочем, Нина Андреевна тоже не слишком переживала отсутствие Филиппа. Ей наконец открылся мир. Она стала ходить в театр, кино, покупать себе новую одежду, косметику... И через какое-то время Олег с удивлением понял: мамочка-то молодая, красивая женщина... Потом судьба и вовсе повернула к ним лицо, сияющее улыбкой. В их коммунальной квартире было еще двое соседей: тихая пенсионерка Степанида Власьевна и спокойный мужик Михаил Куприн. Через год сыграли свадьбу.

Миша работал на обувной фабрике, попросту говоря, был сапожником, хотя в трудовой книжке его профессия называлась хитро: оператор-моторист второго класса. Но как ни назови, а суть одна: Куприн шил дамские туфли, кондовые и жуткие, как вся обувка, производившаяся в Советской России. О Пушкине мужчина имел слабое представление и диссертацию писать точно не собирался. Но только при нем Олег понял, что такое настоящий отец. Походы на рыбалку, игра в футбол, воскресный день, проведенный под автомобилем... У Миши имелся старенький «Москвич», требующий постоянного внимания. А еще у Куприна оказались золотые руки, и он с упоением мастерил мебель, терпеливо объясняя Олегу, как правильно держать рубанок. Жену Миша обожал, мальчишку искренне считал своим сыном.

В шестнадцать лет, получая паспорт, Олег сменил фамилию на Куприн, а отчество на Михайлович. Вообще-то делать подобное было не совсем законно, но начальник паспортного стола давно искал непьющего человека, который бы сделал ремонт в его квартире. Миша за десять дней превратил «двушку» в пасхальное яичко, взял за труды... тридцать рублей. Благодарный милиционер выдал Олегу паспорт!

— И ты больше не встречал Акима? — спросила я.

— Нет, — покачал головой Олег. — Никогда, честно говоря, я думал, папенька давно покойник.

— Откуда же он взялся?

Муж вздохнул:

— До 1990 года он жил в Москве, в той квартире, что получил при разводе, вместе с Филей. Жениться он не собирался.

Но потом в Москве начался чуть ли не голод. Длинные очереди змеились за всем: от молока до гвоздей. Цены росли, зарплата стояла на месте... Аким перепугался и с дури женился на Анфисе, сельской жительнице, обладательнице дома и участка в двадцать соток.

— Так он теперь где живет?

— В ста километрах от столицы, в деревне Воропаево, — ответил Олег. — Преподает там в школе, хотя давным-давно вышел на пенсию.

— А за каким чертом он нам на голову свалился, у него же есть квартира в Москве, — злилась я.

Олег закурил.

— Ну жилплощадь он еще в девяностом продал, когда решил поближе к земле устроиться, боялся с голоду в городе помереть... А приехали они по важному поводу. Филя собрался защитить диссертацию.

— Господи, да по какой науке?

— Филя — ветеринар, — пояснил Олег, — работает на селе, коровы, козы, поросята, те же собаки... В Ветеринарную академию приехал.

— А зачем папеньку прихватил?

Муж развел руками.

— Я так понимаю, что Аким его окончательно под себя подмял...

— Но почему к нам?

— У них никого в столице нет, гостиницы дороги. Кстати, они сегодня весь день мой адрес искали, — ответил муж. — Еле-еле добрались.

— И надолго?

Супруг тяжело вздохнул:

— Не знаю. Завтра Филя поедет в академию, и вечером услышим об их планах.

— Черт знает что, — прошипела я, — только свекра с деверем мне не хватало, или с шурином, я никогда не знала, как точно называется брат мужа. Хорош отец, который даже адреса любимого сына не знает! Почему мы должны их тут терпеть?

— А что делать? — пробормотал Олег, вытягиваясь на одеяле. — Выгнать вон? Как-то совесть не позволяет!

Я встала, приоткрыла окно, вдохнула прохладный, сырой ночной воздух и сказала:

— Только имей в виду, я не буду пресмыкаться перед этими субъектами...

Супруг молчал.

— И хамство терпеть тоже не стану!

Олег не издавал ни звука. Я повернулась и увидела, что муж крепко спит поверх одеяла, забыв снять брюки и свитер. Неожиданно мне стало жаль его, злость испарилась. Я аккуратно стянула с Олега штаны, но, попробовав вытащить из-под стокилограммового тела одеяло, потерпела неудачу. Накрыла его пледом, захлопнула окно, выключила свет и улеглась на свою половину кровати.

В конце концов родителей не выбирают.

— Вилка, — прошептала Тома, тихонько приоткрывая дверь, — ты спишь?

— Еще нет, — тоже шепотом ответила я.

— К телефону подойдешь?

— Кто это? — удивилась я, влезая в халат.

— Какая-то Марья Михайловна, — пожала плечами Тома.

Я схватила трубку:

— Слушаю.

— Бога ради, Виолочка, извините за столь поздний звонок, — прозвучал голос бабушки Никиты Федулова, — вы, наверное, уже легли...

— Нет, нет, — поспешила я возразить. — Все в порядке. Что-то случилось?

Марья Михайловна вздохнула:

— Да уже, хуже не бывает. Леночка в морге, а Павлик в тюрьме...

Я удрученно молчала. А что тут скажешь? Молчание затянулось. Пожилая женщина всхлипывала. Наконец она справилась с рыданиями.

— Виолочка, дорогая, извините, но вам придется теперь ездить ко мне, в Кузьминки, правда, дом прямо у метро. Никиточка и слышать не хочет о другой учительнице. Кстати, я ему пока ничего не сказала про Леночку, пусть думает, что мама просто заболела. Как считаете, это правильно?

— Не знаю, — растерянно пробормотала я, — может, вы и правы, зачем ребенку такой стресс! Хотя все равно ведь придется когда-то объяснить...

— О господи, — снова заплакала Марья Михайловна, — ну за что? Кому она помешала?

— Успокойтесь, — попыталась я утешить бабушку, — вам нельзя так нервничать, еще Никиту надо на ноги ставить. Павла-то небось судить будут, мальчик у вас останется...

Неожиданно Марья Михайловна деловито сказала:

— Виолочка, боюсь, десять долларов мне теперь не по карману. Честно говоря, пока я не слишком представляю, на какие средства мы будем существовать с Китом.

— Ста рублей за урок вполне достаточно, — быстро ответила я. — Впрочем, могу работать в долг, расплатитесь, когда сумеете, мне не к спеху.

— Сто рублей мне по силам, — обрадовалась

Марья Михайловна. — Вот спасибо так спасибо, и еще...

Она замолчала.

— Говорите, говорите, — приободрила я ее, — я постараюсь для вас все сделать!

— Понимаете, — снова принялась вздыхать Марья Михайловна, — у Никиточки с собой нет никаких сменных вещей, у меня здесь только пижамка и домашний костюмчик. Не могли бы вы завтра с утра подъехать на квартиру к Леночке и взять его вещи?

— Пожалуйста, — ответила я, — только как я попаду внутрь?

— Там с восьми утра будет женщина, Лида, — пояснила бабушка, — она вам откроет, я предупрежу ее.

— Ладно.

— Спасибо, ангел мой, — прошептала Марья Михайловна. — Понимаю, что глупо, но я просто не могу войти в эту квартиру, ноги не идут...

— Конечно, конечно, — поспешила я успокоить ее, — мне совсем не трудно.

— Вещи уже сложены в такой довольно большой чемоданчик из крокодиловой кожи, темно-коричневый, — пустилась в объяснения бабушка, — он стоит у них в кладовке, между шкафами, извините, но он, кажется, заперт, просто для того, чтобы не открылся случайно. Лена собиралась завтра отправить Никиту со школой во Францию. Да только теперь нам не до поездок.

ГЛАВА 4

Утром я звонила в квартиру к Федуловым. Дверь распахнулась сразу, словно женщина специально поджидала меня у порога. Полная, в резиновых перчатках и спортивном костюме, она моментально сказала:

— Вы Виола! Хозяйка вас очень точно описала!

Я вошла в знакомую прихожую и принялась расстегивать ботинки.

— Идите так, — велела Лида, — все равно мыть.

Я покосилась на ее резиновые перчатки. У Лены работала в прислугах интеллигентная дама лет пятидесяти, Ольга Львовна, бывшая преподавательница химии, волею судеб поменявшая класс с учениками на ведро с тряпкой. Эту же бабу я вижу впервые. Странно, однако, Марья Михайловна говорила, что нуждается и не может платить мне десять долларов, а наняла прислугу...

— Вы теперь будете тут убирать? — поинтересовалась я у Лиды.

Та улыбнулась.

— Нет, только один день. Я не простая домработница.

— Да? — я из вежливости поддержала разговор. — А какая?

Терпеть не могу людей, которые корчат из себя бог знает что. Если стоишь в чужой квартире с веником и совком, то, как ни называйся, суть одна. Поломойка она и есть поломойка. Я в своей жизни только и делала, что возила тряпкой по комнатам и коридорам. Ну и что? Но Лида, очевидно, стесняется своего занятия, да она не одна такая!

Видели когда-нибудь в метро, при входе на станцию, у касс бумажку: «Требуется оператор для работы в зале на машине»? Долгое время я никак не могла сообразить, на каком таком автомобиле предлагается разъезжать по станции и при чем тут оператор? Мне что, дадут видеокамеру? В действительности же оказалось, что это просто объявление о найме уборщицы. А машина — такая серая штука с бешено крутящимися внутри щетками, которую следует толкать перед собой, оставляя сзади мокрую полосу свежепомытого мрамора...

— Вот, — продолжала Лида, — возьмите визитку, вдруг когда понадобится, не дай бог, конечно!

Ничего не понимая, я взяла карточку и уставилась на цифры и буквы: «Лидия Ковригина, уборка квартир и офисов после террористических актов, убийств и аварий».

— Это чья? — глупо поинтересовалась я. — Ваша?

Лида хихикнула:

— Конечно.

— Так вы моете...

— После преступлений, — пояснила женщина. — Знаете, родственникам-то не слишком приятно. Вот вчера кабинет уделали, жуть! Кровищи везде! Все стены, пол и даже на потолок попало. Здесь-то сегодня чисто, подумаешь, чуть на стол натекло, ерунда! А что, правда, будто тут совсем молодую убили?

Я подавила легкую тошноту.

— Да.

— Вот горе, вот горе, — запричитала Лида, но глаза ее горели любопытством.

Никакой жалости к погибшей Лене уборщица не испытывала, ну да это и понятно.

— Где же находите клиентов? — поинтересовалась я.

— В «Из рук в руки» объявления печатаю, визитки раздаю, иногда сама предлагаюсь. Прочитаю в «Московском комсомольце», кого где убили, и звоню...

Внезапно тошнота опять подступила к горлу, и я пошла в кладовку за чемоданом.

Элегантный саквояж из крокодиловой кожи нашелся там, где и говорила Марья Михайловна. Я попыталась поднять его и охнула. Маленький на вид баульчик оказался очень тяжелым. С трудом оторвав его от пола, я пошла к двери.

— Уходите? — весело спросила Лида.

— Да, — ответила я.

— Ну счастливо вам, — улыбнулась уборщица, — визитку мою не потеряйте, вдруг пригодится.

— Типун вам на язык, — обозлилась я и ушла.

Марья Михайловна не обманула. Ее дом, самая обычная пятиэтажка из желтых блоков, стоял в двух шагах от станции «Кузьминки». На небольшом пятачке шумел рынок. Я обогнула полосатые палатки и вошла в подъезд.

Марья Михайловна открыла дверь и мигом заплакала, увидав меня с саквояжем в руках. Я растерянно пробормотала:

— Ну, ну, успокойтесь.

— Проходите, Виолочка, на кухню, — сморкаясь в платочек, сказала хозяйка. — Оставьте чемоданчик вот тут, около вешалки.

— Он тяжелый, — сказала я, — давайте отнесу к Никите в комнату.

— Спасибо, — вежливо отозвалась Марья Михайловна. — Ничего, пусть пока тут постоит!

Мы вдвинулись на кухню. Хозяйка извинилась и ушла. Из ванной послышался шум воды. Я села на стул и огляделась. Большое помещение, метров двадцать, было обставлено самой простой, отечественной мебелью. И плита, и холодильник оказались здесь советскими, купленными небось еще в 70-е годы. Такие кухни у большинства малообеспеченных москвичей. Удивила меня только кубатура помещения, обычно в «хрущобах» пятиметровые «пищеблоки». Наверное, Марья Михайловна в свое время разбила стену между крохотной кухонькой и прилежащей к ней комнатой.

Честно говоря, узнав в свое время от Лены, что ее мать — художница, я очень удивилась. Больше всего Марья Михайловна была похожа на бабушку Красной Шапочки. Полноватая, совершенно седая, со старомодной укладкой... Косметикой дама не пользуется, парфюмерией тоже, впрочем, иногда от нее пахнет совершенно старомодными духами «Клима», новинкой шестидесятых годов фирмы «Ланком». И теперь можете представить, что подобная мадам рисует странные мистические картины сродни офортам Гойи или полотнам Босха?

Увидев впервые натюрморт, на котором изображались давленые фрукты, слегка подгнившие и грязные, горкой уложенные внутри человеческого черепа, я долго не могла поверить, что сие творение принадлежит Марье Михайловне. Такая бабуся, если уж она взялась за кисть, должна выписывать зайчиков, козликов и собачек, на худой конец полевые или садовые цветочки... Кстати, Марье Михайловне всего шестьдесят три года, я высчитала, что Леночку она родила очень поздно, в сорок, а уже в пятьдесят шесть стала бабушкой. Но выглядит она на все семьдесят с гаком. Впрочем, насколько я понимаю, ей совершенно наплевать на производимое впечатление, она не из тех людей искусства, кто делает косметические подтяжки.

Вот и сейчас она просто умылась и не стала ни пудрить лицо, ни красить губы. Мы пили кофе.

— Ума не приложу, — вздыхала бабушка Никиты, — как теперь жить? Бедный Павлик, я понимаю, он хотел заработать, связался с наркотиками... Господи, ну почему молодым все сразу надо? Я же живу спокойно в этой квартире? Нет, подавай им хоромы шестикомнатные, элитный автомобиль, загородный дом... Вот теперь буду продавать Леночкину квартиру. Надо Никиточку поднимать, да и Павлику передачи носить.

— Разве вы можете реализовать жилплощадь? — удивилась я. — Лена же только-только умерла. Должно пройти, по-моему, полгода!

— Эта квартира, — спокойно ответила художница, — куплена и приватизирована на мое имя.

От удивления я разинула рот.

— Правда?

Марья Михайловна печально улыбнулась:

— Павлуша-то все время с законом играл. Вы знаете, чем он занимался?

Я растерянно пробормотала:

— Вроде торговал продуктами, Леночка говорила, у него контейнеры на рынках стояли, конфеты, зефир, мармелад...

Марья Михайловна с жалостью посмотрела на меня.

— Виолочка, вы и впрямь полагаете, что, отвешивая карамельки, можно заработать на апартаменты, в которых они жили, и на безбедное существование?

Я окончательно перестала понимать, что к чему.

— Но вы же только что сказали, будто квартира ваша?

— Павлик боялся, — пояснила бабуся, — что рано или поздно попадет в поле зрения правоохранительных органов, вот и сделал так, что конфисковать у него нечего. Квартира записана на тещу, дача на жену, автомобиль тоже Леночкин... Павлик у нас почти бомж, прописан у своей матери. А сватья моя, уж извините, пьяница запойная, описывать там нечего: две тарелки да кружка... Так что я теперь хочу продать квартиру, да только...

Она замолчала.

— Что-то не так? — спросила я.

— Павлика арестовали дома, — пояснила Марья Михайловна. — Обыск провели и забрали документы на жилье. Конечно, никакого права этого делать не имели, Лена сразу заявила следователю, что они живут у меня... Только он теперь откровенно хамит. Я позвонила ему и попросила вернуть договор купли-продажи, без него риелторские агентства даже разговаривать не хотят! Так этот идиот ответил: «Мы еще посмотрим, на какие денежки все приобреталось!»

Марья Михайловна, не будь дура, мигом проконсультировалась у адвоката. Тот объяснил, что волноваться не надо. Во-первых, квартира не подлежит конфискации, а во-вторых, документы обязаны вернуть... Старуха мигом донесла до следователя эту информацию. Тот процедил сквозь зубы:

— Вот сейчас освобожусь и отдам договор.

Только противный мент неуловим. По телефону разные голоса отвечают:

— Уехал.

— Еще не появился.

— Уже ушел.

— Вернется завтра.

Одним словом, ясно, мужик делает все возможное, чтобы досадить Марье Михайловне.

— Самое обидное, — объясняла старушка, — что нашелся покупатель, но он торопится и ждать не станет! Ума не приложу, как поступить, денег совсем нет, в кошельке копейки.

— Хотите, дам в долг? — предложила я.

— Ну что вы, — замахала руками бабушка. — Не надо, и так обременила вас без меры.

— Знаете, — сказала я, — могу попробовать вам помочь. Как фамилия следователя и в каком он отделении сидит?

— Волков, — мигом ответила Марья Михайловна, — Волков Андрей Семенович, с Петровки. А как вы поможете?

Я вздохнула. Ни Лена, ни Павлик, ни тем более бабушка Никиты не знают ничего о моем семейном положении. Я стараюсь меньше рассказывать о себе, да и, честно говоря, людям все равно, кто супруг у наемной репетиторши, главное, чтобы дети вместо двоек начали приносить по крайней мере тройки! С одной стороны, мне ужасно хочется помочь Марье Михайловне, но, с другой, будет лучше, если информация об Олеге останется «за кадром».

— У одного моего ученика папа работает на Петровке, — бодро соврала я.

Марья Михайловна умоляюще сложила руки:

— Виолочка, попросите, вдруг поможет? Ведь следователь не отдает договор из вредности...

— Дайте мне телефон, — попросила я.

Трубку снял Юрка.

— Это Виола Тараканова, — представилась я.

— Боже, как торжественно, — хихикнул приятель.

— Скажите, Олег Михайлович на работе?

— Ты белены объелась? — поинтересовался Юрасик.

— Нет, — продолжала я изображать постороннего человека. — А вы, Юрий, знакомы со следователем Волковым Андреем Семеновичем?

— С Андрюхой?

— Да.

— Конечно, а что случилось?

— Вы разрешите мне подъехать?

Юрка заржал:

— Давай, дуй по-быстрому.

— Ждите моего звонка, — велела я бабушке и побежала к метро.

Комната Олега была заперта, у Юрки же сидела какая-то тетка в серой грязной куртке. Увидав меня, он серьезно сказал:

— Входите, Виола Ленинидовна.

Тетка тревожно повернулась к двери и спросила:

— Это кто?

— Не волнуйтесь, Анна Марковна, — вежливо забубнил Юра, — Виола Ленинидовна наш сотрудник, из 12-го отделения.

Я села за свободный стол.

— Ну продолжайте, — велел Юрка.

Тетка забормотала:

— Спать не могу, есть тоже. Молоко в холодильнике мигом скисает, и газету приносят не такую!

Юрка слушал этот бред с непроницаемым лицом.

— Иногда газ под дверь пускают, — горячилась Анна Марковна, — но хуже всего излучения, так голова болит.

— Если я правильно понял, — уточнил Юра, — инопланетяне мучают вас давно?

— Да уже несколько лет, — пожаловалась баба.

— Вы очень правильно сделали, что пришли к нам, — одобрил ее Юрасик.

— Значит, вы их арестуете? — радостно воскликнула тетка.

— Нет, — ухмыльнулся Юрка, — одних заберем, другие заявятся. Сделаем лучше. Дам вам одну штуку...

Он замолчал, тетка уставилась на него и подозрительно спросила:

— Какую?

Юрка вытащил из ящика стола маленькую коробочку, больше всего похожую на пластмассовую мыльницу. Из нее торчали две палочки, соединенные проволокой.

— Что это? — поинтересовалась баба, осторожно взяв «прибор».

— Биопогаситель чужеродных излучений и агрессивных волн, — на полном серьезе заявил Юрка. — Разработка секретного оборонного НИИ. Над этой штукой поломали головы десятки профессоров и академиков, сами понимаете, всем мы его дать не можем, лишь избранным, тем, кто много сделал для нашей Родины, вот как вы, например.

Баба дрожащим голосом поинтересовалась:

— А как он действует?

— Очень просто. Только услышите, что инопланетяне подлетают, нажимаете вот эту кнопочку и все. Ударная волна отбрасывает врагов.

— Спасибо, спасибо, — забормотала сумасшедшая, прижимая к груди «погаситель», — я знала, что наши доблестные органы помогут. Вы за Зюганова голосовали?

— Да, — соврал Юрка, вообще не ходивший на выборы.

— Дай я тебя, сыночек, поцелую, — взвыла психопатка.

Я закусила нижнюю губу, стараясь не разрыдаться от смеха. Наконец Юра вытолкал посетительницу в коридор и со вздохом сказал:

— Ну прикинь, если я пропуск забуду, то меня не впустят в здание, а эти психи пробираются стаями!

— Что за дрянь ты ей дал? — удивилась я.

Юрка хихикнул:

— Ленька Медведев придумал. Его в университете психологии обучают, вот он и применил теоретические знания на практике. Психу-то бесполезно объяснять, что никаких инопланетян нет, а вся беда у него в голове. Вот и сконструировал Леня «прибор». Теперь просто кайф! Раньше по несколько часов сумасшедшие сидели, да еще потом драться лезли, когда понимали, что им не верят. А сейчас — «погаситель» в зубы, и все счастливы, расстаются с нами с поцелуями. У тебя-то что стряслось?

Я рассказала про Марью Михайловну и противного следователя Волкова.

— Андрюшка не вредничает, просто у него небось и впрямь времени нет, ладно, погоди...

Приятель встал, запер сейф, сунул ключи в карман и вышел. Я расстегнула куртку, некоторые действия настолько привычны, что выполняются человеком автоматически. Юра ни на секунду не сомневается в моей честности, но сейф захлопнул и «открывалку» унес. Кстати, мог бы чайку предложить!

Минуты текли томительно, наконец Юрка вернулся и протянул мне... шнурки, брючный ремень, кольцо-печатку и листок бумаги.

— Что это? — оторопела я.

— Сделай милость, отдай родственнице Федулова, — велел Юрка, — тут все по описи, кольцо из желтого металла, похожего на золото...

— А шнурки с ремнем при чем? — спросила я, вглядываясь в бумажку. Слава богу, вот он, договор купли-продажи...

— Положено, — возвестил приятель. — У всех отбирают.

Я молча сгребла вещи в сумочку.

— А где Олег?

— Оперативная необходимость, — загадочно сообщил Юрка.

ГЛАВА 5

Марья Михайловна встретила меня странно. Вернее, совсем никак не встретила. И мне пришлось минут десять звонить в дверь, прежде чем я заметила, что замок не заперт.

— Добрый день! — заорала я, громко хлопая дверью. — Марья Михайловна, вы где?

В ответ — молчание. Сказать, что мне стало страшно, это не сказать ничего. Только вчера в квартире у Лены меня встретила точь-в-точь такая зловещая тишина.

— Марья Михайловна, — завопила я так, что на хрустальной люстре зазвенели тоненько подвески, — отзовитесь!

Но ни звука не доносилось из комнат.

Еле-еле передвигая ноги, я добралась до гостиной, сунула голову в комнату и завизжала. Все шкафы были открыты. Постельное белье вперемежку с хрустальными бокалами и тарелками валялось на полу. Здесь же расшвырянные книги, видеокассеты, газеты... Со стола сдернута скатерть, подушки с кресел и дивана валялись в разных местах. Но самое страшное не это. У окна, под самым подоконником, лежал, разбросав руки, Никитка. Светло-серый свитер мальчика, его белокурые волосы, голубые джинсы, бежевый ковер, на котором покоилось безжизненное тело, — все было залито яркой бордовой жидкостью. Не помня себя, я вылетела на кухню, схватила телефон и срывающимся голосом выкрикнула:

— Юрка! Сюда, ко мне, скорей...

Марьи Михайловны дома не оказалось. Дикий бардак царил по всей квартире, нетронутой оказалась лишь кухня. Наверное, негодяи, убившие ребенка и похитившие бабушку, нашли то, что искали.

Я сидела на кухне и сжимала в ледяных ладонях чашку с обжигающим чаем. Горячая жидкость огнем прокатывалась по пищеводу вниз, но меня парадоксальным образом трясло все больше и больше.

Юрка с оперативниками ходил по квартире. Потом послышался вой сирены, лязг носилок и нервный голос:

— Капельницу не задирай так, быстро течет.

Я мигом кинулась в коридор. Никитка лежал на носилках, которые двое мужиков несли вперед головой, а не ногами. Третий шел сбоку, держа в руках пластиковый мешок, от которого тянулась тоненькая прозрачная трубочка, теряющаяся под одеялом, прикрывающим мальчика.

— Он жив!!! — обрадовалась я.

— Скорее нет, чем да, — раздраженно бросил доктор, и медики исчезли на лестнице.

— Почему ты не вызвала «Скорую»? — налетел на меня Юрка. — При таких ранениях исход решают минуты...

— Но, — забормотала я, — но я не думала... Полагала, что он мертв, столько крови.

Юрка разинул было рот, но тут сзади, от входной двери раздался бодрый голос Марьи Михайловны:

— Никиточка, детка, почему же у тебя дверь раскрыта? Сколько раз говорила, запирай аккуратно, иди сюда, смотри, что я принесла...

Я онемела, Юрка сразу тоже не сообразил, как

поступить. Художница вошла в прихожую. В правой руке она держала большую хозяйственную сумку, в левой два шоколадных яйца.

— Ники... — начала она, но, увидав меня, осеклась. — Виолочка? Слава богу, это вы. А то уж я испугалась, кого Кит впустил, ну как съездили?

Я растерянно протянула ей договор:

— Вот.

Марья Михайловна поставила кошелку и сказала:

— Ну спасибо, неужели...

Тут из гостиной высунулся фотограф и крикнул:

— Юрка, я тут все отщелкал.

— Что здесь происходит? — прошептала художница.

— Только не волнуйтесь, — начал Юра, — лучше пойдем на кухню, там сесть можно...

— Никиточка... — прошептала Марья Михайловна, — Никиточка...

— Он остался жив, — быстро сообщила я. — Только крови много потерял, на «Скорой» увезли.

Не говоря ни слова, женщина закатила глаза и опустилась на пол.

— Веня! — заорал Юрка.

Из гостиной выскочил парень, руки которого были обтянуты тонкими резиновыми перчатками.

Юра затолкал меня на кухню и с укоризной сказал:

— Ну ты даешь, Вилка. Знаешь анекдот, как полковник вызывает к себе сержанта и велит тому сообщить рядовому Петрову о смерти родителей?

— Нет, — буркнула я мрачно, — самое время сейчас веселиться.

Но Юрка, словно не услыхав последней фразы, спокойно продолжал:

— В общем, поставил полковник перед собой

сержанта и приказывает: ты там поделикатней действуй, все-таки родные люди погибли. Ну сержант выстроил солдат и как гаркнет: «Эй, ребята, у кого отец с матерью живы, два шага вперед! А ты, Петров, куда прешься? Ты у нас со вчерашнего вечера сиротой стал!»

— Ты это к чему? — поинтересовалась я.

— Да просто так, — хмыкнул Юрка, — здорово с бабкой разобралась: жив пока, много крови потерял...

У Марьи Михайловны я просидела до позднего вечера. Милиция ушла где-то в районе семи. Но мне стало жаль старушку. Она с потерянным видом сидела на диване и повторяла:

— За что? Господи, за что? Павлик, Леночка, Никита... За что?

— У вас ничего не пропало? — осторожно поинтересовалась я. — Деньги, драгоценности...

Марья Михайловна покачала головой.

— Пенсию унесли, сережки золотые, два кольца и шубу каракулевую. Видно, что нашли...

— Почему же Никитка впустил грабителей? — недоумевала я.

— Он такой ребенок, — снова заплакала бабушка, — небось и не посмотрел в глазок, распахнул дверь, и все.

Я оглядела дикий беспорядок, царивший в комнате.

У меня Никита всегда спрашивал: «Кто там?» Ни разу не помню, чтобы он просто открыл дверь...

Марья Михайловна дрожащей рукой взяла пузырек с валокордином и принялась отсчитывать резко пахнущие капли.

Дзынь, дзынь — раздалось из прихожей.

— Виолочка, — прошептала женщина, — откройте, сделайте милость!

Я подошла к двери, посмотрела в глазок, увидела высокого, худощавого мужика и бдительно поинтересовалась:

— Вам кого?

— Марья Михайловна дома? — весьма вежливо ответил незнакомец. — Скажите, Вербов пришел, Максим Иванович.

Услыхав имя мужчины, бабушка Никиты изменилась в лице, но попросила впустить Вербова, а когда я, решив оставить ее с гостем наедине, собралась отправиться на кухню, замахала руками:

— Нет, Виолочка, останьтесь, у меня от вас тайн нет.

Максим Иванович оглядел разгром и с изумлением спросил:

— Что тут произошло?

Марья Михайловна вновь схватилась за валокордин, а я вкратце обрисовала гостю ситуацию. Тот пришел в ужас.

— Бедный мальчик, представляю, что вы пережили!

Старушка качала головой и ничего не говорила, повисло молчание, прерываемое только тяжелым дыханием мужчины. Потом он осведомился:

— Ну, надеюсь, мои деньги целы?

Марья Михайловна залилась слезами.

— Грабители небось узнали...

Максим Иванович растерянно протянул:

— Вы хотите сказать, что вся сумма...

Внезапно Марья Михайловна отшвырнула в сторону мокрый, скомканный носовой платок и прошипела:

— Из-за этих проклятых бумажек убили мою дочь и почти уничтожили внука...

Мужчина испуганно ответил:

— Да, конечно, извините...

Старушка вновь принялась судорожно всхлипывать.

— Вам, наверное, лучше сейчас уйти, — тихо сказала я, — Марья Михайловна пережила слишком большой шок.

— Понимаю, — ответил гость, — действительно...

Проводив Максима Ивановича до двери, я осторожно спросила у бабули:

— О каких деньгах идет речь?

Старушка вздохнула:

— Я брала в долг у Максима Ивановича большую сумму, целых десять тысяч...

— Долларов?

— Ну что вы, рублей, конечно, ремонт делала. Потом у меня картину купили, вчера, утром. Ну я и договорилась, что Вербов сегодня придет... Совсем про него забыла, а тут такая штука произошла! Естественно, денег нет! Они лежали вон там, в шкафу, совершенно открыто, их никто не прятал... Теперь надо снова собирать... Господи, еще эти вещи разбросанные на место класть и в гостиной мыть...

Я вздохнула:

— Придется вам опять Ковригину Лиду звать, вроде она хорошо справляется с подобными поручениями...

Следующие два дня я просидела дома, стараясь не сталкиваться с гостями, но в среду вышла на кухню около одиннадцати и застала там Акима Николаевича, пившего чай. Увидав меня, свекор сжал губы, превратив их в «куриную жопку»:

— Однако спишь ты до обеда!

Я молча включила чайник и открыла холодильник. Какой толк объяснять хаму, что у детей с сегодняшнего дня начались осенние каникулы, и они временно прекратили заниматься немецким языком.

— На кухне грязь, — продолжал Аким. — Собака линяет, повсюду шерсть валяется. Кошка орет ночь напролет, да еще около часа какой-то мужик вломился ко мне в комнату, зажег свет и, не извинившись, ушел. У вас всегда такой бардак?

— Это Семен, муж Томы, — я решила все же прояснить ситуацию. — Он не знал, что вы приехали.

Аким крякнул и собрался дальше занудничать, но тут в кухню вошел Филипп с портфелем в руках.

— Уходишь? — грозно осведомился папенька.

— На кафедру, — пояснил Филя, — надо кое-какие бумаги оформить.

— Надень пальто и шапку, — велел Аким.

Филя подошел к балконной двери и глянул на улицу.

— Вроде там тепло, только дождик моросит, пойду в плаще.

— Пальто и шапку, — каменным голосом повторил отец. — Как ты смеешь меня позорить? Явишься в Ветеринарную академию, словно бомж! Скажут, приехал из деревни! Тоже мне, кандидат наук, да у него одежды приличной нет.

— Прямо взмок вчера, — попробовал вразумить папеньку мужик. — Просто взопрел весь!

— Взопрел, — передразнил Аким, — взопрел! И это мой сын! По-русски говорить так и не научился! Отвратительно! Либо ты отправляешься в город в достойном виде, чтобы люди обо мне худого не подумали, либо сидишь дома. Взопрел!

— Хорошо, — кивнул Филя и пошел в прихожую, я за ним.

Глядя, как мужик покорно влезает в ратиновое пальто с огромным, почти до пояса, воротником-шалью из бобра, я еще промолчала, но, когда он собрался напялить на голову страхолюдскую шапку, сшитую из неизвестной зверюги, не выдержала:

— Оставь это, лучше накинь плащ. Или хочешь, дам тебе куртку Олега?

— Папа рассердится, — тихо ответил Филя и пошел к лифту.

— Хоть шапку сними, — посоветовала я.

Филипп непонимающе уставился на меня:

— Зачем?

— Так жарко тебе, вон уже пот по вискам течет.

— Папа обозлится!

— Господи, — всплеснула я руками, — тебе сколько лет? Не можешь его послать куда подальше?

— Не буду я из-за ушанки с отцом ругаться, — пробубнил Филя. — И вообще, пар костей не ломит. К тому же папа прав: надо прилично выглядеть!

— Вот-вот, — ехидно отозвалась я. — А сейчас ты похож на идиота! Да в конце октября люди с непокрытой головой ходят!

— Папа рассердится, — тупо повторял Филипп.

Я окончательно вышла из себя:

— Как только очутишься на улице, сунь кретинскую шапчонку в пакет, а пальто расстегни. Ходи так весь день, а вечером, когда вернешься домой, водрузи на голову этот апофеоз скорняжного мастерства. Двух зайцев убьешь. Сам от перегрева не скончаешься, и папенька останется доволен!

Филипп замер с открытым ртом, потом потрясенно сказал:

— Мне подобное решение не приходило в голову.

— Ты никогда не обманывал папеньку?

— Как-то не нужно было до сих пор, — пожал плечами ветеринар.

Потом он стащил ушанку, сунул в портфель и протянул:

— И впрямь так лучше, а то еще не вышел во двор, а уже взопрел!

Лифт, скрежеща железными частями, заскользил вниз. Я пошла домой. Лиха беда начало, глядишь, Филя в человека превратится. День потек своим чередом. Пришла с работы Томуська, она работает в школе на продленке. Вешая пальто, подруга сказала:

— Представляешь, какие гадкие люди встречаются.

— Что случилось? — спросила я.

Тома расправила пальто, я ахнула. Не так давно мы вместе с ней купили это шикарное одеяние из тонкой шерсти. Стоил свингер дорого, но нас привлек трапециевидный фасон. Мы решили, что он хорошо прикроет ранней весной ее округлившийся живот. К тому же наряд светло-песочного цвета очень шел ей, ткань была уютной, мягкой, пальто хотелось носить, не снимая. Но теперь, похоже, его придется выбросить.

Сзади, на спине, змеилось несколько длинных разрезов, сделанных, очевидно, бритвой, а вверху был просто выхвачен лоскут ткани.

— Как это случилось?! — воскликнула я, осматривая вконец испорченную вещь.

— Не знаю, — пожала плечами Тома, — в метро входила в полном порядке. Наверное, в вагоне хулиган попался!

— И ты ничего не почувствовала!

— Нет.

— Он же к тебе прикасался!

Томочка печально улыбнулась:

— Час пик, все толкаются... Но это точно кто-то в вагоне, потому что, только я вышла на нашей станции, ко мне сразу женщина подошла со словами: «Дама, вам сзади пальто порезали».

Я не нашла что сказать, только пробормотала:

— Не расстраивайся, другое купим, сейчас с вещами проблем нет.

Тома вздохнула:

— Оно так, но только пальто это мне очень нравилось. Знаешь, давай его сразу выбросим, чтобы Сене на глаза не попалось, а то станет нервничать, расстроится...

В этой фразе вся Томуська. Нет бы о себе подумать, представляю, какой концерт закатила бы Лерка Парфенова, случись с ней подобное происшествие! Но Томуся права, ни Сене, ни Олегу, ни Кристине, ни тем более гостям не надо рассказывать о досадной неприятности. Завтра же поедем за обновкой.

Я быстренько сбегала во двор и развесила на заборе, возле мусорного бачка то, что еще недавно было элегантным свингером. Впрочем, кому-то и сейчас вещь понравилась, потому что, когда спустя два часа я вышла гулять с Дюшкой, возле помойки валялись только скомканные бумажки.

Около девяти Тамара спросила:

— Кристина говорила тебе, куда пойдет вечером?

— Нет, — удивилась я, — думала, ты в курсе.

— Ну куда она могла подеваться? — взволнованно воскликнула Тома, и тут, словно отвечая на ее вопрос, зазвонил телефон.

— Виолу позовите, пожалуйста, — пропел мягкий мужской голос.

— Слушаю.

— Ох, извините, бога ради, — завел парень бархатным баритоном, — я очень виноват перед вами! Наверное, вы волнуетесь, куда подевалась Кристя?

— Есть немного, — ответила я. — А вы кто?

— Отец ее одноклассницы Вики Мамонтовой, Сергей Петрович, можно просто Сергей, — охотно отозвался баритон. — У Вики сегодня день рождения, я отвез сначала девочек в «Макдоналдс», потом в кафе-мороженое, а затем вернулся к нам. И тут, каюсь, я не напомнил ей о звонке домой, а Кристя начисто забыла сообщить, где она, теперь боится, что станете ругать...

— Спасибо, — с облегчением вздохнула я, — вот негодница, ну-ка дайте ей трубочку.

— Ну не портите девочке хороший день, — рассмеялся Сергей.

— Уже поздно, Кристине пора домой.

— Я сегодня улетаю за границу, — пояснил Сергей, — поеду в Шереметьево по Ленинградскому проспекту, вас устроит подойти на площадь Эрнста Тельмана? Привезу туда Кристину часа через полтора...

— Прекрасно, — обрадовалась я. — Это недалеко от нашего дома, всего пара остановок на метро. Ровно в пол-одиннадцатого буду ждать вас возле палатки «Русские блины», только как мне узнать вашу машину?

Сергей расхохотался:

— Кристина-то вас узнает! Я гудну и фарами поморгаю.

— Что там? — поинтересовалась Томочка, видя, что я закончила разговор.

Узнав, в чем дело, подруга сказала:

— Надо купить Кристе мобильный. Знаешь, есть

такие дешевые аппараты, называются «коробочка Би+». Очень удобно, позвонил и не нервничаешь.

Я промолчала. Иногда Томуськина патологическая незлобивость доводит меня до бешенства. На мой вкус, следует не «телефонизировать» Кристю, чтобы она хвасталась среди подружек мобильником, а наподдать ей как следует по заднице! Ведь сидит в гостях уже давно и не подумала позвонить домой.

Ровно в десять тридцать я заняла позицию у будки «Русские блины». В тот же момент одна из машин, припаркованных за железной оградой, коротко гуднула и заморгала фарами. Я подошла к бордюру, перелезла через заборчик, увидела старенькие, разбитые, жутко грязные «Жигули», открыла переднюю дверь, села в салон и сказала водителю, молодому парню, с виду лет тридцати трех:

— Добрый вечер, Сергей.

Шофер улыбнулся:

— Рад встрече.

Я обернулась на заднее сиденье.

— Ну, Кристя, и тебе не стыдно?

В ту же секунду слова застряли в горле. Салон оказался пуст, никого, кроме меня и Сергея Мамонтова, в автомобиле не было.

ГЛАВА 6

— Где Кристя? — возмутилась я. — Вы Сергей, отец Вики?

Парень нажал какую-то кнопку, раздалось громкое «щелк».

— Нет, — ответил он потом, — не Сергей и не отец Вики.

— Простите бога ради, — сказала я, — вышло

дурацкое недоразумение, у меня тут, на площади, назначена встреча с человеком, который обещал поморгать фарами... Я перепутала автомобили.

Одновременно с извинениями я потянула на себя ручку, но дверца не открылась. Парень преспокойно закурил и заявил:

— Нет, Виола, вы попали по адресу.

— Где Кристя? — возмутилась я. — Что за дурацкие шутки?

— К сожалению, дорогая, все очень серьезно, — ответил водитель и пустил мне в лицо струю дыма.

Не знаю, что возмутило меня больше: словечко «дорогая», брошенное свысока и как-то снисходительно, или омерзительный запах сигары, которую наглец держал, как шариковую ручку, большим и указательным пальцами.

— Где Кристя? — повторила я, дергая не желавшую открываться дверцу.

— Оставьте ее в покое, — резко сказал шофер. — Выход заблокирован, выйти без моего разрешения вы не сможете.

— Где Кристина?

Водитель вытащил мобильный, потыкал в кнопки и буркнул:

— Покажи.

Внутри стоящей рядом иномарки вспыхнул свет, потом задняя дверца приотворилась, и я увидела внутри Кристю, живую, здоровую и, похоже, совсем целую.

Через мгновение дверка захлопнулась, свет погас, я уставилась в окно. Ничего не различить, жуткая темнота.

— Девочка в полном здравии, — вновь выпустил клуб дыма парень, — пока!

— Что значит пока? — прошептала я. — Кто вы такие, имейте в виду, мой муж...

— Служит на Петровке, — хмыкнул мерзавец, — ну и что, сильно он помог Тамаре? Оградил ее от неприятностей в метро? А теперь подумай головой: пальто порезали бритвой, и твоя сестрица ничего не заметила, а ведь могли и шилом ткнуть в давке, раз — и нет Тамарочки, много ли ей надо...

— Так это вы изуродовали пальто... Зачем?

Водитель вновь затянулся. Я жадно разглядывала его. Густые белокурые, совершенно есенинские волосы непослушными прядями падали на большой чистый лоб. Красивые темно-голубые глаза смотрели без всякой злобы, правильной формы нос украшал породистое лицо. Рот капризно изгибался, кожа была смуглая, что странно для блондина, хотя небось он ходит в солярий. В целом парнишка был хорош, как конфетный фантик.

— Выслушай меня, — процедил он, — внимательно. Девчонке никто не собирается делать плохо. Убивать, отрезать пальцы и уши, насиловать... Уволь, я не любитель подобных мероприятий...

— Как тебя зовут? — поинтересовалась я.

Мужик секундно глянул на меня немигающим взором и сообщил:

— Монте-Кристо.

Я глубоко вздохнула. Было глупо думать, что он представится, как жених в загсе. Хотя небось у мерзавца кипа фальшивых документов, удостоверяющих личность.

— Что ты хочешь от меня?

— Полмиллиона, — спокойно отозвался Монте-Кристо.

— Чего? — спросила я.

— Да уж не пробок от пивных бутылок, долларов, естественно!

Я попыталась сохранить спокойствие и делано рассмеялась.

— Уважаемый Монте-Кристо, насколько я понимаю, вы промышляете киднепингом, не стану осуждать сей способ зарабатывания денег, хотя любой бизнес должен приносить доход, иначе зачем им заниматься? Но в данном случае вы сработали зря. Конечно, отец Кристины — бизнесмен, издатель, владелец газеты, но полмиллиона долларов у него нет. Что же касается меня, то...

— Кончай мочалку жевать, — заявил Монте-Кристо, — мы все про вас знаем, даже то, из какой тарелки твой муженек любит суп хлебать...

— Из какой? — изумилась я.

— Из белой с синими полосками и золотым ободком, — выплюнул Монте-Кристо мне в лицо, — поэтому отдавай деньги, получай девку — и все, кончай базар...

— Какие деньги!!!

— Те, что взяла у Лены Федуловой.

— Кто, я?

— Ты, ты. Полмиллиона гринов, которые Ленка хранила, испарились, как сон.

— Но почему ты решил, что доллары взяла я?

— Больше некому, — рявкнул парень, — имей в виду, лучше не шути с нами. Отдай, и разбежались. Знаю, что у тебя просто в зобу дыханье сперло, когда пачки увидела. По-человечески я это очень хорошо понимаю, ну не удержалась, с кем не бывает... Никто тебя наказывать не собирается, просто верни бабки, и делу конец.

— Я ничего не брала!

— Ой ли!

— Клянусь жизнью!!!

Монте-Кристо хлопнул рукой по рулю, «жигуль» резко гуднул. В рядом стоящей иномарке вновь вспыхнул свет и приоткрылась дверца. Стали видны бледное личико Кристи и рука, сжимавшая чудовищно большой пистолет, приставленный к виску девочки. Жуткие видения тут же исчезли, потом в иномарке вновь воцарилась темнота.

— Так чьей жизнью ты клянешься, — спросил Монте-Кристо, — ее?

У меня наступил полный паралич, я почти онемела, вместо членораздельной речи выдавила из себя какое-то мычание.

— Значит, слушай, — удовлетворенно заявил негодяй. — Мы все знаем. Ленка хранила деньги, полмиллиона в баксах, не свои. Ей их просто вручили для дальнейшей передачи. Ты сперла всю сумму.

Я только качала головой и пыталась сказать:

— Нет-нет.

— Да, моя дорогая, — ласково шелестел Монте-Кристо. — Говорю же, мы все знаем, тебя видели с долларами, перестань корчить дурочку.

Я почувствовала, что сейчас упаду в обморок. В машине стоял тяжелый запах дорогого сигарного табака, от Монте-Кристо несло ароматом какого-то мужского парфюма, да еще на зеркальце болталась «елочка», источавшая неимоверное зловоние, суррогат запаха зреющих кокосов.

— Слушай внимательно, — продолжал Монте-Кристо, — даем тебе сроку десять дней. Вот и думай, что лучше, отдать нам денежки или...

— Или что... — прохрипела я, чувствуя, как к голове подбирается боль, — или что...

— Молодец, — одобрил Монте-Кристо, — всегда следует представлять последствия своих поступков. Ежели ты решишь, что денежки лучше не отдавать, тогда...

Словно актер МХАТа, он выдержал паузу. В наступившей тишине было слышно, как из моей груди вырывается прерывистое дыхание.

— Тогда, дорогая, — спокойно закончил мерзавец, — ты выбрала всем судьбу. Кристину оставим в живых, отправим на Ближний Восток, в публичный дом. Хотя, по мне, лучше умереть, чем обслуживать потных извращенцев, Тамару придется убить, впрочем, Олега и Семена тоже. Делается это просто, раз — и нет. У нас имеется чудесный снайпер, прошел Чечню. Полный отморозок, но попадает в десятикопеечную монету. Кто там у тебя еще есть? Собака? Кошка? Вот живи потом и радуйся. Сама умолять станешь денежки взять. Поняла, дорогуша?

— Не брала я ничего, — заплакала я, — честное слово, ну поверь, ошибка вышла.

Монте-Кристо поморщился:

— Давай без фальши... Актриса из тебя фиговая. Еще скажи спасибо, что мы приличные люди, даем десять дней на раскачку. Другие бы и разговаривать не стали, пиф-паф, ой-ой-ой, умирает зайчик мой, никакая Петровка не поможет. Все это ерунда насчет круглосуточной охраны... Тебя, да вообще всех, как тараканов, передавить можно, усекла?

Я тупо кивнула, ощущая, как голову начинает стягивать тугой обруч.

— Молодец, — одобрил Монте-Кристо, — значит, ровно через десять дней, в праздник, стоишь тут, возле памятника, с денежками...

— В какой праздник? — невольно удивилась я.

Монте-Кристо широко улыбнулся:

— Десятого ноября День милиции, радостный момент для всех ментов, небось у вас дома стол накроют, ну там водочка, шампанское... Ежели в одиннадцать тридцать вечера деньги не окажутся у меня в руках, то...

— Что? — шепнула я. — Что?

— Ничего, — пожал плечами негодяй. — Тебя не тронем, муки совести хуже телесных страданий.

Проговорив последнюю фразу, он вытащил мобильный и бросил в трубку:

— Вперед.

Иномарка, стоявшая рядом, мигом заурчала мотором и исчезла за поворотом. Монте-Кристо нажал кнопочку на передней панели, раздался резкий щелчок.

— Ступай себе, — велел мерзавец. — Но имей в виду! За тобой следят, стукнешь муженьку — прирежем беременную, убежишь за границу с денежками — пристрелим девчонку.

— У меня нет денег, — тихо повторила я, наваливаясь всем телом на дверцу, — понимаю, что ты не веришь, но их нет!

Монте-Кристо хрюкнул:

— Я вовсе не настаиваю на том, чтобы ты вернула именно те купюры, что сперла. Продай что-нибудь и принеси полмиллиона!

— Даже если я останусь голой и босой на улице, не наскребу этой суммы!

— Ладно, — слегка повысил безукоризненно ровный тон мерзавец, — ты мне надоела. Счетчик включен, срок пошел, десятого ноября в 23.30, толковать больше не о чем!

В ту же секунду он со всей силы толкнул меня. Дверца неожиданно распахнулась, я вывалилась наружу, прямо на грязную, покрытую октябрьской слякотью дорогу, стукнувшись спиной о бордюрный камень, а головой о железный заборчик.

«Жигули», взвизгнув колесами, резко стартовали и встроились в поток машин, который, несмотря на поздний час, несся по Ленинградскому проспекту. Комья грязи полетели в мою сторону. Я сидела в луже, заляпанная жирной, черной жижей. Потом кое-как поднялась на ноги, добрела до будки «Русские блины» и, плюхнувшись на красный пластмассовый стульчик возле круглого столика, попыталась привести мысли в порядок. Мужчина, который с аппетитом ел горячий блинчик, покосился на меня, потом встал и, бросив недоеденный блин в помойку, быстрым шагом ушел. Из палатки высунулась девчонка в красном фартуке и такой же косынке.

— Иди отсюда, — злобно сказала она, — всех покупателей распугаешь, бомжа чертова!

Я покорно встала, дошла до памятника и присела на гранитный цоколь в основании монумента. Чуть поодаль, на подстеленной картонке, спала баба в отвратительно воняющем пуховике. Из прорех куртки в разные стороны торчали клочки то ли синтепона, то ли ваты. Честно говоря, я выглядела не лучше.

Неожиданно пошел мелкий противный дождь. Я вытащила из кармана упаковку бумажных носовых платков и принялась вытирать лицо и руки. По мере того, как кусочки бумаги делались черными, в мыслях светлело.

Меня воспитывали в так называемой неблагополучной семье. Папенька, желая купить очередную бутылку, спер кошелек и попал на зону. Честно говоря, после того, как его посадили, нам с Раисой стало только лучше, потому что папулька нажирался каждый день, как... Впрочем, достойного сравнения я подобрать не могу. Ни один из представителей животного мира не способен был нажраться до такой степени, как мой папахен. Раиса, слава богу, употребляла только два раза в месяц, зато ее никогда не было дома, мачеха постоянно работала, стараясь добыть денег...

Поэтому лет с четырех я была предоставлена сама себе. Никто не кормил меня обедом, не заставлял мыть руки, не просил надеть шапочку, шарфик и носочки, не пел песенки на ночь и не целовал разбитые коленки. Годам к семи я поняла: окружающий мир жесток, каждый в нем сам за себя, и если я не научусь справляться с неприятностями сама, то просто погибну, потому что ждать помощи не от кого.

Наверняка поэтому я считаю, что безвыходных положений не существует. Следует только слегка пораскинуть мозгами, и в конце темного тоннеля появится тонкий луч света. Ну сумела же я в шесть лет выбраться в деревне из горящего сарая, а провалившись в семь лет под лед на пруду в парке, вылезти на берег? В конце концов, после смерти дяди Вити и тети Ани я научилась самостоятельно зарабатывать деньги совершенно честным путем. Хорошо, это были мизерные средства, но я не плакала, не стонала, не просила в долг! Нет, просто, стиснув зубы, взяла ведро и швабру... Неужели я сейчас спасую перед обстоятельствами?

Ледяной дождь заливал за воротник, но мне было жарко. Наконец решение было принято. Десять дней! За этот срок я обязана отыскать того, кто спер полмиллиона у Лены Федуловой, и заставить его отдать денежки Монте-Кристо. Мерзавец не шутил, он и впрямь ни перед чем не остановится. Скорей всего его люди и обыскали квартиру Марьи Михайловны. Небось выждали, когда старушка отправится в магазин, вскрыли дверь. Любой, даже очень хороший замок сдается без боя парню, умело обращающемуся с отмычкой... Зашли в квартиру, думая, что Никита еще в школе... Но Марья Михайловна оставила внука дома. Наверное, мальчик начал кричать, побежал к телефону... Вот мерзавцы и убили его. Вернее, подумали, что убили. Перерыли все, ничего не нашли и отчего-то решили, будто вор, польстившийся на чужие деньги, — это я. Изрезали пальто Тамаре, похитили Кристину. Даже узнали, что у нас есть собака и кошка, да и Олег действительно любит есть суп только из одной тарелки... Вот уж эта информация откуда?

Десять дней! Всего десять!

Я резко встала и чуть не упала, почувствовав, до какой степени онемели ноги. Никто не поможет, не на кого рассчитывать, придется все делать самой. Негодяи и впрямь следят за семьей!

Увидев меня, Тамара всплеснула руками:

— Вилка, ты купалась в болоте?

Я улыбнулась:

— Почти. Стояла на проспекте, а тут на дикой скорости мимо пролетела иномарка, обдала грязью, я отшатнулась назад, поскользнулась и упала прямо в лужу!

— Иди скорей мойся, — велела она. — А где Кристя?

Я отвернулась к вешалке и радостно сообщила:

— Уж извини, с тобой не посоветовалась... Завтра начинаются каникулы, Вика Мамонтова пригласила Кристю к себе на дачу, у них теплый загородный дом. Они обе так просили меня согласиться, да и родители Вики упрашивали... В общем, я решила за тебя, пусть едет. Что ей в городе делать, а так на свежем воздухе...

— Ну и правильно, — одобрила Томочка, — но как же без вещей?

Я махнула рукой:

— Ерунда, зубную пасту и щетку мы сейчас купили в ларьке, а завтра утром я передам Викиному отцу сумку со шмотками, он мимо площади на работу поедет!

— Отлично, — сказала Томочка, — давай скорей в ванную, не ровен час, простудишься.

Я вошла туда, закрыла дверь на задвижку и уставилась на блестящий кран. Тамарочка никогда не врет, в ее жизни не было постыдных тайн, которые нужно скрывать от окружающих. Будучи патологически честным человеком, подруга совершенно искренне уверена в том, что все окружающие люди говорят правду! В конце концов, мы подозреваем других только в том, на что способны сами.

Я очень редко обманываю Тамару, и у меня всегда возникает неприятное ощущение, словно я обвожу вокруг пальца пятилетнего малыша, обещаю конфету, а протягиваю пустой фантик... Но сегодня совершенно особый случай, я не могу рисковать жизнью нерожденного младенца...

Резкий звук заставил меня вздрогнуть. Дюшка, заливаясь лаем, ринулась в прихожую. Монте-Кристо! Передумал и прислал киллеров!

— Не открывай! — Я вылетела из ванной и бросилась за собакой. — Не открывай!

Но Томочка уже гремела замком.

— Стой! — орала я. — Стой!

Тома с недоумением глянула на меня и в то же мгновение легко распахнула дверь. Вместо парня в камуфляжной форме и шапочке-маске, сжимающего в твердой руке пистолет с глушителем, на пороге показалась Лера Парфенова с дорожной сумкой в руках.

ГЛАВА 7

— Что случилось? — спросила Тома.

Лерка истерично зарыдала:

— Все, хватит, натерпелась. Меня просто со свету сживают! Больше не вернусь к ним!

Одновременно вопя, смеясь и икая, она вдвинулась в прихожую, швырнула сумку в угол, чуть не пришибив ставшую неповоротливой из-за объемистого живота Дюшку, плюхнулась на стул и, картинно прижимая руку к груди, простонала:

— Сердце! Умираю!

Томочка, у которой случаются приступы ужасной болезни с красивым названием «мерцательная аритмия», перепугалась и рысью понеслась на кухню за валокордином.

Я окинула Лерку ледяным взглядом и поинтересовалась:

— Ты отдаешь себе отчет, который час? Взгляни на будильник, полночь давно пробило!

— Мне плохо, — кривлялась Лера, — у меня инфаркт.

Мое терпение лопнуло, словно воздушный шарик, налетевший на иголку.

— Хватит паясничать! Между прочим, сердце у людей находится слева, а ты держишься за правую сторону! Мой тебе совет, спусти ладонь пониже и ври всем, что у тебя приступ холецистита. Кстати, можешь пойти к Семену в кабинет, там имеется анатомический атлас, очень полезная вещь для симулянта.

— Какая ты жестокая, — зарыдала Лера в голос, — несправедливая, злая... — Но руку все же убрала...

— На, выпей, — Томуська сунула Парфеновой чашку.

Лерка тревожно спросила:

— Что это?

— Цикута, — фыркнула я.

— Что? — изумилась глупая Лера.

— Яд, которым отравился Сократ, — пояснила я, — пей, должно помочь. Нет жизни, нет и горя.

— Вот видишь, — захныкала Парфенова, хватая Тому за руку, — видишь, Вилка меня ненавидит, это ужасно...

— Давай я тебе постелю, — предложила та, — только извини, раскладушку придется поставить на кухне.

— Почему? — Лерка мигом перестала лить сопли. — У вас комнат мало? Целых две пустые.

— Там уже живут, — начала Тома, но закончить не успела. В коридор выглянул Филя и, увидав незнакомую женщину, вежливо сказал:

— Здрассти! Вот услышал шум, подумал, может, помочь чем!

— Странно, однако, что папенька еще не призвал нас всех к порядку, — съехидничала я.

Неожиданно Филя широко улыбнулся:

— А он на ночь снотворное пьет, из пушек пали — не разбудишь!

Лерка утерла глаза и, кокетливо улыбнувшись, спросила:

— Так значит, это из-за вас меня на кухне спать положат?

— Почему? — оторопел не слишком понятливый Филя.

— Потому что вы расположились в комнате, — растолковала ему Лерка, — устроились с комфортом, хотя, честно говоря, лучшие условия должны быть предоставлены мне, женщине с больным сердцем, а не вам, мужчине, вполне здоровому с виду!

Она окинула Филю оценивающим взглядом и добавила:

— Даже излишне здоровому!

Несчастный ветеринар стал похож на спелый гранат.

— Вы правы, я с удовольствием уступлю вам место, а сам перейду на кухню. Собственно говоря, мне все равно, где спать, хоть в туалете.

— Ты там не поместишься, — рявкнула я, — даже если обернешься вокруг унитаза. Сейчас уже поздно, завтра все решим, ничего, с Лерки не убудет — один денек возле плиты перекантоваться!

Глаза Парфеновой начали медленно наливаться слезами.

— Только не плачьте! — окончательно перепугался Филя, и началось великое переселение народов.

Сначала мы раскрыли раскладушку и минут пятнадцать выясняли, где ее лучше установить: у одной стены или у другой. На мой взгляд, проблема не стоила выеденного яйца, но Лерка, Томуська и Филя сделали из незначительного действия целую проблему и с пеной у рта спорили, не собираясь уступать друг другу.

— От балкона дует, ты простудишься, — вещала Тома, всегда желающая помочь другим, — тебя прострел хватит.

— Лучше здесь, около входа, — гнул свое Филя, — люблю спать у двери.

— Ни за что, — с жаром воскликнула Лерка, — а если кто захочет ночью водички попить? Как через тебя лезть?

— Хватит, — сказала я. — Филя не собирается провести на кухне остаток жизни, речь идет о нескольких часах!

Потом Томуля перестилала белье, а Парфенова, страдальчески морщась, ныла:

— Нет ли еще матрасика? Бросьте на диван, а то утром всю спину заломит!

Чертыхаясь сквозь зубы, я достала для нашей принцессы на горошине матрас с антресолей и ушла к себе. Ни Олега, ни Семена не было дома, хотя стрелки часов подбирались к двум ночи. Хорошо, что мы с Томуськой патологически не ревнивы...

Наплевав на чистку зубов и умывание, я вытянулась на кровати, закрыла глаза и, чувствуя, как гудят ноги, начала медленно проваливаться в зыбучий песок сна.

Бум! — донеслось из-за двери. Пол задрожал, создалось впечатление, что кто-то швырнул на пол мешок с цементом. Послышались чьи-то возгласы. Недоумевая, что могло случиться, я выскочила в коридор, добежала до кухни и увидела Филю, лежащего на полу в руинах раскладушки. Рядом стояли причитающие в голос Томуська и Лерка.

— Боже, ты ушибся! — восклицала подруга.

— Такой тяжелый день, — ныла Парфенова, — я только задремала, ну какого черта ты меня разбудил!

— У этой складной штуки дно разорвалось, — удрученно пробормотал ветеринар. — Не понимаю отчего!

— Оттого, — пояснила злобно Лерка, — что ты весишь, как былинка, сто пятьдесят килограммов.

— Всего сто двадцать, — уточнил Филя, — ну да не беда, на полу посплю. Уж извините, завтра куплю вам другую раскладушку.

— Не надо, — отмахнулась я, — эта давно на помойку просилась!

— На пол нельзя ложиться просто так, — бормотала Тома, — можно застудиться насмерть. Давайте снимем с антресолей матрас.

— Он у Лерки на диване, — напомнила я.

— Даже и не думайте, — взвизгнула Парфенова, — я не могу спать на жестком.

— Ничего, ничего, — кряхтел Филя, вставая на ноги, — не беда, не надо никакой подкладки, подстелю свое зимнее пальто, оно толстое, и всех делов!

Болезненная дружелюбность мужика взбесила меня до белых глаз. Чувствуя, что невероятная злоба сейчас вырвется наружу, как пар из скороварки, я, стиснув зубы, чтобы не дай бог не сказать окружающим то, что о них думаю, чеканным шагом сходила в комнату, сбросила прямо на пол Леркино одеяло, подушку и простыню, стащила матрас, принесла его в кухню и увидела всю компанию, сидящую на корточках в углу.

— Вы собрались нести яйца? — окончательно озверела я, слушая, как часы в кабинете у Семена торжественно бьют три часа.

Господи, покоя в этом доме никогда нет, и куда подевались наши мужья?

— Тише, — прошептала Тома, поворачивая ко мне бледное личико. — Дюшка рожает.

Матрас вывалился у меня из рук. Не понос, так золотуха.

— Ничего, — бодро заверил Филя, — справимся. Несите сюда электрическую грелку, чистую простыню, кипяченую воду...

Мы с Томуськой забегали, словно тараканы, вспугнутые ярким светом, Лерка плюхнулась на стул и заныла:

— О, какой стресс, мое сердце может не выдержать такого испытания...

— Заткнись, — велела я.

Но Парфенова только пуще завелась, услыхав мой сердитый тон.

В семь утра мы стали обладателями двенадцати щенков, здоровых и бойких.

— Куда нам столько? — растерянно поинтересовалась Тома, глядя, как новорожденные, отпихивая друг друга, сосут мать.

— Так потопить можно, — с жестокостью селянина ответил Филя. — Двух оставить, а остальных в сортир.

— Нет! — заорали мы с Томкой.

— Дело хозяйское, — спокойно согласился ветеринар и отправился в ванную мыться.

Парфенова и Тамара, подняв за углы матрас, на котором, словно падишах, возлежала усталая Дюшка с потомством, поволокли счастливую мать в спальню к Томе.

Я осмотрелась. Кухня выглядела словно картинка из видеоряда телевизионных новостей. У одной стены вконец испорченная раскладушка с мятой грудой белья, возле другой окровавленные тряпки, бинты, клочья ваты, измазанная простыня...

— Что случилось? — проскрипел Аким, входя в кухню. — Чем ночью занимались? Человек должен проводить в постели восемь часов! Сон до одиннадцати ночи крайне полезен! Утром следует вставать без пятнадцати семь! Да отвечай наконец, почему тут повсюду кровь!

Я посмотрела в его омерзительное лицо и ухмыльнулась:

— В полночь приехал отец Семена, свекор Томы, так же неожиданно, как и вы...

Аким непонимающе моргал глазами.

— Так мы решили, что одного зануды-дедушки

нам вполне хватит, — как ни в чем не бывало продолжила я.

— О чем это ты? — спросил Аким.

— Мы лишнего свекра убили и расчленили, — улыбнулась я. — Всю ночь мучились, жилистый очень.

Учитель разинул рот, потом выдавил:

— Где Филя?

— Мешок с расчлененкой повез, хочет в реке утопить. — Я завершила фразу и вышла в коридор.

Вы не поверите, но Аким Николаевич молчал, дядьку удалось заткнуть.

Где-то около десяти утра мне посчастливилось наконец-то остаться дома одной. Сначала, безостановочно жалуясь на тяжелую жизнь, умелась Парфенова.

Вам ни за что не догадаться, где служит Лерка. Она психолог в консультации «Семья и брак». Представляете теперь, какие советы по налаживанию супружеской жизни дает эта дама?

Филя и Аким ушли в неизвестном направлении, а Томуська понеслась в магазин «Марквет», чтобы приобрести для новорожденных щенят специальную смесь. У несчастной Дюшки не хватит молока на такую ораву вечно голодных детей. Я заварила чашечку восхитительного цейлонского чая и уставилась в окно, задавая себе извечные русские вопросы: что делать и кто виноват?

Примерно через полчаса напряженных раздумий я пришла к выводу, что вора следует искать среди близких знакомых Лены. Ну посудите сами. Когда мы с Никиткой поднимались в мастерскую, Леночка закрыла за нами дверь. Впрочем, ее могли открыть отмычкой, но я слышала, как с шумом задвинулась щеколда. А когда мы вернулись назад, дверь была приоткрыта. Ну да это и понятно. Замки у Федуловых не захлопываются, это очень дорогие изделия фирмы «Аблоу», запирающиеся только при помощи особых, «сейфовых» ключей...

Очевидно, убийца был слишком взволнован, чтобы искать связку, и убежал. И о чем это говорит? Только об одном. Несчастная Леночка великолепно знала того, кто хотел войти в квартиру, и еще, она совершенно не боялась этого человека, провела его к себе в спальню...

Схватив телефонную книжку, я стала названивать Марье Михайловне, но слышала лишь долгие гудки... В квартире явно никого не было. Делать нечего, поеду так, вряд ли бабушка Никиты ушла далеко...

В метро было ужасно душно, и, выйдя в «Кузьминках», я с наслаждением вдохнула холодный, терпкий осенний воздух. Первое ноября радовало москвичей солнечной погодой, только тепла от этого светила уже долго не дождаться, наше полушарие медленно поворачивается к зиме.

Позвонив в квартиру, я села на подоконник и вытащила из сумки газету «Мегаполис». Посижу, подожду. Минуты текли и текли, мне стало холодно, но Марья Михайловна все не появлялась. Потом распахнулась дверь соседей, вышла молоденькая вертлявая девица в обтягивающих кожаных штанах и крошечной куртенке с искусственным мехом. В связи со всяческими взрывами и терактами москвичи стали тотально подозрительными. Лет десять назад подобная девица не обратила бы на меня никакого внимания, но сейчас она нахмурилась и, запихнув жвачку за щеку, грозно поинтересовалась:

— Чего сидишь? Иди на улицу, тут не парк.

— Марью Михайловну жду, — мирно ответила

я. — Вот пришла, а ее нет, куда она могла подеваться!

Девчонка подобрела и, запирая свою дверь, сообщила:

— Так она в больнице, забрали ее по «Скорой», вчера рано утром.

— Как же это? — растерялась я. — Почему?

Девица пожала костлявыми плечиками:

— Ничего не знаю. Марья Михайловна утром, часов в девять, позвонила и попросила мою маму газеты из почтового ящика забирать. Сказала, что ее врачи увозят, а куда, почему-то не сообщила. Не ждите, она не придет...

Я вышла во двор. Так, задача усложняется. Марья Михайловна была единственным человеком, который мог рассказать о друзьях Лены. И что теперь делать? Обзванивать все бесчисленные столичные клиники? Жизни не хватит на это мероприятие, к тому же мне неизвестна фамилия старушки, Лена была Федулова по мужу. В полной растерянности я поехала назад, поднялась в квартиру, пошаталась по комнатам и позвонила Юрке.

— Слушаю, — отозвался приятель. — Петров!

— Юрчик, — запела я, — а где Олег? Дома не ночевал, ни разу не позвонил...

— Не знаю, — протянул тот, — да ты не волнуйся, объявится. Кабы чего случилось, мигом бы узнали. У дурных вестей быстрые ноги!

— Юр, — продолжала я, — вот представь ситуацию. Дверь железная, замки «Аблоу», а ключ потерян, как поступить?

— Разве у вас «Аблоу»? — удивился Юрка. — По-моему, самый обычный, «английский», московского производства. К нему и ключа не надо, скрепкой открыть можно, дрянь, а не замок!

— Это не у меня! Подруга ключи посеяла!

— Ну тогда пусть МЧС вызывает.

Я тяжело вздохнула:

— Квартира не ее, она снимает, а хозяева уехали за границу.

— Да, — крякнул приятель, — в таком случае МЧС не поможет.

— Ну придумай что-нибудь! — взмолилась я.

Юрасик помолчал, потом спросил:

— Очень надо?

— До жути, — с жаром выкрикнула я.

— Перезвони через десять минут.

От радости я подпрыгнула и стала смотреть на часы. Когда большая стрелка подобралась к цифре «два», я вновь позвонила Юрке.

— Пиши телефон, — велел приятель. — Роман Силин, он ждет, скажешь — от меня.

Спустя полтора часа я стояла у двери в квартиру Лены, поджидая незнакомого Романа, способного открыть замок. Наконец за стеной заскрежетал лифт, и из кабины вышел щуплый паренек, почти мальчик.

— Это вы от майора будете? — вежливо спросил он.

Я ткнула пальцем в дверь:

— Вот, небось весь день провозитесь.

Роман окинул створку быстрым взглядом. Потом вытащил изо рта жвачку, залепил глазок на двери соседней квартиры, выудил из кармана нечто, больше всего похожее на кривые палочки, поперебирал их красивыми, аристократическими пальцами, сунул одну в скважину... Щелк, щелк. Та же операция была проделана и со вторым замком.

— Сезам, откройся, — бормотнул Роман и посоветовал: — Ключи больше не теряйте. Не во всякой мастерской дубликат сделают.

— Спасибо, — обрадовалась я, — сколько я вам должна?

Парень хмыкнул:

— Ничего.

— Но, — растерялась я, — как же, вы время потеряли, ехали...

Мальчишка молча шагнул в лифт и исчез. Я проскользнула в квартиру и тщательно заперла дверь. Интересно, из какой передряги Юрка вызволил этого Романа, раз парень кидается исполнять любое его поручение?

В коридоре царила нежилая тишина. Удивительное дело, стоит хозяевам уехать или, того хуже, умереть, в их квартире мигом появляется совершенно особая атмосфера. Я просто кожей ощущала, что в этом доме никого нет. Отчего-то мне стало страшно. Умом я понимала, что войти сюда никто не сможет. Лена мертва. Павел в тюрьме, Марья Михайловна и Никита в больницах... Но потом вдруг вспомнила, как легко, играючи Роман открыл отличные замки, и быстро задвинула огромную, тяжелую щеколду.

Через два часа стало понятно: денег в квартире нет. Полмиллиона долларов — это довольно большая по объему куча. Если деньги в банкнотах по сто баксов, то получится пачек пятьсот. Впрочем, говорят, выпускаются купюры по тысяче гринов. Я-то такие никогда не видела, и если сумма состоит из этих ассигнаций, то их всего-то пятьсот штук. Но внутренний голос мне подсказывал: нет, денежки самые обычные, сотенные...

У Федуловых имелся сейф, в спальне, за зеркалом. Один раз мы с Никиткой играли в «записочки», мальчик сунул туда для меня «сюрприз» и долго смеялся, когда увидел, как я непонимающе смотрю на зеркало. Потом Никита открыл «страшную тайну» — код замка: год его рождения.

Я прошла в спальню, набрала нужные цифры и уставилась в пустое пространство: ничего. Тяжело вздыхая, я взяла ключи, висевшие в прихожей на крючке, поднялась в мастерскую и обыскала чердак. Никакими деньгами там и не пахло. Впрочем, в спальне Лены на трюмо небрежно валялся элегантный кошелек из змеиной кожи. Внутри нашлись триста долларов, две тысячи рублей и куча дисконтных карт. Но это были единственные деньги, обнаруженные мною в квартире Федуловых.

Устав от бесплодных поисков, я прошла на кухню, заварила чай, отыскала в холодильнике слегка подсохший сыр, пачку масла, достала из шкафчика крекеры и, сделав себе пару бутербродов, взяла телефонную книжку и начала обзвон.

ГЛАВА 8

Номеров оказалось не слишком много. Я действовала просто, начав с буквы «а». Не успевал голос произнести «Алло», как я мигом говорила:

— Здравствуйте, беспокоит домработница Лены Федуловой, мне поручено сообщить вам о трагической смерти хозяйки...

Кое-кто охал, кто-то не проявлял ни интереса, ни сочувствия. Вплоть до буквы «к» я нарывалась на совершенно разных людей: парикмахершу, массажистку, мойщицу окон, бывшую няню Никиты, несколько раз отвечали: «Магазин» или «ресторан».

Но в этих точках никто не слышал о Федуловой. Приближался конец книжки, настроение становилось все хуже. Наконец я добралась до фамилии «Кленова» и устало сказала ответившей женщине заученную фразу.

— О боже, — воскликнула та, — нет! Неправда, что за чушь вы несете! Какая смерть! Ленке только двадцать три исполнилось!

— Вы ее хорошо знали? — осторожно поинтересовалась я.

— Господи, — донеслось из трубки, — конечно. Правда, последнее время мы созванивались реже, чем раньше, но Ленка моя подруга. Господи, скажите, что вы пошутили!

Я посмотрела еще раз в книжечку. Кленова Аня!

— Анечка, у меня для вас есть пакетик...

— Какой, от кого? — забормотала девушка.

— Лена просила вам передать, а мне все недосуг было, уж извините, можно сейчас привезу?

— Хорошо, — тихо сказала собеседница, — а что теперь будет с Никитой? Павел жив?

— Жив, — ободрила я ее, — вот приеду и расскажу.

В отличие от Лены, обитавшей в шикарной квартире, Анечка ютилась в огромной грязной коммуналке. Правда, расположена она была в самом центре, всего в нескольких шагах от метро «Смоленская», в тихом, каком-то сонном староарбатском переулке.

Лифта в шатающемся от ветхости доме не было и в помине. Лестница, когда-то мраморная, украшенная чугунными перилами художественного литья, теперь выглядела жутко. Кое-где отсутствовали ступеньки, а местные жильцы ухитрились отодрать от ажурных железок загогулинки и разбить почти все окна. Поэтому в подъезде стоял зверский холод. И вот что странно, несмотря на великолепную «вентиляцию», в воздухе висел «аромат» мочи и помойки.

Стараясь не дышать, я поднялась на второй этаж, очутилась перед огромной дверью из темного дерева и позвонила. Дверь распахнули без лишних вопросов. Полная, какая-то обрюзгшая женщина нервно выкрикнула:

— Вы Виола? От Лены? Идите сюда скорей.

Я вошла в темный коридор и поискала глазами вешалку, но Аня, не предложив мне раздеться, быстрым шагом, почти бегом, кинулась в глубь казавшихся безразмерными апартаментов. Пришлось идти за ней прямо в ботинках и куртке.

Я никогда не жила в коммуналке. Невесть каким образом мой папенька, прибыв в Москву из деревни, получил собственное жилье, в хрущобе, зато двухкомнатное. Правда, в самой большой комнате было всего четырнадцать метров, в кухню не влезал даже холодильник, а ванная, совмещенная с туалетом, не позволяла втиснуть в свое нутро не то что стиральную машину, а даже тазик с ведром, потолки висели буквально на голове, а когда Раиса купила новый диван, его пришлось разбирать, чтобы пропихнуть в дверной проем. Но это была отдельная квартира без дежурств по местам общего пользования и склок возле плиты. Кое-кто из моих одноклассниц проживал в коммуналках, и я хорошо знала, какие там царят порядки. Впрочем, даже если между соседями идеальные отношения, все равно иногда хочется одиночества...

Но таких комнат, как у Ани, я никогда не встречала. Потолок парил на высоте метров пяти, два огромных окна сияли осенним солнцем на одной стене, третье окно было напротив на другой. Конца комнаты просто не было видно, а потолок покрывала лепнина с позолотой, правда, кое-где облупившейся и отбитой.

— Вот это да, — ахнула я, — царское великолепие!

— Раздевайтесь, — сказала Аня, указывая на прибитую в углу вешалку, — из-за этой красоты одни мученья.

— Почему? — удивилась я, присаживаясь к столу. — Такая площадь, просто Колонный зал!

— Вот, вот, — вздохнула хозяйка, — нас тут пятеро живет: свекровь, свекор, мой муж, его младший брат и я. Дурдом просто, спим за ширмами, пошевелиться боимся... На учет не ставят! Метров-то в избытке, никакого права на бесплатную квартиру не имеем. А то, что у людей крыша от «семейного уюта» съезжает, никого не волнует, главное — количество «кубиков».

— У вас столько окон, — попробовала я дать совет, — запросто можно несколько комнат сделать. Сейчас строители любые работы выполняют. Конечно, не слишком просторно получится, зато у каждого свой угол появится...

Аня дернулась и пролила на клеенку кипяток.

— У меня зарплата — горькие слезы, муж вообще на бирже стоял, а теперь гербалайфом торговать подался, свекровь — почтальон, свекор в НИИ сидит, даже на сигареты не зарабатывает, не всем же так везет, как Ленке!

Я с изумлением глянула на нее:

— Да уж, редкостное везение, убили в двадцать три года.

Но Анечка, так испугавшаяся страшного известия час тому назад, неожиданно проявила странную жестокость. Она пододвинула ко мне чашку с жидким кофе и заявила:

— Ну и что? По мне, так лучше прожить мало,

но ни в чем себе не отказывать, а не так, как существуем мы.

Честно говоря, я слегка растерялась. Аня же, совершенно не смущаясь, спросила:

— Ну и что она велела мне передать?

У Лены в спальне на шкафчике стояло множество самых разных статуэток. Я прихватила, на мой взгляд, самую малоценную, изображавшую коленопреклоненную женщину с вытянутыми вперед руками. Скульптура была сделана из белого материала, скорее всего гипса, и стоила, очевидно, пять копеек в базарный день, даже странно, что женщина, обладавшая хорошим вкусом и образованием художницы, держала дома дешевую поделку.

— Вот, — протянула я Ане «красотку», — в понедельник Леночка попросила съездить к вам и передать статуэтку. Уж извините, опоздала...

Аня взяла фигурку и усмехнулась:

— Сказать ничего не велела?

Я развела руками:

— Нет.

— Ясно, — вздохнула Аня, — все ясно.

— Что? — не утерпела я. — Что вам ясно?

Аня поставила фигурку на стол и щелкнула по ней пальцем.

— Знаете, как называется эта вещь?

— Нет.

— В Музее изобразительных искусств бывали?

— Очень давно...

— В Греческом зале находится ее подлинник в рост человека, и называется работа неизвестного мастера «Мольба о прощении», — пояснила Аня. — Значит, Ленка все же поняла, как меня обидела, а извиниться самой духу не хватило, вот и подослала вас...

— Вы поссорились? — спросила я.

Аня пожала плечами:

— Нет, просто кошка между нами пробежала. Ленке ее деньги свет затмили.

— И все же что случилось?

— Вам какое дело? — грубо ответила Кленова. — Спасибо, что побеспокоились и принесли вещицу, но теперь прощайте, недосуг мне лясы точить...

Я посмотрела в ее нездоровое одутловатое лицо и тихим, но безапелляционным тоном заявила:

— Я забыла представиться — Виола, частный детектив.

Аня разинула рот:

— А говорили — домработница!

— Не хотела вас пугать, — улыбнулась я, — людей моей профессии не слишком любят.

— Что вам от меня надо? — зло осведомилась Аня.

Я поколебалась и ответила:

— У Федуловой дома хранились большие ценности, они пропали...

Аня напряглась:

— Вы что? Намекаете, будто я украла Ленкины побрякушки, да?

— Нет, — я поспешила исправить положение, — просто мать Федуловой, Марья Михайловна, наняла меня, чтобы отыскать убийцу, вот я и пришла к вам.

— Так вы считаете, будто я прирезала Ленку, — побагровела Кленова, — совсем сдурели, да?

— Вовсе нет, — рявкнула я, — мне просто надо узнать о том, сколько приятелей имелось у Лены. Ну устраивала же она дни рождения, встречу Нового года... Кто к ней ходил?

Аня слегка расслабилась:

— Не знаю.

Я обозлилась:

— Ну как вам не стыдно! Убили подругу, а вы даже рта не хотите раскрыть! Значит, пусть негодяй гуляет на свободе?

Кленова вновь щелкнула фигурку по голове.

— Мы поссорились.

— Из-за чего?

Внезапно Аня всхлипнула:

— Думаете, мне не жаль Ленку?

— Похоже, что нет, — жестко ответила я.

Собеседница принялась вытирать глаза лежащей на столе тряпкой.

— Очень жаль, мы дружили еще со школы, но только она меня обидела, а потом сделала вид, будто ничего не произошло... Вот я и перестала ей звонить, уже года два как...

— Да что между вами произошло?

Анечка тяжело вздохнула и завела длинный рассказ.

С Леной они познакомились в пятом классе, когда из обычных общеобразовательных школ перевелись в так называемую художественную, где обучались дети, собиравшиеся в дальнейшем стать живописцами.

Анечка сидела вместе с Леной за одной партой и частенько завидовала подруге. Шел 1988 год, подружкам было по одиннадцать лет. Кто помнит то время, знает — в тотальном дефиците было все: продукты, одежда, обувь, книги, мыло и туалетная бумага.

«Если вы пришли в гости и вымыли руки с мылом, то чай будете пить без сахара», — шутили неунывающие москвичи. Кстати, пачка чая «со слоном» или упаковка стирального порошка «Лотос» считались в те годы шикарным подарком. Я сама, придя на день рождения к Вальке Егоровой, презентовала той полкило сыра и две пачки «Вологодского» масла...

Но Леночка на большой перемене доставала из ранца бутерброды с удивительно вкусной «Докторской» колбаской, сделанной в спеццехе... И одежда у нее была отличная, и обувь. А главное, Леночка имела великолепную бумагу, качественные краски, изумительные кохиноровские карандаши и набор потрясающих кистей, о которых мечтали сами преподаватели.

Впрочем, ничего удивительного. Бабушка Лены, Ольга Сергеевна, заведовала ателье, причем не какой-нибудь районной пошивочной мастерской с леворукими закройщиками. Нет, Ольга Сергеевна руководила предприятием, одевавшим партийную верхушку, сливки советского общества. Поэтому Леночка получала всегда все то, что хотела иметь Анечка.

В девятом классе пятнадцатилетняя Лена отчаянно влюбилась в паренька из социальных низов Павла Федулова. Отца у мальчишки не было, вернее, где-то он, конечно, существовал, но мать поднимала Павла одна. Впрочем, она не слишком старалась, а пила целыми днями.

Марья Михайловна, узнав о романе, разгоревшемся между ее дочерью и мальчиком, совершенно не подходящим ей ни по социальному статусу, ни по материальному положению, пришла было в ужас. Наверное, она хотела предпринять все, чтобы разорвать эту связь, но тут у Ольги Сергеевны случился инфаркт, и Марья Михайловна прочно осела в больнице, пытаясь выходить мать. Однако ни дорогие лекарства, ни отличная аппаратура, которой оборудована Кремлевка, не помогли. Ольга Сергеевна скончалась.

После поминок и похорон Марья Михайловна обратила свой взор в сторону дочери и чуть не скончалась сама. Пятнадцатилетняя Лена оказалась беременной.

Анечка, естественно, была в курсе всех событий. Более того, именно в ее комнате в отсутствие родителей и произошло грехопадение Лены. И опять Анюта завидовала подружке. У нее-то самой никого не было, она даже не целовалась ни с кем ни разу, а у Лены — самый настоящий любовник и жуткая страсть.

Надо отдать должное Марье Михайловне. Она выбрала единственный правильный путь поведения, позволивший сохранить с дочерью нормальные взаимоотношения. Женщина поселила Павла у себя, после родов сыграли тихую свадьбу, а школу Лена окончила экстерном, сдав разом все экзамены. Более того, Леночка оказалась в институте на год раньше Ани, и та опять завидовала. Ей предстояло еще целых девять месяцев ходить на ненавистные уроки, а подруга получила сразу все: ребенка, мужа и институт. Успокаивало только то, что супруг Ленки — абсолютно дремучий парень, употреблявший изумительные глаголы «ложить» и «покласть». Аня была уверена, что брак между Леной и Павлом просуществует от силы полгода, уж очень разными они казались.

Но все вышло по-другому. Павел неожиданно занялся бизнесом, враз разбогател, купил квартиру, машину, дачу... Разводиться они не собирались, обожали Никиту и жили счастливо. А вот у Анечки жизнь не складывалась. Правда, она тоже вышла замуж и переехала к мужу, в огромную комнату на Старом Арбате. Но ее судьба была другой, нежели у подруги, и ребенка себе они позволить не могли: не было ни средств, ни нормальной квартиры...

ГЛАВА 9

Два года назад, забеременев в очередной раз, Аня приехала к Лене. Последнее время они не слишком часто встречались. Обе замужем, быт, работа...

И еще Анечке не слишком приятно было видеть роскошно отремонтированную и шикарно обставленную квартиру Федуловых, где по длинным коридорам гонял на детском электромобильчике Никитка. Нет, Лена всегда была приветлива, доставала из холодильника австрийские пирожные, а из бара французский коньяк... Но! Но просто очень тяжело оказывалось потом возвращаться к себе и ложиться спать на продавленную кровать за ширмой.

В тот раз Аня ехала к Лене не просто так. Выпив кофе, Анечка сказала:

— Я беременна.

— Опять аборт сделаешь? — вздохнула Лена.

— Нет, если ты поможешь, — ответила Анюта.

Лена улыбнулась:

— Я постараюсь, говори, что делать?

Анечка помешала ложкой вязкую кофейную гущу.

— Дай нам в долг двадцать пять тысяч.

Подруга отодвинула зеркало, открыла сейф и протянула Ане десять зеленых сотенных бумажек.

— Здесь чуть больше будет. Когда отдашь?

Аня подняла на Лену глаза:

— Ты не поняла. Нам нужно двадцать пять тысяч долларов.

Подруга спокойно закрыла сейф:

— Зачем тебе столько?

Анюта постаралась сдержать рвущуюся наружу тревогу:

— Квартиру купим. Сама знаешь, в каких мы условиях живем, пока в коммуналке сидим, нечего и думать о ребенке.

Лена покачала головой:

— Это слишком большая сумма, у меня такой нет. И потом, с чего ты отдавать будешь?

Аня промямлила:

— По частям вернем, заработаем.

Подруга перестала улыбаться:

— Нет, извини, таких денег у меня нет, хочешь, бери тысячу до лета.

— На фига мне одна тысяча, — вскипела Аня.

— Ладно, — мирно согласилась Федулова, снова открыла сейф и вернула на место купюры.

Анечка бросила взгляд внутрь железного ящика, увидела там стопки тугих пачек и сорвалась:

— Вот ты как! Сколько деньжищ! А мне дать не хочешь!

Лена очень спокойно заперла «кассу» и пояснила:

— Это не мои.

— А чьи? — злилась Аня.

— Павла.

— У вас разные кошельки? — не останавливалась Аня. — И не ври, ни за что не поверю. Я очень хорошо знаю, кто у вас в доме хозяин.

— Эти средства предназначены для бизнеса, — терпеливо продолжала Лена. — Считай, что их нет.

— Но они есть, — заорала Кленова. — Значит,

ты меня снова толкаешь на аборт? Сама родила, а мне не даешь.

Лена сломала шариковую ручку, которую вертела в руках во время разговора, и довольно зло ответила:

— У тебя, Анна Федоровна, крышу ураганом снесло или сама отъехала? Что за чушь ты несешь? Если твой муж без конца делает тебе детей, то это его дело думать о том, как потом содержать ребенка. Почему мой Павел должен дарить вам квартиру?

— Я в долг прошу, — возразила Аня.

Лена отмахнулась:

— А то я не догадываюсь, что ты никогда их не вернешь! С каких доходов? Нет уж, тысячу я готова пожертвовать, но двадцать пять не могу. Кстати, я сама родила школьницей, а у Павла в кармане гуляла вошь на аркане, но об аборте мы даже и не думали, просто хотели ребенка. Ты же пять раз на стол ложилась, что-то я сомневаюсь, что о малыше мечтаешь. Если хотят наследника, то ничего не помешает.

Аня вскочила.

— А ты меня не поучай! Ишь нашлась самая умная! Жадничаешь просто, сидишь на мешке с деньгами... Значит, не дашь?

— Нет, — отрезала Лена. — Все, незачем больше на эту тему разговаривать!

Аня вспыхнула и кинулась к двери. Лена не стала останавливать бывшую одноклассницу. Больше они не встречались.

— Вот какая жадобина, — возмущалась Аня, — не захотела помочь!

Я молча смотрела на бабу. Парфенова номер два.

Поставила лучшую подругу в идиотское положение, а потом на нее же и обиделась.

— С кем Лена еще дружила?

Аня хмыкнула:

— Ну, дружила! Громко сказано. Она как Никитку родила, только им и занималась. Бывали у нее, правда, Катька Виноградова и Машка Говорова. Они в одной группе учились. Но сама я к Ленке два года носа не казала, а она мне и не звонила, вот что деньги с людьми делают, разом калечат, почище трамвая.

Внезапно она залилась слезами.

— Телефоны Виноградовой и Говоровой у вас есть? — спросила я. Что-то в Лениной книжке не нашлось этих фамилий...

— Откуда? — всхлипнула Аня. — Я их только у Ленки встречала.

— В каком институте она училась?

— Московский областной архитектурно-художественный, — выдавила Аня. — На улице Комолова. Я там же училась, только Ленка — на отделении живописи, а меня не приняли, пришлось поступать на народные ремесла, в разных корпусах занимались.

И она вновь горько заплакала, то ли из жалости к себе, то ли из зависти к заклятой подруге.

Понимая, что говорить больше не о чем, я встала и пошла к двери.

— Погодите, — остановила меня Аня и ткнула пальцем в фигурку, — она правда просила передать ее мне?

Секунду я смотрела на оплывшую девицу, потом отчего-то ощутила острый укол жалости и ответила:

— Да, мне кажется, она любила вас.

Аня опустила голову на липкую клеенку и завыла, словно наемная кликуша. Я пошла на выход, спотыкаясь о тазы, велосипеды и поломанную мебель, выставленную жильцами в коридор.

В институт я явилась к двум. Дневные лекции закончились, и основная масса студентов разбежалась кто куда. Я прошла по чисто вымытому полу до двери с надписью «Учебная часть» и заглянула внутрь. Тощенькая девица в мешковатом, вытянутом свитере подняла голову от компьютера.

— Можно войти? — вежливо поинтересовалась я.

— Пожалуйста, — приветливо ответила девчонка.

— «Справочник для поступающих в вузы», — сказала я, усевшись перед ней.

— Что? — не поняла девочка.

— Ну, я редактор «Справочника для поступающих в вузы», Виола Тараканова.

— Очень приятно, Галина Киселева, — представилась девица. — Хотите кофе?

Получив кружку с «Нескафе», я тяжело вздохнула:

— К сожалению, в предыдущем издании допущено много ошибок, не хотелось бы их повторить. Сколько у вас факультетов?

Галочка принялась подробно перечислять. Я старательно записывала сведения на клочке бумаги. Когда поток информации иссяк, я вновь вздохнула:

— Ну спасибо. Да, кстати, мы еще выпускаем кучу всяких календарей, справочников, буклетов... Просто поток идет, поэтому частенько нанимаем художников, может, посоветуете кого, только, знаете...

— Что? — спросила Галя.

Я откровенно ухмыльнулась:

— Шеф у нас мужик со странностями, между нами говоря, совсем дурной... Можете догадаться, почему мы всегда в художниках нуждаемся?

— Нет, — ответила девица, — понятия не имею.

— Представляете, он берет на работу только девушек с именами Маша и Катя и лишь тех, кому от двадцати двух и до двадцати пяти. Как стукнет двадцать шесть, все, гонит на улицу. Ну не придурок ли?

— А начальство все с прибабахом, — Галя живо подхватила тему, — у нас тут один всех блондинок ненавидит. Девчонки накануне сессии массово перекрашиваются.

— Такая замечательная к нам женщина хотела наняться, — гнула я свое, — но... Лена, Федулова ее фамилия. Талантливая, умная, воспитанная! Не взял, кретин! Подавай ему Машу или Катю! Кстати, Федулова у вас училась, говорила мне, что на курсе у нее было полно девушек с такими именами. Может, взглянете, вдруг кто соблазнится. Наш идиот почти две тысячи баксов в месяц платит!

Худышка защелкала мышкой.

— Жаль, что вашему начальству имя Галина не по вкусу. А то я бы побежала за такие деньги куда угодно. Сама наш институт окончила, только устроиться живописцу ой как трудно! Вот, сижу тут за копейки, да и то боюсь, что выпрут. А в каком году Федулова окончила вуз?

Я произвела в уме простые расчеты.

— Поступала, наверно, в 1992-м, небось самой

молодой оказалась, она школу экстерном окончила.

— Тут много таких, — ответила Галя и уставилась на экран. — Точно, Федулова Елена Игоревна, группа девять, мастерская профессора Зыкина Маврикия Маргиленовича.

— Как вы сказали? — удивилась я. — Зыкин Маврикий Маргиленович?

Галя засмеялась:

— Здоровское имечко, да? Сразу и не выговорить, жуть! И ведь злится, если кто путается. А что такого, коли язык сломать можно. Вон на кафедре рисунка работает Хабибуллин Модрузин Нудриддинович, и что? Сделали из него Михаила Николаевича, он не обижается, ясно же, нормальному человеку такое ни за какие пряники не выговорить. Кстати, Маши в этой группе не было, а Кати даже две. Виноградова с Куликовой...

— А есть их координаты?

— Конечно, — ответила Галя, — только сведения за 1997 год, они дипломы позащищали и ушли...

Я посидела еще минуть десять, жалуясь на мифическое начальство, потом убежала, сунув в сумочку бумажку с телефонами и адресами. Путь лежал в супермаркет «Победитель». Вы скорее всего встречали эти магазинчики с яркой сине-красной вывеской... Сейчас, когда продуктами не торгует только ленивый, хозяевам приходится пускаться на всяческие ухищрения, чтобы заманить покупателей. Вот в «Гаргантюа» сделали для посетителей бесплатные туалеты, в «Кругозоре» дают всем кофе, правда, отвратительный, растворимый, зато совершенно даром, а в «Победителе» поставили у касс телефонные аппараты — звони сколько душе угодно! Но есть маленький нюанс, все эти блага доступны лишь покупателям магазинов, не посетителям, которые вошли просто полюбопытствовать, а дорогим, любимым клиентам, оставившим в кассе денежки...

Войдя в «Победитель», я схватила с полки стаканчик самого дешевого йогурта и подошла к кассирше. Женщина мило улыбнулась:

— Четыре двадцать.

Я расплатилась, взяла чек и отправилась к кабинкам. Сидевшая возле них служительница мельком бросила взгляд на маленькую бумажку, где стояло «Спасибо за покупку», и ничего не сказала. Я вошла в будочку, села на стул и принялась терзать аппарат. У Кати Виноградовой отозвался дребезжащий мужской голос:

— Да!

— Можно Катю?

Человек помолчал, потом сдавленно поинтересовался:

— Какую?

— Виноградову, художницу, — спокойно уточнила я, совершенно не волнуясь.

Наверное, коммунальная квартира, или вообще телефон не домашний, а может, в семье просто несколько женщин, носящих такое отнюдь не редкое имя...

— Ее нет, — пояснил парень, кашляя.

— А когда позвонить лучше?

— Ее совсем нет, — заходился собеседник.

— Как совсем? — оторопела я. — Уехала? Куда? Надолго?

— Навсегда, — отозвался мужик.

Я окончательно растерялась:

— Что вы имеете в виду?

— Катя умерла.

— Как?! Когда?!

— Недавно, — снова закашлялся юноша.

— Отчего?

Из трубки доносилось только хриплое дыхание.

— Простите, — наконец выдавили из себя на том конце провода, — а вы кто?

— Ее знакомая, Виола Тараканова, вот хотела Кате работу предложить, у нас на фирме художник требуется...

Вновь повисло молчание, потом парень спросил:

— А вам женщина нужна? Мужчина не подойдет?

— Ну, — протянула я, — смотря какой...

— Хороший, — быстро ответил юноша, — не сомневайтесь, не конфликтный, не пьющий...

— Это вы?

— Я.

— Простите, а кем вы приходитесь Кате?

— Мужем.

— А работы ваши посмотреть можно?

— Сколько угодно, — оживился юноша, — куда привезти?

Я глянула в бумажку. Волоколамское шоссе, дом два, корпус три...

— Если разрешите, я сама к вам заеду, буду в районе вашего дома около пяти...

— Конечно, конечно, — засуетился парень. — Кстати, меня Федором зовут, Федор Лузгин.

— Очень приятно, — ответила я.

Где-то без пятнадцати пять я вылезла из троллейбуса возле гигантской башни, на самом верху которой реяла вывеска «Гидропроект». Дом два оказался в нескольких шагах, корпус три устроился прямо за огромным серым домом.

Поеживаясь от ледяного ветра, я пошла искать

нужный подъезд. Говорят, когда архитекторы прокладывали Ленинградский проспект, который возле здания «Гидропроекта» раздваивается на два шоссе — Волоколамское и Ленинградское, они хотели сделать его «изломанным», чтобы ветер «гасился» о стены домов, но Сталину идея не пришлась по душе. Вождь народов просто положил на карту линейку и провел линию, сказав кратко:

— Сделаем так, товарищи!

Спорить с Иосифом Виссарионовичем, естественно, не решились. Руководство приняли к действию. Проспект прорубили по «чертежу» главного человека страны, и теперь здесь всегда дикий ветер, даже тогда, когда в остальных частях Москвы тишь да гладь, а сильней всего задувает как раз тут, в месте разделения проспекта.

Уж не знаю, правда или нет эта байка про градостроительные причуды Сталина, но если припомнить характер господина Джугашвили, то она сильно смахивает на подлинную историю. Хотя то же самое рассказывают про царя, строившего железную дорогу Санкт-Петербург — Москва.

ГЛАВА 10

Лузгин жил в необычной квартире. Скорее всего тут раньше располагался чердак, который предприимчивые хозяева оборудовали под жилье. Уже в прихожей чувствовалось, что здесь обитают люди, воспринимающие мир нетрадиционно...

Потолок оказался черным, а стены ослепительно белыми, белыми — в голубизну... Тут и там висели картины, но не простые, ясные и понятные — пейзажи, натюрморты, портреты, — а нечто этакое, сплошная абстракция. Ломаные линии, круги, точки... Мебель состояла из гнутых железок, на которых валялись цветастые подушки, стол держался на одной ноге, в углу находилось нечто, больше всего похожее на мешок с картошкой, но ярко-зеленого цвета... А пол укрывали ковры, такие же черные, как и потолок...

Я бы не захотела жить в подобном месте, слишком голо и как-то холодно. Наверное, у меня полностью отсутствует художественный вкус, но наша гостиная, заставленная велюровым диваном и глубокими, мягкими креслами, так и манит к уютному времяпрепровождению под пледом с книгой в руках... А у квартиры Лузгина вид словно у операционной. В особенности вон тот торшерчик напоминает бестеневую лампу.

Чтобы сразу расставить точки над «i» и отбить у Федора всякую охоту проситься на работу, я заявила:

— Наша фирма занимается упаковкой. Этикетки для консервных банок, дизайн картонных коробок, рисунки на оберточной бумаге...

Честно говоря, я ожидала, что парень скривится, но он с жаром воскликнул:

— Отлично, это я могу.

— Зарплата в первый год маленькая, всего три тысячи.

— Хорошо, — не дрогнул Федор.

Пришлось подъезжать к нему с другой стороны. Осторожно сев в кресло и чувствуя, как подо мной ходуном ходят железяки, я заявила:

— Наша фирма принадлежит господину Гесслеру.

— Я не антисемит, — быстро сообщил Лузгин.

— Господин Гесслер немец, — возмущенно пояснила я, — человек безупречной репутации, отличный семьянин, он создал в коллективе совершенно особый климат, мы все как родственники. Поэтому к найму нового сотрудника подходим со всей тщательностью...

— Ясно, — кивнул Федор, — одна паршивая овца может все стадо испортить...

— Теперь вы понимаете, — строго сказала я, — придется задать вам пару вопросов, уж извините, если они вдруг покажутся бестактными...

— Ничего, ничего, — ответил парень.

— Где вы работаете?

— Нигде, — пожал плечами хозяин, — просто пишу картины, а потом выставляю их на продажу.

— И хорошо идут?

Лузгин замялся:

— Ну, если честно... Не очень. За весь год ни одна не ушла, народ хочет мишек на лесоповале и бабу с веслом. Абстракция предполагает определенное развитие художественного вкуса...

— А на какие средства существуете?

Парень примолк.

— Ну, разовые заработки...

— А именно?

— Ну... так, по мелочи, ерунда...

— Все же? — настаивала я, изображая дотошную кадровичку.

Федор вытащил сигареты и стал рыться в пачке.

— Господин Гесслер весьма снисходительно относится к тем, кто еще не набрал должного профессионального мастерства, — заявила я, — а вот к моральным качествам претендента предъявляет высокие требования. Кстати, отработав у нас двенадцать месяцев, вы можете рассчитывать далее на очень, просто очень хорошую зарплату! Так на какие средства вы жили с женой и, кстати, что с ней стряслось?

Лузгин тяжело вздохнул:

— Я сдавал две комнаты, их тут четыре... За четыреста долларов в месяц...

— Да? — удивилась я. — И кому?

— Кате.

— Кому?

— Виноградовой.

Я уставилась на юношу, тот опять начал перебирать сигареты.

— Что-то я не пойму, она же была вашей женой?!

— Бывшей, — протянул Федор, — мы, правда, официально не оформляли ничего, просто разбежались. Квартира принадлежала мне до брака, Катька вообще из провинции приехала, ни кола ни двора. Кабы не я, уезжать ей из столицы в Задрипинск. А так... Все получила: прописку, работу, деньги загребала лопатой... Вот и решили, что так по справедливости будет, ей эти четыреста баксов — тьфу, а я на них жил. Только померла Катька и... — Он замолчал, глядя на пачку «ЛМ».

А что говорить, все ясно без слов. Жил альфонсом, за счет жены, а как той не стало, так и работа до жути понадобилась, небось молодой человек любит три раза в день покушать.

— Вот что, — железным тоном заявила я, — желаете получить место?

Лузгин кивнул.

— Тогда рассказывайте по порядку.

Нехорошо, конечно, обманывать человека, рассчитывающего на постоянный заработок, но перед глазами встало бледное, сосредоточенное личико Кристи...

Федор познакомился с Катькой на первом курсе, а поженились они летом. У Лузгина имелась собственная квартира, редкость в студенческой среде, поэтому жили они весело, как и положено студиозусам... Гуляли до утра, пили дешевое вино, питались кое-как и могли ночами напролет говорить о собственной гениальности. Четыре года промелькнули враз, и в 1997 году Катя и Федор, став обладателями свежих дипломов, нырнули во взрослую жизнь.

Они поняли сразу: праздника не будет, коробок сахара в шоколаде никто не принесет... Устроиться на постоянную работу оказалось почти невозможно, просто невероятно. Диплом их института, честно говоря, весьма и весьма заштатного учебного заведения, совершенно не котировался среди работодателей. Суриковский, Строгановский, на худой конец училище имени 1905 года и полиграфический, но никак не областной художественный... Ребята приуныли.

Сначала Федя, искренне считающий себя ну если не гением, то совершенно уж точно большим талантом, отправился в Измайловский парк. Он рассчитывал, что народ начнет расхватывать картины, словно дешевые яйца, но через месяц стало понятно — надеяться на заработок нечего. Рынок полнился произведениями на потребу малоинтеллигентной публике: щекастые младенцы держали на коленях умильных щенков, обнаженные девушки парились в бане, особняком висели полотна с изображениями Дракулы, Джеймса Бонда, Супермена и Микки-Мауса... Их автор, худой мужик лет пятидесяти, у которого в день убегало по пять полотен с Гуффи, Мак-Даком и Винни-Пухом, один раз сказал, угощая совсем озябшего Федора стаканчиком кофе:

— Кончай фасон давить, мы тут все как один Рембрандты, никому твои запятые не нужны, пиши, что народ требует. Я, между прочим, знаешь какие натюрморты делал? Только жрать хочется...

Но Федор лишь презрительно хмыкнул. Во все времена современники не понимали гениальных живописцев. Ван Гог умер в дикой нищете, Мане вечно побирался по знакомым, да что там импрессионисты, стоило вспомнить хотя бы великих голландцев... Большинство из них всю жизнь простояли с протянутой рукой... Однако ни кошечек, ни собачек с бантиками они писать не собирались. Ну и где теперь те, кто работал в прежние века для услады тугих кошельков? Не осталось от них ни работ, ни имен. А Ван Гог и Мане висят в Лувре и в галереях по всему миру. Феденьке хотелось вселенской славы. И еще беда. Он мог творить только по вдохновению, когда за окном играл хороший солнечный свет. Сумрак давил на Лузгина, ввергал его в депрессию, не хотелось не то что «малевать», даже вылезать из-под одеяла...

Катя тоже сначала пыталась пробиться со своими полотнами, на которых всеми цветами радуги переливались разноцветные шарики, кубики и дуги... Но потом девушка поняла, что следует срочно менять направление.

Чего только не делала бедная Катька, чтобы хоть чуток заработать! Расписывала матрешек, подделывала палехские шкатулки, сидела в подземном переходе с мольбертом, зазывая народ обещанием в десять минут сделать шарж... Но все попусту, редких гонораров хватало лишь на кефир и самые дешевые булки. Катя одевалась в секонд-хенде и чувствовала себя совершенно несчастной. Но потом фея удачи расправила над Виноградовой роскошное крыло. Катюшку позвали в галерею «Арт-Мо».

— Куда? — переспросила я.

— «Арт-Мо», — повторил Федор, — там работала Машка Говорова, ближайшая подружка Катьки. Она тоже в нашем институте училась. Вот Говорова и посодействовала подружке.

Чем Катя занималась в галерее, Лузгин не знал, их отношения к тому времени испортились вконец, но у бывшей супружницы разом появились деньги. Катюха невероятно повеселела, приоделась, запахла хорошими духами и стала приносить вкусные продукты.

Видя такой поворот событий, Лузгин, по-прежнему валявшийся на диване в ожидании вдохновения, мигом поставил ей условие:

— Плати за квартиру или съезжай!

Федька знал, что делает. Катюшка жутко боялась темноты, спала всегда со светом и жить одна в квартире просто бы не смогла! Сначала муж потребовал от жены двести долларов, потом триста, затем четыреста... Но когда его аппетит опять возрос, Катя устроила скандал и планку зафиксировали на четырех сотнях. Федя, правда, понял, что у Катьки тугой кошелек, потому что Виноградова купила себе машину, хоть и подержанную «восьмерку», но все же...

— Машина-то ее и сгубила, — спокойно пояснил Федор.

— В аварию попала?

— Нет, хуже, — отозвался Лузгин, — приехала откуда-то из гостей, выпивши... Вообще она не пьяница была, даже совсем не употребляла...

Но в тот день Катюша расслабилась и опрокинула бокал-другой сухого вина. Количество явно недостаточное для того, чтобы опьянеть. Катя спокойно доехала до дома, и тут, очевидно, алкоголь «догнал» девушку. День выдался холодный, Виноградова включила в машине печку... Ее разморило, и она заснула прямо в «Жигулях», не заглушив мотор, в двух шагах от подъезда. Старенькая «восьмерка» оказалась неисправной, угарный газ пошел в салон...

Утром сосед, пытавшийся выехать со двора, обнаружил за рулем труп. Нелепая, глупая смерть... Если бы хоть одно из окон было чуть приоткрыто, если бы Катька выключила двигатель... но все случилось так, как случилось, Федор неожиданно стал вдовцом. В наследство от Катерины ему досталась «восьмерка», только проку от нее никакого, водить Федор не умеет, и денег на бензин нет. Если честно говорить, денег нет ни на что, так как со смертью Катерины «баксопровод» иссяк, и вот теперь Лузгин, наступив на горло собственной песне, готов идти в фирму, занимаюшуюся упаковкой.

На улице стемнело, а ветер совершенно озверел. Добравшись до метро «Сокол», я села на деревянную скамеечку возле большой колонны и призадумалась. Похоже, пока вытаскиваю пустые номера. Ни Аня Кленова, ни Федор Лузгин тут ни при чем, денег они в глаза не видели... Конечно, завистливая Анечка сильно нуждается в средствах, мечтает о собственной квартире, но... Но она один раз воскликнула: «Вы что, хотите сказать, будто я украла Ленкины побрякушки?»

То есть Анечка была уверена, что пропали кольца, серьги и брошки, а не деньги... А вот второй раз

Кленова возмутилась: «Так вы считаете, будто я прирезала Ленку!»

Но Лену не били ножом, в нее стреляли... Правда, Аня могла делать подобные заявления из хитрости, отводя от себя подозрения... Но, вспомнив ее расплывшуюся фигуру, плохо причесанные волосы и сомнительной чистоты халат, я вздохнула. Голову даю на отсечение, такой тетке слабо пристрелить подругу, пусть даже и бывшую...

Не вызывал подозрений и Лузгин. Противный, ленивый парень...

Я когда-то ходила давать уроки немецкого языка Косте Карелову. Его отец — признанный скульптор, трудился с утра до ночи, ваяя жуткие скульптуры: мальчиков, девочек, бабушек, козочек... Может, конечно, это и не искусство, но гигантский труд. Скорей всего никакой памяти о Карелове в веках не останется, но пахал он, как раб на галере, без перерыва на обед и перекуры. И такая работоспособность вызывает у меня глубочайшее уважение.

А Федор! Одно недоразумение, даже если в момент рождения его и поцеловал в лоб ангел живописи, то сделал это божий посланник явно зря. Феденька великолепно существовал за счет жены, он и не собирался выходить на работу, и только смерть Кати подвигла его на какие-то телодвижения... А теперь скажите, может такой слизень украсть полмиллиона долларов? Наверное, да, Лузгин пойдет на все, чтобы не работать, а продолжать валяться на диване... Хорошо, теперь следующий вопрос. Захочет ли подобный экземпляр устраиваться на службу в фирму, где рисуют этикетки, имея в загашнике бешеную сумму денег, а? То-то и оно, что нет! А милейший Феденька страшно желал получить постоянный заработок, до такой степени, что даже не поленился одеться и проводить меня до метро, раз десять спросив по дороге: «Когда сообщите о принятом решении? Вы не забудете позвонить?»

Однако интересно получается... Катя Виноградова дружила с Леной Федуловой... Обе женщины погибли. Правда, первая — в результате трагической случайности. Сколько же надо выпить вина, чтобы заснуть в машине, не выключив мотора? Почему она не вышла на улицу? Так, завтра поеду в галерею «Арт-Мо». У меня есть великолепный повод для того, чтобы потолковать с Машей Говоровой, единственной оставшейся в живых из трех подружек. Лена собиралась выставить в галерее свой пейзаж, тот самый, который попросила меня спрятать...

Вот и отлично, утром отправлюсь в галерею, а сейчас пора домой, ноги подкашиваются от усталости, желудок противно сжимается... За всеми хлопотами я забыла перекусить. В довершение ко всему на улице разыгралась ноябрьская непогода, и когда я вылезла из метро, вокруг стояла стена ледяного, жутко противного дождя. Прохожие неслись по лужам, выставив перед собой зонтики. Я надвинула на лоб капюшон и побежала проходными дворами. Скорей домой, там тепло, уютно светит торшер в спальне, на кровати мягкая подушка, теплый плед, на тумбочке ждет новый детектив и коробочка конфет, а на ужин Томуська небось сварила мою любимую гречневую кашу.

ГЛАВА 11

— Явилась? — грозно спросил Аким, выходя в прихожую. — Ну, где шлялась?

Его корявый палец уперся в циферблат настенных часов.

— Без пятнадцати девять, пора программу «Время» смотреть!

— На работе была, — пояснила я, стаскивая вконец промокшие сапоги.

Тело почувствовало приятное домашнее тепло, нос уловил знакомый аромат: картошка! Жаль, что не каша, но тоже вкусно.

— Перед едой следует мыть руки, — зудел, как осенняя муха, свекор, — и, придя в квартиру, необходимо переодеться, виданное ли дело, идти к столу в уличных брюках...

Я вдохнула крепкий запах грязного тела, исходящий от Акима, и промолчала.

На кухне сидели все: Филя, Лерка и Томуська. Увидев меня, Тома подскочила:

— Садись, Вилка, сейчас положу...

— Что за дурацкое прозвище, — взвелся Аким, — вилка, ложка, нож... Еще кастрюлей назовите! Звать положено так, как родители крестили!

— Вы встречали в святцах имя Виола? — прищурилась Лерка. — И потом, вашего сыночка вообще Филей обзывают! Вот где кошмар. Так и хочется поинтересоваться, где Степашка с Хрюшей.

— Это кто же такие? — удивился Аким.

— Ваши дети не смотрели «Спокушки»? — удивилась Лерка.

— Не говори глупости, — ответила я, — передаче, кажется, лет двадцать, не больше...

— Да ну? — изумилась Лерка. — А мне кажется, «Спокушки» существуют с основания телевидения.

— Вы о чем? — строго поинтересовался Аким.

— Папа, — пояснил Филя, — на телевидении есть программа «Спокойной ночи, малыши», вот о ней и речь.

— Но они употребляли какое-то другое слово, — не успокаивался учитель.

— «Спокушки», — ответила Лера, — так все говорят, просто сокращение!

Аким Николаевич резко отодвинул от себя тарелку, прокашлялся, поднял указательный палец...

— Папа, — быстро начал ветеринар, — ты опоздаешь к новостям, пара минут всего осталась!

Педагог еще раз издал звук «кха, кха», и понеслось:

— Как словесник, человек, всю свою жизнь преподающий детям основы русского языка и литературы, я не могу смириться с тем, во что превратилась наша лексика. Вспомним времена Петра I. В те далекие годы...

У меня начало сводить скулы. Лерка возила вилкой в тарелке, Томка устало села на табуретку и уставилась немигающим взглядом в стол. Филя мрачно кивал головой, я наклеила на рожу улыбку и погрузилась в транс.

Надо отдать должное Акиму, он был опытным преподавателем и великолепно знал, что монотонные речи усыпляют. Поэтому примерно через каждые пять минут мужик делал паузу. Мы, обрадованные тем, что поток заезженных истин иссяк, просыпались и начинали воспринимать окружающий мир. Тут-то свекор и обрушивал на нас новую порцию сентенций.

— Совсем не осталось людей, которые умеют правильно произносить числительные! Ну-ка, — он ткнул пальцем в Лерку, — ну-ка быстренько скажи восемьсот шестьдесят девять в творительной падеже, ну...

Лерка напряглась:

— Восьмисот...

— Нет.

— Восьмиста...

— Нет.

— Восьмистами...

— Садись, два, — сообщил Аким.

— Ну при чем тут «Спокушки»! — взвилась Лерка.

— Дети должны смотреть развивающие программы десять минут в день, — отрезал педагог, — а не всякую дрянь! На телевидении совсем ум потеряли! Создали передачу про постельные дела, залезли, можно сказать, в кровать к гражданам, хорошо хоть поздно показывают! А люди! Такое про себя рассказывать. Вон одна заявила: мой супруг занимается мастурбацией! Стыд и позор, даже не покраснела!

— А, — обрадовалась Лерка, — вы тоже любите передачку «Про это» смотреть! Прикольная штука!

Аким Николаевич совсем пожелтел.

— Я никогда не смотрю подобные мерзопакости...

— Откуда вы тогда знаете, про что там говорят? — хихикнула Парфенова.

Но Акима оказалось не так просто сбить с толку.

— Мои дети, имею в виду и Олега тоже, выросли нормальными людьми, полезными членами общества, они не курят, не пьют, не заводят любовниц...

Я уставилась в тарелку. Между прочим, Олег курит, вот крепкие напитки не употребляет совсем, только пиво, и насчет любовниц правда. Куприн не бегает по бабам. Может, он любит меня, а может, времени нет на шашни... По моему глубокому убеждению, ловеласничают те, у кого слишком много досуга.

— А все потому, — гудел Аким, — что в раннем детстве они видели перед глазами положительный пример отца, а не стыдные передачки с голыми девками.

При этих словах Лерка разинула рот, чтобы достойно ответить старику, но в тот же миг из коридора раздался дикий грохот. Все полетели в прихожую. В Тамариной спальне заливалась нервным лаем Дюшка, не решавшаяся бросить новорожденных.

Взору открылась дивная картина. На полу, сжимая в руках отодранную от стены вешалку, сидел Олег. Муженек с головы до ног извалялся в грязи, плащ, брюки, портфель, даже кепочка были в черно-серых пятнах. Очки съехали у Куприна на кончик носа, шарф отчего-то свисал из кармана, а на ногах у него красовались чужие ботинки. Мой майор не носит белые вельветовые тапочки или, по крайней мере, не делает этого в начале ноября.

На пороге, держась за косяк, стоял Семен, надо признать, он выглядел еще хуже: слой грязи, покрывавший Сеню, оказался толще...

— Вы где были? — оторопело спросила Томуська.

Сеня громко икнул, по коридору поплыл сильный запах перегара, и тут только до меня дошло наконец, что парни пьяны в лоскуты.

— Вы где были? — повторила Тома недоуменно. Сеня снова икнул и тихо сполз на порог. Голова его зацепилась за ручку, издатель в изнеможении закрыл глаза и громко захрапел. Олег, сохранивший какие-то рефлексы, сообщил из-под вешалки:

— В экс... в экстрем... в центре...

— В каком? — обозлилась я. — В каком центре

можно так нажраться? В том, где изучают влияние водки на организм мужчины?

— Мы пили коньяк, дуся, — сообщил Олег, — дусин пусик хлебал коньюсик!

До сих пор алкоголики вызывали у меня только чувство глубочайшего отвращения, но отчего-то Сеня и Олег казались просто смешными. Да и какие они пьяницы! Наверное, в жизни каждого человека случается день, когда его укладывает на лопатки зеленый змий.

Олег попытался встать, потерпел неудачу и повторил:

— В центре, в центре экстремальной медицины.

— Это что ж за медицина такая? — изумился Филя, отделяя вешалку от Олега. — Первый раз слышу.

Но Куприн лег на пол и, пробормотав: «Меня завтра в семь разбудите», оглушительно захрапел.

Мы с Томуськой растерянно переглянулись. В такую ситуацию мы попали впервые. Впрочем, я, прожившая все детство с запойными хануриками, великолепно знала, что делать, и принялась раздавать указания:

— Начнем с Семена. Филя, бери его за руки, а мы за ноги, и потащили в спальню.

— Что за медицина странная, — продолжал бубнить ветеринар, пытаясь оторвать от пола тело Сени, весившее больше центнера.

Наши мужья люди корпулентные, и тот и другой с трудом влезают в шестьдесят четвертый размер костюма.

— Не надо нести, — приказала я, — лучше тащить. Держите ему голову.

— А как его на кровать уложить? — спросила Тома.

— Никак, на полу поспят, очень полезно, не будет остеохондроза, — рявкнула я, пиная Сеню. — Ну, раз, два, взяли.

— Что за медицина странная, — зудел Филя, — прямо интересно! Экстремальная! Это как?

— Так, — выпалила я, отпуская ногу Сени. — Очень просто. Это когда вместо скальпеля — столовый нож, взамен остальных инструментов — топор, а у изголовья медсестра с монтировкой!

— Зачем с монтировкой? — спросил туго соображающий Филя.

Я утерла рукавом пот.

— Когда велят давать простой наркоз, она бьет один раз, а ежели требуется глубокий, долбасит трижды. Хватит болтать, давай волоки его!

Но тут Сеня неожиданно сел и открыл глаза.

— Во, — обрадовалась Лерка, — сейчас сам поползет! Слышь, Сенька, давай по-пластунски в спальню, а то у нас руки не казенные!

Семен окинул нас мутным взглядом, глубоко вздохнул, раскрыл рот... Раздался отвратительный звук...

— Фу, — заорала Лерка, — да они ужинали гнилыми лягушками, ну и вонизм!

— Сейчас, сейчас уберу, — кинулась за ведром и тряпкой Томочка.

Парфенова надула хорошенькие губки и сказала хранившему мрачное молчание Акиму:

— Вот, любуйтесь, плоды вашего воспитания! Может, все-таки следовало разрешить Олегу хоть изредка смотреть «Спокушки»?

Аким Николаевич метнулся в комнату и с силой захлопнул дверь. Раздался грохот, это плохо закрепленная Филей вешалка опять упала на Олега.

Через час мы сумели справиться с ситуацией. Сеню устроили в спальне, на ковре, подсунув ему под голову подушку, Олега вкатили в нашу комнату... Коридор вымыли, вешалку прибили покрепче и, чувствуя неимоверную усталость, отправились пить чай на кухню. Аким Николаевич затаился в комнате. Я не утерпела и тихонечко заглянула в щелку. Свекор что-то писал, согнувшись над столом. Наверное, готовился произнести завтра обличительный монолог.

— Может, еще картошечки? — предложила Тома.

— Если не трудно, — попросил Филя, — упарился весь, и есть охота...

Парфенова вздернула ярко подведенные бровки. И тут из прихожей донеслось тихое, какое-то деликатное треньканье. Недоумевая, кто бы мог явиться в такой час, я распахнула дверь и увидела... пьяноватого папеньку, заискивающе улыбающегося.

— Вот, доча, проведать пришел.

Я чуть не треснула его по башке стоявшей в углу стремянкой. Мой папашка большую часть жизни провел по лагерям и зонам. Говорят, бывают удачливые воры, грабящие картинные галереи и банки... Но мой отец самый простецкий мазурик, в основном крал кошельки из карманов или уводил у раззяв-пассажиров багаж на вокзале. Но каждый раз его хватали за руки и волокли в милицию. В конце концов папашке надоело разбойничать, возраст уже не юношеский, да и зона здоровья не прибавляет. Потеряв все зубы, заработав язву, гипертонию и чесотку, Ленинид заявился ко мне и кинулся в ноги.

Нам пришлось его вымыть, вылечить и приодеть... Справедливости ради следует отметить, что жизнь на нарах надоела Лениниду до зубовного скрежета. В последней колонии, где он мотал срок, всех желающих обучали профессии столяра, специалиста по производству мебели. Вот папуля и начал применять полученные навыки на практике. Сначала переоборудовал и застеклил балкон, потом построил в прихожей шкаф. На этой стадии к нам заглянула соседка Наташка, та самая, которая наняла меня заниматься со своим сыном Темой... Шкафчик ей очень понравился, и она предложила Лениниду сделать такой же у нее дома, пообещав заплатить. Возведение гардероба завершилось свадьбой.

Наташка крепко прибрала к рукам папашку. Ленинид теперь работает в мастерской, перетягивает диваны, кресла, стулья. Кстати, очень неплохо зарабатывает. Пить он бросил. Пару раз пытался развязать, но Наталья у нас баба суровая, общим весом за сто кило, впрочем, и рост у нее впечатляющий — все метр восемьдесят будут. Щупленькому Лениниду без шансов справиться с супругой, ежели та впадает в раж.

Наталья просто отколошматила муженька, применяя при экзекуции самые простые подручные средства: скалку и доску для разделки рыбы...

— Чего тебе надо? — спросила я.

Папенька икнул.

— Напился? — озверела я.

— Ну доча, — залебезил Ленинид, — раз в год и случилось, нечаянно.

— Здравствуй, Ленинид, — высунулась из кухни Тома, — хочешь картошечки?

— Он уходит, — железным тоном сообщила я.

— Уже? Так быстро? — изумилась подруга.

— Ну доча, — ныл папашка, — пусти, только на одну ночку, сама знаешь, убьет Наташка, если запах учует!

— Ночуй там, где пил, — отрезала я.

— Так с мужиками принял, чуток совсем, и по полбутылки не получилось...

— Ступай себе, — велела я, — значит, к жене на пьяную голову нельзя, а ко мне можно?

— Ну не на улицу же, — взмолился папахен, — будь человеком! С моей биографией никак нельзя в легавку попадать... Живо арестуют и...

— Входи, — вздохнула я, — только тихо, на цыпочках, идешь и ложишься в углу, в гостиной, на пол. Раскладушки нет. Подушку возьми с моей кровати, плед с дивана в гостиной.

— Хорошо, хорошо, — забормотал папулька, стаскивая ботинки, — не беспокойся, я привыкший, могу просто так лечь, без всего, мне бы только Наташка не узнала, убьет, ей-богу, убьет, не пожалеет!

— Давай двигай, — пихнула я его в спину, — но чтобы тихо, а утром умотаешь!

Я вернулась на кухню и сообщила:

— Отец пришел, переночевать попросился, у них дома полы лаком покрыли.

Никто не усмотрел в этой ситуации ничего особенного. Филя продолжал жевать картошку, Лерка завела длинный рассказ о том, какую шубу следует покупать в этом сезоне.

— Обязательно длинную, мех щипаный, а еще лучше вязаную...

— Разве шубу можно связать? — удивился Филя. — Мех он ведь как пластина.

— Темнота, — усмехнулась Парфенова, — жуткая, черная, дремучая темнотища! На последнем меховом аукционе Алла Борисовна Пугачева приобрела манто, связанное из бобра...

— Но мех-то снимают большим куском, — настаивал Филя.

— Потом режут и вяжут!

— Зачем?

— О боже! — закатила глаза Лера. — Деревня...

Дзынь, дзынь — донеслось из прихожей.

— Сиди, — сказала Тома и побежала к двери.

Я тупо глядела в чашку. Отличный денек выдался, в каждой комнате по пьяному мужику, злобно затаившийся Аким, наглая Парфенова и простой, как веник, Филя.

Кого еще прибило к нашему берегу?

В кухню, смущенно улыбаясь, вошел Юра:

— Вот, ребята, пригрейте на денек-другой!

— Опять Лелька выгнала! — всплеснула я руками.

Юрке было стыдно признаться при посторонних, что его жена временами превращается в жуткую мегеру, поэтому он быстро сказал:

— Нет, нет, что за ерунда тебе в голову приходит, зачем Лельке меня прогонять!

«А почему она всегда это проделывает?» — хотела было я заявить в ответ, но перехватила умоляющий взгляд приятеля и промолчала. В конце концов, ни Парфеновой, ни Филе незачем знать подробности супружеских передряг Юрасика.

— Просто у нас полы лаком покрыли, спать невозможно! — сообщил майор.

Лерка хихикнула:

— Надо же, какое странное совпадение! Только

что явился Вилкин папаша, у него тоже половая проблема. Вы случайно не в одной квартире проживаете?

— Нет, — спокойно ответил Юрка, — правда, соседствуем по подъезду.

Парфенова зевнула:

— Как хотите, а я спать пошла!

Филя тоже поднялся.

— Спокойной ночи, пойду умоюсь, а потом постелю себе у балкончика.

Оставшись с приятелем вдвоем, я поинтересовалась:

— Ну и что на этот раз?

— Да глупость вышла, — забормотал Юрасик, — Ленку Комосову провожали в декрет, чаек устроили... А мне от имени отдела поручили подарок отдать, коляску мы ей купили, шесть тысяч как одну копеечку выложили... Ленка, конечно, обрадовалась, ну и чмокнула меня в плечо...

— Ага, понятно, Лелька углядела след от помады, и понеслось!

Юра молча кивнул.

— Ладно, — милостиво разрешила я, — ступай в гостиную, там, правда, Ленинид дрыхнет, думаю, не поссоритесь, но уж, прости, раскладушки нет. Ее Филя сломал, а диван там сам знаешь какой, по мне, так лучше на полу лечь, на ковре. Подушку и одеяло дам.

— Ну и ладушки, — повеселел Юрка.

Я пошла к себе в спальню и под раскаты громового храпа Олега вытащила из шкафа одеяло. Может, тоже устроиться в гостиной? Под такую «музыку» спать невозможно.

Обхватив одеяло двумя руками, я потащилась

по коридору, чувствуя жуткую усталость. Но не успела добрести до нужной двери, как звонок вновь ожил. Чья-то нахальная рука жала на кнопку, совершенно не смущаясь, что часы показывали два ночи. Припомнив всю ненормативную лексику, я, посмотрев в глазок, обнаружила на лестничной клетке мужа Парфеновой — Витьку, отчего-то держащего в руке махровое полотенце.

— Тебе чего? — спросила я, распахивая дверь. — На часы смотрел? Совсем с ума сошел? Олегу в семь вставать.

Витька молча отодвинул меня и вошел в прихожую, его лицо покрывали крупные капли пота, что, учитывая холодную, просто ледяную погоду, казалось странным.

— Где Лерка? — просвистел он. — Где моя жена?

— Спит, — обозлилась я.

— Где?

— В комнате, естественно.

— С кем?

Я повертела пальцем у виска.

— Витек, у тебя совсем с мозгами плохо? Одна, конечно.

— А ну отойди, — толкнул меня Витька.

Широким шагом, не снимая ни ботинок, ни куртки, он пошел по коридору, распахнул дверь в Томуськину спальню и заорал:

— Вставай, Лерка, смерть твоя на пороге!

Храп, разносившийся крещендо по всем помещениям, внезапно стих.

— Что случилось? — совершенно разумным, трезвым голосом спросил Семен. — Вилка, ты?

— Виктор, уйди оттуда, — велела я, — и вообще, какого черта ты носишься по нашей квартире?

— Лучше молчи, бандерша, — ответил Витек и начал заглядывать в остальные комнаты.

— Почему бандерша? — удивилась я.

— Ну, мамка, — хрюкнул Витька, — как же еще назвать тетку, которая содержит на дому публичный дом!

Я не успела даже обозлиться на оскорбление, как он распахнул дверь в спальню, где мирно, на двух матрацах спала ничего не подозревающая Лерка, и заорал:

— А, сука, попалась! Думала, шито-крыто все! С любовничком тут устроилась!

Вспыхнул свет. Парфенова оторвала от подушки голову и простонала:

— О боже, ну что еще! Дайте спать!

— Спать ей захотелось, — заорал Витька и сдернул с Лерки одеяло.

Та взвизгнула и заверещала:

— Охренел совсем, козел?! Может, еще и маменьку свою сюда притащил! Убери лапы, не у себя дома! Скажи ему, Вилка!

— Где он! Говори! — бушевал Витька.

— Кто? — вопила Лерка. — Кто?

— Он, — наседал на нее муж, — он — твой любовник! А ну живо колись, с кем тут времечко сладко проводишь, сучара!

— Да пошел ты, — заорала Парфенова так, что в буфете звякнули рюмки, — вместе со своей мамашей придурочной и с бабкой идиотской...

В этот момент в дальнем углу комнаты что-то зашевелилось.

— Ага, — подскочил Витька, — вон он, попался...

В коридор выползли все: Филя в чудовищной пижаме цвета детской неожиданности, Томуська в ночной сорочке, плохо соображающий и все время хватающийся за голову Сеня, Юрка в темно-синих трусах... Позади всех маячил Олег. Похоже, что хмель отпустил и его.

— Вот он, — ликовал Витька, — вон...

— Да это Ленинид, — обозлилась я, — перепутал комнаты и вместо гостиной устроился у Лерки.

Папаша, растерянно моргая, смотрел на присутствующих. Витька подался к нему, бросил на пол полотенце, в которое кутал руку, и я увидела огромный, страшный пистолет.

— Эй, эй, парень, — замахал руками папулька, — ты чего... Эй, положи пушку-то!

— Прощайся с жизнью, сволочь, — просипел Витька, вскинул руку, но тут на него с двух сторон кинулись Юрка и Олег, мигом применившие профессиональные навыки. Они враз скрутили нападавшего. Олег выхватил у него пистолет и сурово поинтересовался:

— Где взял?

— Купил.

— Разрешение есть?

— ...тебе, а не разрешение, — выпалил Витька.

— Зачем тебе оружие? — поинтересовался Юрка.

— Она мне всю жизнь сломала, — зарыдал тот, — а теперь еще и изменять начала...

— Идиот, — зашипела Лерка, — кретин.

— Убью, — взревел Витя.

— А ну всем молчать, — гаркнул Семен, — ведите этого боевика на кухню, вы, девчонки, ложитесь, а мы сейчас с ним побеседуем!

Не в силах спорить, я рухнула в кровать, слыша, как за стеной бубнят мужские голоса. Потом наступила тишина, Олег вернулся и лег, через секунду раздался храп. Я пнула супруга ногой, звук изменил тональность. Мои глаза блаженно закрылись. Слава богу, безумный вечер, вернее, ночь, закончилась.

— А-а-а-а! — понеслось из спальни Тамары. — А-а-а-а, спасите!!!

Орал Сеня. Испугавшись почти до обморока, я скатилась с кровати и, столкнувшись у двери с Олегом, полетела в комнату подруги. Никогда еще на моей памяти Семен не издавал подобных звуков...

Очевидно, ужас обуял всех присутствующих, потому что по коридору летел Филя в практичной байковой пижаме, Юрка в трусах, Лерка в роскошной ночнушке, Ленинид, полностью одетый, и Витька, правда, без пистолета. Мы вскочили в спальню к Тамаре. Сеня стоял на кровати и орал.

— А-а-а-а!

— Что случилось? — выдохнули все.

— Там, — проговорил мужик, тыча пальцем в угол, — там крысы, целая стая, много, серые, вон ползут...

Присутствующие уставились на ковер.

— Это не крысы, — устало сказала я, — а щенки. Дюшка вчера родила, мы их в коробке устроили, не знаю, как они из нее выбрались...

Сеня слез с кровати.

— Ой, и правда щеночки, а почему мне не сказали?

— Дурдом, — констатировала Парфенова, — жилище безумного кролика, где Тамарка?

— В туалет вышла, — буркнул Сеня, — так почему мне про собачат не сказали?

— Потому что вчера вы не ночевали дома, а сегодня явились никакие, — пояснила я, — не мужики, а кегли. И вообще, хватит! Все! Разошлись по местам! Полный порядок! Лерка не изменяет мужу, крыс нет!

Народ разбежался по комнатам. Я снова плюхнулась в койку. Господи, как хорошо, что Аким пьет какое-то убойное снотворное. Надо завтра спросить у него название лекарства, здорово-то как! Слопал на ночь таблеточку, а дальше все равно, что происходит в этом доме: потоп, пожар, взрыв или роды.

ГЛАВА 12

Слава богу, утром всем понадобилось уйти на работу. Сначала, старательно пряча глаза, заторопился Олег, чмокая меня в коридоре, он виновато пробормотал:

— Вроде я вчера слегка выпил...

— Нет, — сказала я, — ты был пьян, как кошмар!

Куприн покраснел и убежал. Завтракать он отказался, только выпил целую бутылку минеральной воды. Следом унесся Сеня, тоже отвернувшись от яичницы и выдув полтора литра «Святого источника», затем стартовал папулька, которому не досталось бутилированной жидкости, но он не стал ныть, а спокойно нахлебался воды из-под крана.

— Может, вечером загляну, — загадочно сказал Ленинид, натягивая куртку.

— Лучше не надо, — вздохнула я, — и без тебя голова кругом идет.

— Подарочек принесу, — пообещал папахен и смылся.

Минут через десять после его ухода умелись Юрка и Филя, последней, проведя почти час у зеркала, отправилась обучать людей правильной семейной жизни Лерка. Я прошлась по комнатам и обнаружила только мирно спящую Тому, Витька и Аким испарились. Скорей всего они ушли очень рано, до восьми. Ну ладно Витек, ему, наверное, просто стыдно за устроенный вчера скандал, но куда подевался Аким?

Тихо радуясь, что наконец-то избавилась от всех дорогих и любимых, я вытащила из пакета свернутую в трубочку картину Лены, аккуратно собрала простенькую раму, вставила полотно в багет и отправилась в «Арт-Мо».

По счастливой случайности я хорошо знаю, где находится этот салон — на Лаевской улице, в самом центре. В соседнем доме живет мой ученик, один из тех редких детей, родители которого платят по десять баксов. Каждый раз, идя к нему, я прохожу мимо больших, отлично вымытых витрин и шикарной белой двери, слева от которой горит золотом табличка «Арт-Мо». Лучшие художники мира». Немного амбициозно, но у галереи частенько клубился народ и шныряли журналисты с фотоаппаратами. А один раз я столкнулась с самим Киркоровым. Высокий фактурный Филипп, в умопомрачительном белом кожаном пальто, выскочил из салона и быстро сел в длинный лимузин. За ним шел коротконогий парень с картиной в руках. Значит, эта торговая точка была еще и модной, раз сюда пожаловал муж бабушки, но не дедушка...

У самого входа в галерею за красивым, но простым офисным столом сидела молодая женщина в безукоризненном деловом костюме; безупречный макияж, выполненный в светло-бежевых тонах, великолепная, но совершенно простая стрижка без всяких «рваных» челок и бритых затылков, а из драгоценностей — элегантные золотые серьги и тоненькое кольцо с голубым камнем, скорее всего маленьким, но очень чистым сапфиром.

— Сколько стоит входной билет? — тихо поинтересовалась я.

Девица подняла выпуклые карие глаза и расцвела в улыбке. Впечатление было такое, что она ждала именно меня, причем несколько дней совершенно безрезультатно разыскивала, а тут такая редкая, фантастическая удача, я сама явилась...

— Вход бесплатный, — уточнила безукоризненная девушка.

— Значит, просто так?

— Конечно, идите, — сияла она улыбкой.

Во рту сверкали два ряда идеально ровных и белых зубов. Или ей просто повезло от природы, или она потратила целое состояние, добиваясь «голливудских» клыков.

— А если я ничего не куплю?

— Ну и что? Посмотрите на работы, получите удовольствие...

Оценив такую редкостную приветливость, я осмелела и, показав на пакет, спросила:

— Хочу выставить пейзаж.

Девушка сделалась еще любезней:

— Так вы художница? Отчего сразу не сказали? Вам сюда, налево по коридору, комната номер семь.

— Простите, но хотелось бы сначала показать работу Маше Говоровой.

— Она как раз там сидит, — пояснила девушка. — Мария Леонидовна и принимает работы.

Я пошла в указанном направлении, чувствуя спиной, как она смотрит мне вслед.

Седьмая комната оказалась огромным помещением, заставленным всякой всячиной. Гнутая мебель из бамбука, антикварный диван с высокой спинкой и полочкой, куда когда-то ставили белых слоников, целая куча статуэток, этажерочек, масса картин, прислоненных к стенам, впрочем, они еще и теснились повсюду на стенах так, что рамы касались друг друга. Диссонансом в этой лавке старьевщика был компьютер, помещенный на письменном столе производства мастеров времен Павла I. Словом, контраст между светлым, по-современному обставленном холлом и седьмой комнатой был разительный. Зато девушка, ловко гонявшая по экрану курсор, выглядела так, как в моем понимании должна выглядеть художница: худенькая, даже хрупкая, темные волосы, стянутые на затылке в хвост, лицо практически не накрашено, одета она в мешковатый свитер, а на шее и запястьях тьма бус, браслетов, нитяных и кожаных фенечек...

— Вы ко мне? — спросила Маша.

Я кивнула.

— Слушаю, — вежливо, но достаточно холодно продолжила Говорова.

— Я хотела выставить в вашей галерее пейзаж...

Маша окинула меня оценивающим взглядом, в ее глубоко посаженных карих глазах мелькнуло легкое раздражение, но она проговорила:

— Работа у вас с собой, она одна?

Я вытащила картину из пакета и положила на роскошный стол.

— Вот.

Вся кровь бросилась Говоровой в лицо, очевидно, у нее онемели ноги и руки, да и язык в придачу, потому что Маша выпустила мышку и минуты две смотрела на золотой луч, падавший на верхушки елей. Потом наконец Говорова собралась с духом и прошептала:

— Где вы взяли эту вещь?

— Лена Федулова попросила ее спрятать, — пустилась я в подробные объяснения. — Боялась, что картина попадет в опись и не окажется на вернисаже...

Маша молча выслушала рассказ, потом вздохнула:

— Значит, вы дружили с Леной. Странно, однако, что я вас никогда у нее не встречала...

— Мы не приятельствовали, хотя находились в прекрасных отношениях, я преподавала Никите немецкий.

— Гувернантка, значит, — произнесла Маша, не отрывая взгляда от пейзажа.

— Не совсем, я репетитор, у Никиты, кроме меня, была няня... Но она сразу уволилась, когда... Вы в курсе неприятности, которая случилась с Павлом?

Маша кивнула.

— Няня и домработница уволились сразу, — продолжала я.

— Они обе мне не нравились, — неожиданно сказала Говорова. — Нянька такая неприветливая была, она, по-моему, терпеть не могла хозяев, а домработница вечно ныла и жаловалась на больную спину. Я еще удивлялась, отчего Лена их держит, платит большие деньги и выносит откровенное хамство, по крайней мере, от няни...

— Ну уж не такие сверхдоходы приносит это ремесло, — улыбнулась я, — больше хлопот. Дети бывают разные, хотя Никитка очень милый, мне его жутко жаль, надеюсь, что он поправится...

— А он заболел? — удивилась Маша.

— Вы ничего не знаете! — ахнула я.

Говорова неожиданно побледнела:

— Что случилось?

Узнав правду, она потянулась к крохотной дамской сумочке, вытащила ингалятор и, выпустив себе в рот пахучее облачко, устало сказала:

— У меня астма, стоит чуть-чуть понервничать, как начинается приступ. Боже, какой ужас вы рассказали. Где лежит несчастный ребенок? Может, ему помощь нужна? Или еды принести, соки, фрукты... Получается, что он сиротой остался... Отец в тюрьме, мать погибла, бабушка в клинике.

— Он в реанимации, в Морозовской больнице, — объяснила я, — звоню туда два раза в день, но он пока не пришел в себя, никакие передачи для него не принимают и посещений не разрешают...

Говорова опять вынула ингалятор, вновь в воздухе повис резкий, даже едкий запах.

— Спасибо вам, — сказала Маша, — пейзаж оставьте, я его сегодня же вывешу на лучшее место, деньги, когда продастся, передам Марье Михайловне, кстати, как она?

Я развела руками:

— Не знаю, ее увезли без меня по «Скорой».

— Ну... — начала Маша, но тут дверь ее кабинета с треском распахнулась, стукнувшись ручкой о полку. Стоявшая на самом ветру фигурка покачнулась и рухнула вниз, превратившись в груду осколков на полу.

— Нельзя ли поаккуратней? — сердито выкрикнула Говорова.

— Не зуди, — раздалось из коридора, и в кабинет ввалился мордастый парень в отличном кожаном плаще.

За ним плыл шлейф запахов: дорогой одеколон, элитные сигареты...

— Где мои деньги, — завел юноша, покачиваясь с носка на пятку, — где милые, славные, заработанные кровью бабки?

Говорова быстро выдвинула ящик стола и протянула ему пухлый конверт:

— Возьми, Илья, и уходи, не видишь, я занята...

— Ну цирлих-манирлих, — прокукарекал Илья и плюхнулся в одно из бамбуковых кресел, — денежки счет любят! Сунула кота в мешке...

Хрупкое креслице жалобно взвизгнуло под его весом.

— Осторожней! — закричала Маша.

— Перебьешься, — отмахнулся нежданный гость и, вывалив на колени гору зеленых банкнот, начал считать: — Раз, два, три...

Маша вновь покраснела. Наверное, с такими сосудами ей трудно заниматься бизнесом, даже таким элегантным, как торговля живописью: вся гамма чувств тут же отражается на лице.

— Илья, ты опять пьян!

Тут только до меня дошло, что вошедший находится под сильным воздействием алкоголя.

— Отвяжись! — рявкнул Илья. — Заткни хлебало!

— Я сейчас позову охрану, — твердо сообщила Маша.

Но Илюша внезапно захохотал во все горло, обнажив желтые, плохо почищенные зубы:

— Никого ты не позовешь, мошенница!

— Прекрати, — обозлилась вконец Говорова. — Если опять налакался, то сиди дома, хоть бы посторонней женщины постыдился...

— Ой, ой, ой, — заржал Илья, — а ты очень стесняешься, когда людям липу вручаешь? Рембрандта с Репиным? Или кто у нас на очереди, Веласкес? Ну-ну, зови охрану, а я мигом рот раскрою.

Ну, поделись, голуба, секретом, кто Ленке помог в могиле оказаться, а? Знаю, знаю, говорила она мне про тебя, да и Катька Виноградова жаловалась, теперь меня убрать думаешь? Нет, Илюша хитрый, Илюша все предусмотрел, у Илюши бумажка есть...

Лицо Маши сравнялось по цвету с качественной финской бумагой.

— Прекрати, тут посторонние.

— Да я ее прекрасно знаю, — отмахнулся Илья, бросив на меня косой взгляд. — Надька Рымнина, вот она кто, у Ленки Федуловой встречались!

— Вас правда так зовут? — тихо спросила Маша.

Я хотела было ответить «нет», но неожиданно сказала:

— Да.

Илья тем временем свесил голову на грудь и закрыл глаза, со стороны кресла понеслось мерное сопение.

— Очень вас прошу, — так же тихо продолжила Маша, — Илья жуткий хулиган и беспробудный пятница, да небось сами отлично знаете все про него... Час дня только, а он уже никакой... Могу, конечно, охрану вызвать, но Илюха обязательно скандал устроит, секьюрити его на выход поволокут, а он примется орать, затем начнет в стекла камнями бросаться. Я очень хорошо знаю, что будет, не в первый раз...

— Зачем же вы с ним дело имеете? — удивилась я.

Маша спокойно пояснила:

— Илья очень талантлив, и, что более для нас важно, его покупают. Если хотите, он вошел в моду. Было выставлено шесть его полотен, ушло пять, причем всего за неделю... Вот и мучаемся с гением... Правда, на этот раз мое терпение лопнуло! Ворвался, наболтал жуткие глупости, а теперь вот заснул...

— Так что вы от меня хотите? — спросила я.

— Попробуйте увести его на улицу, он может с вами пойти, если по-доброму попросить, посадите в машину и оставьте там. Он проспится и уедет. У нас раньше Оля работала, вот она всегда Илюшу и выпроваживала. Только сейчас она в Германии живет.

— Можно попробовать, — пробормотала я, — а где ключи?

— Да у него в кармане, — ответила Маша.

Быстрым движением она вскочила на ноги, подошла к мирно сопящему художнику и выудила у того из плаща связку с коричневым брелком сигнализации.

— Ладно, — протянула я и потрепала Илью по плечу. — Эй, проснись...

— Чего надо? — осоловело спросил парень. — Ты кто?

— Надя Рымнина, или не узнал? — хмыкнула я.

— А, Надюшка, привет!

— Пошли в машину.

— Зачем?

— Ты же обещал меня домой подвезти!

— Будь спок, — пробормотал он, — вмиг домчу.

Он обнял меня за плечи, я слегка пошатнулась под его каменно-тяжелой рукой, и мы двинулись к выходу. Маша Говорова не произнесла ни слова, даже «спасибо» не сказала, но я не была на нее в обиде. Больше всего мне хотелось сейчас поболтать с милейшим Илюшей о Лене Федуловой и Кате Виноградовой.

На улице я вытащила связку ключей и, вспомнив, как поступают Олег и Семен, нажала на брелок сигнализации. Одна из машин, припаркованных возле «Арт-Мо», коротко гуднула и мигнула фарами. Доведя совершенно не сопротивлявшегося Илюшку до иномарки, я свалила мужика на багажник и принялась весьма неумело тыкать ключом в замок. Неожиданно Илья вполне разумно произнес:

— Слышь, Надюха, садись сама за руль. Будь другом, отвези меня домой, я не доеду, голова кружится...

Я наконец-то открыла дверцу, впихнула парня на заднее сиденье, устроилась за рулем и поинтересовалась:

— Адрес подскажи.

— Ладно тебе придуряться, — захихикал Илюша, — как со мной трахаться, так прибегала.

— Давно дело было, забыла.

— Ну ты даешь. — Илья на едином дыхании выпалил адрес и мигом заснул.

Я в задумчивости побарабанила пальцами по рулю. Водить-то я не умею. Ну и как поступить? Ждать, пока Илюшенька проспится, сидя в салоне «Форда»?

Задумчиво посмотрев по сторонам, я вышла на улицу и поймала за рукав парня лет двадцати.

— Извините, вы свободны?

— В каком смысле? — хихикнул юноша.

— В прямом.

— Как птица, — ответил мальчишка, — а в чем дело?

Я показала на иномарку.

— Муж крепко выпил, а я водить не умею, с машиной можете управляться? Я заплачу, естественно.

Юноша рассмеялся.

— Далеко везти?

Я назвала парню адрес Ильи.

— Так здесь недалеко, — обрадовался добровольный помощник. — Доедем минут за пятнадцать.

Скоро машина притормозила у нужного дома.

— Ну уж теперь помоги домой его завести, — велела я.

Мы взобрались в лифт, доехали до нужного этажа, и тут меня осенило, а вдруг у Ильи сидит дома жена или, того хуже, маменька?

Порывшись у него в карманах, я нашла ключи, открыла дверь и сразу поняла: парень живет один. Ни одна женщина не позволит так прокурить квартиру.

«Шофер» застыл на пороге. Я выудила у Илюши кошелек и достала двадцать долларов.

— Хватит?

Глаза парня вспыхнули огнем, он мигом вырвал у меня из пальцев купюру и был таков.

— Спасибо, тетенька, — донеслось из лифта.

Ну не идиот ли! Между прочим, я ненамного его старше!

Илья уже спал, сидя в кресле. Я посмотрела на него и тяжело вздохнула. Пусть покемарит часок, похожу пока по квартире, посмотрю, что к чему, а потом прижму пьянчугу к стенке и вытрясу из него всю информацию.

ГЛАВА 13

В квартире Илюши царил немыслимый бардак. Спальня больше походила на казарму. Хотя это я зря, в казарме-то как раз царит идеальный порядок. Да сержант убьет солдата, если у того одеяло не натянуто. Здесь же повсюду валялись вещи, пустые бутылки, газеты, журналы и отчего-то стояли баночки из-под детского питания «Тип-Топ», из каждой торчало по грязной ложке...

Кухня напоминала свалку, и воняло в ней соответственно, а в холодильнике не нашлось никаких продуктов, кроме все того же детского питания.

Комнат оказалось две, и вторая служила мастерской. Вот там в отличие от спальни соблюдался полный порядок и совершенно отсутствовала винно-водочная тара. Тюбики с красками, банки с какими-то жидкостями, кисти... У Лены Федуловой в мастерской царила такая же обстановка. На мольберте стояла незаконченная картина.

Я не слишком большой знаток живописи, но у дяди Вити, Томочкиного папы, имелась довольно неплохая коллекция альбомов. Полотно, укрепленное на подставке, могло на первый взгляд показаться оригиналом. Яркие, сочные краски, буйство тропической зелени, невиданные деревья, унизанные фруктами, странно изломанная фигура туземки с непропорционально длинными ногами... Но только в моем мозгу мигом пронесся вихрь воспоминаний.

Холодный декабрьский день, на улице завывает ветер, но нам с Томочкой спокойно и уютно. Мы сидим на огромном диване, прижавшись с разных сторон к дяде Вите, который держит в руках огромный альбом «Лувр».

— Гоген, — объясняет дядя Витя, — великий француз, сделавший, по мнению современников, невероятный шаг. Он променял Париж, полный светского блеска и веселья, на Таити. Там художник нашел свое счастье, написал огромное количество картин, натурщиками для которых послужили его жена-таитянка и ее родственники. Кстати, аборигены не понимали Гогена и посмеивались над ним так же, как и французы, обзывали его сумасшедшим.

Я подошла к мольберту и ощутила легкий укол в сердце. Рядом на большом столе лежал тот самый огромный альбом «Лувр», антикварное издание. Интересно, где Илюша взял такой?

— Вы кто? — донеслось с порога.

Хозяин, взлохмаченный, но вполне дееспособный, с удивлением смотрел на меня.

— Не узнали? — хмыкнула я. — Надя Рымнина.

— Да ну, — протянул Илья, — не похожа, однако.

— Правильно.

— Кто вы?

— Виола Тараканова.

— Как вы сюда попали?

— А как сам оказался дома, помнишь?

— А я разве выходил? — удивился пьяница.

— Еще как, — заверила я его. — Еще как выходил, просто бегал по улицам и в салоне «Арт-Мо» страшно нахамил Маше Говоровой. Кстати, она дала тебе, на мой взгляд, весьма крупную сумму денег, ты уж извини, но пришлось взять оттуда двадцать баксов, машину водить не умею, заплатила шоферу...

— Плевать, — мотнул головой Илья. — Насрать три кучи, спасибо тебе, вот что, выпить хочешь? Коньяк есть, не лажовый, экстра-класс...

— Нет, дружок, я не стану и тебе не советую.

— А мне твои советы на фиг не нужны, — мило парировал Илюша, — можешь засунуть их себе в жопу!

Я внимательно посмотрела на хама.

— Видишь ли, ангел мой, я не смогу воспользоваться твоим пожеланием. Я никогда не засовывала себе ничего в то место, на котором сижу, может покажешь, как это делается? Похоже, ты большой мастер по таким штукам!

Илья растерялся и в первый момент не сообразил, как достойно мне ответить, поэтому глупо бухнул:

— Иди на...

— Фу, ужасно традиционно, — наморщилась я, — ругаешься как все, копируешь Гогена, собственное лицо имеешь или нет?

В тот момент, когда мой язык произнес фамилию великого импрессиониста, в глазах Илюши мелькнул откровенный испуг, даже ужас. Усилием воли парень справился с собой и буркнул:

— Ерунда, один распальцованный заказал, для дачи...

Меня слегка удивило, что невинное упоминание о Гогене отчего-то перепугало парня, и я сочла момент подходящим для того, чтобы поставить ему на голову ногу в железном ботинке.

— Дорогуша, а ты неблагодарная дрянь. Я волокла тебя домой на горбу, спасла от вытрезвителя и что получила? Да уж, не хочешь себе зла, не делай людям добра.

— Сколько? — деловито спросил Илья. — Сто баксов хватит?

Я поморщилась.

— Двести, — набавил хозяин.

— Милый, ты пошляк! Предлагаешь даме деньги!

— Чего тебе надо?

— Разговор, похоже, катится по кругу, — сказала я, — ответь на один маленький, незначительный вопросик...

— Ну?

— Отчего ты решил, что Лену Федулову и Катю Виноградову убила Маша Говорова?

И снова Илья ударился в панику. Еле-еле собрав волю в кулак, он попытался изобразить наглеца:

— Да ты никак одурела? Что за чушь порешь?

— Нет, котик, — вкрадчиво, словно граф Толстой царевичу Алексею, произнесла я, — покайся, дружок, легче станет.

— Офонарела! Да откуда ты свалилась на мою голову? До дома довела, спасибо, конечно, не хочешь денег, могу в ресторан сводить, но насчет Ленки ты откуда взяла?

Я внимательно посмотрела на него.

Как-то раз Олег, вздыхая, сообщил мне:

— Ежели попалась на преступлении, но прямых улик нет, лучше уходи в глухую несознанку: ничего не знаю, ничего не слышу, ничего никому не скажу. А главное: я там не была!

— Ага, — ухмыльнулась я, — а вы носок с песком достанете и по почкам...

— Ну, мои не бьют...

— Зато другие стараются.

— Оно конечно, — подтвердил Олег, — отметелить могут, только все равно держись молодцом и ни в чем не сознавайся. Лупят обычно первые полчаса, а потом сядут рядышком и начнут о доказательствах толковать. А уж тут кто кого переиграет. Как в покере, имеешь на руках три девятки, а держись так, словно флеш-рояль получила, блефуй.

Вот Илюша и пытается придерживаться этой тактики. Кстати, царевич Алексей, сын Петра I, не выдержал, поддался на уговоры графа Толстого, и что? Увез его Толстой в Россию, а там угодил Алешенька сначала в каземат, а затем и вовсе был осужден на смерть. Правда, до казни несчастный цесаревич не дожил, скончался за два дня до нее, говорят, от припадка эпилепсии... Только что-то мне подсказывает: помогли Алексею добрые люди избежать встречи с топором и плахой.

Вооруженная историческим опытом, я смело ткнула пальцем в мольберт, где мирно покоилась незавершенная копия Гогена.

— Кончай идиотничать, Илья, все давно известно, чистосердечное признание облегчит твою участь, знаю, знаю, кто заказал Гогена...

Мои слова произвели эффект разорвавшейся бомбы. Парень неожиданно побледнел, даже посерел, его голубые глаза мигом провалились внутрь черепа.

— Кто вы?

— Сложно ответить сразу.

— Чего хотите, денег?

— Сто баксов? — ухмыльнулась я.

— Нет, конечно, — вскрикнул парень и бросился в другую комнату.

Я подошла к картине. Ну и что в ней такого особенного, отчего Илья так засуетился?

— Вот, — вбежал в мастерскую художник, — вот, смотрите, тут почти все, себе только чуть оставил. Возьмите, возьмите.

Я посмотрела на ворох зеленых бумажек, вот это да — здесь несколько тысяч...

— Илья, — строго сказала я, — ты не понял. Видишь, я пришла к тебе просто так, по-дружески, без протокола, давай поговорим, как хорошие знакомые.

— Вы из милиции? — прошептал парень. — Так я и знал, что все этим кончится. Еще когда Ленка умерла, понял — конец конторе пришел. Господи, конец...

Видя, что он почти парализован, я решила слегка поправить дело и попыталась его успокоить:

— Нет, дружок, к милиции я не имею никакого отношения...

Однако это заявление вместо того, чтобы снять напряженность, только ухудшило дело.

— ФСБ, — пробормотал парень. — Интерпол, о нет! Ей-богу, это не я, это они сами придумали, да мне крошки перепадали, объедки, все Машка и Катька огребали, даже Ленке меньше доставалось. Ну да известное дело, кто работает, тому шиш, а кто...

— Илюшенька, — вкрадчиво сказала я, — пойдем на кухню, у тебя кофе есть?

Хозяин кивнул головой, сейчас он выглядел растерянным, напуганным мальчиком, оставшимся в большом универмаге без мамы. Кожа его потеряла смуглость, и стали видны мелкие веснушки, покрывающие веером нос и щеки, волосы растрепались, а глаза смотрели на меня с нескрываемым ужасом.

Я села на грязную табуретку и молча понаблюдала, как хозяин мечется по кухне, разыскивая чистые чашки и ложки, потом спросила:

— Сколько тебе лет, Илюшенька?

— Двадцать один, — ответил парень.

— Да уж, — вздохнула я, — в сорок годков трудно начинать жизнь сначала, в особенности если ее большая часть прошла на зоне...

Илья выронил чашку, та упала у моих ног и не разбилась.

— Везет тебе, однако, — улыбнулась я и подняла ее. — Хорошенькая кружечка, симпатичная...

— Меня посадят? — проблеял хозяин. — Да? Точно?

— Лучше расскажи мне все, — сладко пела я, — все, все...

— Так вы же в курсе, — ответил Илья.

— Но мне от тебя все равно надо правду узнать, — возразила я, — тогда смогу помочь. Скажу генералу, вот Илюша, хороший мальчик, помог нам, не надо его сильно наказывать. Ну зачем пожизненное требовать? Ребенок ведь совсем, двадцать один год! Что он видел, мальчишка, а мы его навсегда на шконки посадим.

— К-к-куда? — спросил парень. — На что?

— На шконки, — мило улыбнулась я, — уж извини, случайно вырвалось, нары так у уголовников называют, кроватка, на которой на зоне спят, такая железная, двухэтажная, в синюю или зеленую краску выкрашенная, тебе мрачновата покажется после Гогена, тускло немного, их в бараке штук сто бывает... Правда, тебе пожизненное светит, а там больше двух вместе в норе не селят.

— Где?

— В норе, то есть в камере, да ты не тушуйся, живо феню выучишь, времени хватит...

— Как пожизненное? — лепетал вконец одураченный мальчишка. — За что?

— За Гогена! Ты хоть понимаешь, куда вляпался? Один путь остался — чистосердечно сейчас покаяться, а я уж попрошу генерала, он не зверь, мужик с понятием.

— Все, все расскажу, — зашептал Илюша, высыпая себе в чашку чуть ли не полбанки «Чибо», — слушайте...

Я старательно скрыла радость. Нет, все-таки хорошо, что Олег часто рассказывает вечерами о своей работе.

— Главное, — объясняет муж за чашкой чая, — чтобы у подследственного сложилось твердое убеждение: мы знаем все, а его признание лишь маленькая, почти ненужная формальность... И чем больше у фигуранта за плечами «песен», тем он быстрее расколется. Чем больше вина — тем сильнее страх.

Очевидно, Илья чувствовал себя кругом виноватым, ишь как перепугался, просто до одури. Ну и, конечно, парень до жути юридически безграмотен. Ни один работник милиции, ни генерал, ни маршал, кстати, не знаю, есть ли люди с таким званием в наших правоохранительных органах, не имеет права решать вопрос о наказании, это прерогатива суда, но Илья был совершенно морально сломлен, и он начал каяться, забыв проверить у «агента ФСБ» документы.

Илюша приехал в Москву из Семеновска. Вроде и близко расположен городок от Москвы, да только в России все, что находится за пределами столичной Кольцевой автодороги, уже провинция. И хотя с продуктами и товарами сейчас везде хорошо, менталитет людей остался прежним. Человеку талантливому в крохотном Семеновске нечего делать. После школы девочки массово шли в медицинское или торговое училище, а парни, если не попадали в армию, оказывались либо в автодорожном, либо в строительном. Те же, кто обладал амбициями и хотел непременно получить высшее образование, отправлялись в Москву.

Каким образом рождаются таланты, совершенно непонятно. Почему в крохотной деревеньке под

Рязанью, у полуграмотных родителей явился на свет Есенин? Отчего он не вышел из семьи профессора МГУ? Нет ответа на этот вопрос.

Илюша с малых лет рисовал, удивляя всех знакомых совершенно не детскими портретами. Когда малыши, распевая «Палка, палка, огуречик, вот и вышел человечек», малюют нечто, больше всего напоминающее беременного паучка, мальчик из Семеновска создавал на листе плохой, оберточной бумаги просто фотографию. Мать-доярка и вечно пьяный отец-грузчик только качали головами. Вот уж диво дивное. В семье было пятеро детей, четверо нормальные, как все, играли в футбол, дрались, стреляли из рогатки, носили двойки... А Илюша словно выпал из другого гнезда: получал только хорошие отметки и целыми днями возил кисточкой по бумаге. Мать, покупая ему краски, только качала головой:

— Может, подменили парня в родильном доме? Рядом учительша лежала, небось ее ребятенок-то мне и достался. Ну откуда у него такая страсть — бумагу пачкать! Ведь никто из наших, ни дед, ни бабка, рисовать не умел.

После школы Илюша рванул в Москву, где ему в первый же после приезда день стало ясно: талант хорошо, но нужны еще и связи. Возле институтов, куда он пытался сдать документы, толклось неимоверное количество абитуриентов, большинство из которых репетировали те, кто собирался у них же принимать экзамены.

Илья приуныл, понимая, что шансы его почти равны нулю. Но тут одна из девчонок рассказала про заштатный художественный институт. Илюша бегом бросился по указанному адресу и был там принят с распростертыми объятиями. Начались годы студенчества, голодные, в общежитии, где по комнатам бродили тараканы размером с хорошую мышь... Есть хотелось всегда, а о новых джинсах парень даже и не мечтал. Успокаивало только одно: все великие живописцы нуждались.

Два тому назад Илюша, студент третьего курса, пришел в галерею «Арт-Мо» с портретом под мышкой. Судьбе было угодно столкнуть его с Машей Говоровой. Парень понимал, что девушка, придирчиво разглядывавшая картину, ненамного старше его, к тому же она сообщила, что тоже окончила художественный институт, значит, была однокашницей, но... Маша занимала на социальной лестнице совсем другую ступеньку, от нее зависело, решится ли галерея связываться с Ильей, а попасть в такое место, как «Арт-Мо», означало, что тебя ждет успех.

Портрет взяли, но он не продавался. Через некоторое время Маша вызвала Илью и сообщила:

— Понимаешь, мы не можем держать вещи до бесконечности, тут не музей, а коммерческое предприятие, товар—деньги—товар...

Илюша приуныл.

— Но почему никто не хочет купить мою работу?

Маша побарабанила пальцами по столу.

— Видишь ли, картины, уж прости, малоизвестных, начинающих авторов приобретают сейчас люди вполне определенного сорта. Те, что хотят натюрморт для столовой, ну там, битую дичь, фрукты... портрет...

— Вот видите, — обрадовался Илюша, — может, и мой уйдет!

— Ты не дослушал, — сурово отрезала Маша, —

народ жаждет видеть портреты своих близких: жен, детей, животных. Чужие лица никому не нужны.

Илья окончательно повесил нос. Говорова, совсем не противная, абсолютно не чванливая, пожалела парня:

— Ну не расстраивайся, сразу ни у кого ничего не получалось. Ко мне иногда обращаются клиенты, просят посоветовать живописца, при первом удобном случае порекомендую тебя.

Через неделю Маша позвонила и обрадовала парня:

— Приезжай, есть заказ.

Бросив все дела, Илюша помчался в галерею. Говорова выложила на стол фотографию неприятного, одутловатого мужика и велела... написать портрет этой личности в стиле Рембрандта.

— Изучи его творчество, — растолковывала девушка, — настроение, палитру... ну сам понимаешь. Клиент хочет, чтобы все выглядело натурально.

— Вот глупость, — изумился Илья. — Да зачем?

Машка пожала плечами:

— Желание заказчика — закон. Может, он собрался врать всем, что это его прапрапрапрадедушка, писанный великим Рембрандтом. Он и подпись его велел скопировать.

— Во дурак, — выпалил Илья, — полотно-то все равно будет выглядеть новым.

Говорова дернула плечиками:

— Наше какое дело? Берешься или нет? Заплатят хорошо, четыре сотни дадут!

Илюша вздохнул:

— Четыреста баксов? Хорошо, когда нужно сделать, за какой срок?

Маша внимательно посмотрела на юношу.

— Месяц хватит?

— И за неделю могу, — воскликнул Илья, — дел-то!

Говорова предостерегающе подняла палец:

— Не гони лошадей, если клиент останется недоволен, ничего не получишь...

Студент подошел к делу творчески и работу завершил в две недели. Машка выразила восхищение, впрочем, заказчик тоже, и в кармане Илюши зашуршали зеленые бумажки. Потом он получил следующий заказ. На этот раз совсем легкий — копию одной из малоизвестных картин Веласкеса. Илья даже не знал, что у великого художника было такое полотно, хотя историю живописи изучал тщательно. Говорова дала большой каталог, где указывалось — этот Веласкес хранится в частной коллекции и практически не выставляется.

Илья шутя справился с заданием, и тут Машка, протягивая ему деньги, сообщила:

— Ну, считай, экзамен ты выдержал.

— Какой экзамен? — напрягся парень.

Машка засмеялась:

— Садись, недотепа, да слушай внимательно. Господь подарил тебе, дураку, золотые руки...

Из умело накрашенного рта Говоровой полилась совершенно невероятная информация. Илюша вспотел, поняв, в какой бизнес его втягивают девчонки. Было их вначале четверо, четыре девицы, жаждавшие денег больше, чем славы, — Лена Федулова, Катя Виноградова, Женя Бармина и Маша Говорова. Все они вместе учились в институте, все хотели получать звонкую монету. Первые три девчонки были «кистями», а Машка, не умевшая рисовать и окончившая искусствоведческий факультет, являлась мозговым центром. Она искала клиентов и организовывала сам процесс...

ГЛАВА 14

Схема бизнеса была проста, как все гениальное. Многие великие художники, готовясь создать ту или иную картину, делают эскизы, иногда пишут несколько вариантов полотна. Например, известная акварель Кустодиева «Анархия и революция» существует аж в четырех видах. Причем это не чье-то копирование, а авторское. Революция, изображенная в виде женщины легкого поведения, одета на картинах по-разному... Кроме того, часть полотен великих мастеров попросту утеряна, потому что живописцы, обычно не признанные при жизни, без всякого почтения относились к своим картинам. Ван Гог подарил одно полотно хозяйке гостиницы, которой задолжал крупную сумму, а другое доктору, лечившему его от душевной болезни. Кстати, и врач, и трактирщица недоуменно пожали плечами да убрали подарки на чердак. И только в наши дни их потомки обнаружили картины, продав которые стали не просто обеспеченными, а богатыми людьми... Впрочем, подобные открытия не редкость, и мир просто не знает обо всех. Некоторые люди, найдя в дедушкином сундуке натюрморт, выходили на связь с коллекционерами и потихоньку продавали шедевр человеку, который не желал, чтобы на его сокровище любовались чужие глаза.

Вот Машка Говорова и учла все вышеизложенное. Свою первую подделку они, недолго сомневаясь, приписали не кому-нибудь, а Гойе. Ленка Федулова, на редкость талантливая рисовальщица, вдохновенно создала офорт «До самой смерти», слегка изменив изображение старухи, сидящей у зеркала.

Только спустя некоторое время до Машки дошло, какого дурака они сваляли. Мало того, что взяли известнейшую вещь, так еще и сделали «вариацию» на самой обычной бумаге, правда, старательно «состарив» изображение. Если помните, то почти все полотна прошлого покрывает мельчайшая паутинка трещин, называемая по-научному «кракелюры», карандаш тускнеет, бумага блекнет. Есть специальные методики, позволяющие «ускорить» данный процесс, от технологически сложных до элементарных, когда покрытый специальным лаком холст просто помещают в обычную духовку и «пекут» при определенной температуре.

Короче говоря, «Гойя» не выдержал бы и элементарной проверки, но покупатель, по счастью, попался редкой лоховатости. Молодой парень, чуть старше Машки, бывший браток, ушедший в легальный бизнес и желавший жить красиво. Говорова тряслась потом несколько месяцев, ожидая, что к ней в салон ворвутся бритоголовые мальчики, но все обошлось.

Наученная горьким опытом, Машка стала действовать по-иному. Во-первых, они перестали предлагать мастеров первой десятки, сосредоточились на не слишком известных широкой публике, но тем не менее дорогих Жерико, Коровине, Малявине. И вообще, занялись только XIX веком. Маша доставала в провинциальных музеях полотна, датированные 18... каким-то годом. Не секрет, что во всех запасниках хранятся картины и рисунки, непонятно как туда попавшие и никогда не выставляемые в основной экспозиции. Музейщики и рады бы избавиться от балласта, но не знают как, и тут появлялась Маша, забиравшая полотна с косорукими фигурами и безжизненными пейзажами якобы для выставки. По ужасной случайности в подъезде ее «грабили»... Говорова выплачивала музеям копеечную страховку, и все были счастливы.

Затем картина «смывалась», и в руках «синдиката» оставался холст, самый натуральный холст, который даже суперэксперт вынужден будет признать подлинным. Особым образом, используя куриные яйца, готовили краски, затем «старили» полотно, частенько помещая его в старую раму из дерева, добытую все той же предприимчивой Говоровой... И только в конце, имея совсем готовый «пирожок», искали клиентов.

Дело процветало, принося невероятный доход. Как-то раз один из клиентов, заподозрив нехорошее, отнес полученную от девчонок подделку в Третьяковку. Представьте себе изумление девиц, когда они узнали, что экспертиза признала их работу... подлинником...

Говорова, разом смекнувшая, что к чему, «прикормила» тетку, оценивавшую картину, взяла ее в салон на внештатную работу, стала хорошо платить... И с тех пор все клиенты отправлялись к Руфине Михайловне...

Сколько времени девицы штамповали «Рокотовых» и «Коровиных», Илья не знал. Его позвали в бизнес лишь из-за того, что самая активная «живописица» Женя Бармина внезапно скончалась.

— Когда? — быстро спросила я.

— Два года прошло, — ответил Илья. — В январе умерла.

— От чего?

Илюша пожал плечами:

— Говорили, сердце схватило, и все, каюк. Я не слишком расспрашивал, радовался очень, что в долю взяли. Ленка Федулова и Катя Виноградова тоже отлично писали, только медленно, а я мигом, глазом моргнуть не успеете — готово! Я сначала-то ничего дурного не подумал, ведь молодые тоже мрут как мухи... Потом только плохое заподозрил. Сами рассудите: Катька в машине отравилась...

— Она была пьяная!

— Ха, — выкрикнул Илья. — Враки! И не пила Катерина совсем, даже на Новый год рюмашку одну опрокинула, и уж совсем бы она не села за руль, напившись, невозможное дело, поверьте. Я еще, правда, сомневался, может, и впрямь глупая смерть, но уж когда Ленку застрелили... Все, каюк, ясное дело, Машка постаралась, теперь до меня доберется...

— Да зачем Говоровой уничтожать подруг, если у них был такой замечательный, дающий стабильный доход бизнес? Это просто глупо!

Илюша прищурился.

— Не-а, все понятно. Деньжищи знаете какие загребали? Я за полгода квартиру в центре купил, машину, одежду, да и на питании не экономил.

Я вздохнула, судя по банкам детских консервов и бутылкам, разбросанным по всей квартире, Илья в основном не экономил на выпивке...

— Ленка в шикарной хате жила, — продолжал Илюша, — одевалась, машина, брюлики, то да се...

— У нее муж-бизнесмен, — напомнила я.

Илья захохотал:

— Ой, не могу, горькие слезы, он мармеладом торговал. Грубоватый такой парень, совершенно не интеллигентный, ну что в нем Федулова нашла? Ей-богу, не понимаю! Только супружник ее много не имел, Ленка воз волокла.

— Но она все говорила, что добытчик Павел...

Илюша вновь засмеялся:

— Естественно. Иначе вопросы возникнут, откуда у них денежки, а? А так всем понятно: муж-торгаш, миллионами ворочает. Между прочим, я тоже всем лапшу на уши вешал, будто квартирка от тетки-москвички в наследство досталась, а машину родители подарили, да и Катька Виноградова брехала, что имеет любовника, богатого и крутого, такого крутого, что и на тусовку привести нельзя, депутат, из тех, кто каждый день маячит в телевизоре. Ну и к ней тоже ни у кого вопросов не возникало. Коли баба за счет мужика живет — это обычное дело, ничего удивительного.

— А Говорова что придумала? — поинтересовалась я.

— Так об этом и речь, — всплеснул руками мой информатор, — ничего!

— Почему?

— Она деньги не тратила, в кубышку складывала. Как жила в коммуналке, так и осталась, шмотки у нее — без слез не взглянешь, и на метро ездит. Значит, пока мы, дурачки, денежки в разные места рассовывали, хитрая Машка заначку делала, копила, как умный крот, понимала, долго бизнес не просуществует, сколь веревочке ни виться, а конец не за горами. Вот и решила от всех избавиться, одним махом!

— Да зачем?

— Господи, — воскликнул Илюша, — за границу уедет, небось баксы давным-давно там, а свидетелей — вон! Мертвые молчат. Мы-то идиоты, а Говорова умная, хитрая, чистый кардинал Ришелье, все на десять шагов вперед просчитывает.

Он замолчал и принялся вертеть в руках солонку.

— Ладно, — сказала я, — хорошо, молодец.

— Вы ее арестуете?

— Обязательно.

— А меня?

Я посмотрела в его мальчишеское лицо, еще не успевшее превратиться в морду алкоголика:

— Слушай меня внимательно.

Илюша разинул рот.

— Уж не знаю, Говорова ли тут виновата, но кто-то явно старается истребить членов «синдиката». У тебя ведь деньги есть?

Илья кивнул.

— Прямо сейчас собери необходимые шмотки и убирайся отсюда.

— Куда?

— Ну не знаю... Куда подальше, чтобы убийцы не нашли. Родители не подходят, любимая девушка тоже, там живо найдут. Вот что, купи «Из рук в руки» и сними квартиру, заляг на дно, затаись, за продуктами не ходи.

— С голоду помру...

— Служба такая есть, 77, позвонишь по телефону, сами привезут все от туалетной бумаги до крабов. И вообще, олух царя небесного, ты о чем думаешь? Речь идет о твоей жизни.

— А я думал, у вас квартиры специальные есть и программа по охране особо важных свидетелей, — пробормотал Илья.

— Это ты американских сериалов насмотрелся...

— Но вот так все бросить, — заныл Илюшка, лихорадочно оглядывая кухню, — прямо сразу... Да и в машину не многое влезет...

— Забудь про автомобиль, — гаркнула я, — минимум вещей, деньги и документы!

— Музыкальный центр...

Я поднялась с табурета.

— Все, кончай базар, чтобы через час испарился. После того как я уйду, двери никому не открывай, знакомый, незнакомый, слесарь, участковый, усек?

Илья кивнул.

— Тогда прощай, дружок, будь осторожен, глядишь, все и утрясется!

Мальчишка прошептал:

— Дайте мне номер вашего сотового!

— Это государственная тайна, — мигом нашлась я, ну не говорить же дурачку, что у меня нет мобильного.

Хорош агент ФСБ — ни пейджера, ни телефона, ни пистолета...

— Как же так, — зашептал Илья, — а если мне угрожать начнут, даже помощи попросить не у кого. Так нечестно, я вам все рассказал, а вы...

Мне стало жаль глупого ребенка, впутавшегося в серьезные, взрослые игры.

— Пиши, 792... Имей в виду, используешь номер только в самом крайнем случае. Трубку снимет мужчина, Олег Михайлович Куприн. Скажешь, что телефончик дала Виола, он всенепременно поможет.

Илья кивнул.

— Но только в самом крайнем случае, — повторила я, — когда поймешь, что другого выхода нет, усек?

Илюша спрятал бумажку в карман. Я пошла к двери...

На улице мела поземка, прохожие неслись скачками, стараясь как можно быстрее добраться до теплого помещения. Я надвинула капюшон на лоб и полетела к метро. Черт-те что творится. Опять переставили стрелки часов. Сейчас всего лишь семь, а перед глазами непроглядная темень, черная-черная ночь.

Домчавшись до метро, я рухнула на скамейку и перевела дух. «Арт-Мо» работает допоздна, можно прямо сейчас поехать к предприимчивой Маше Говоровой и устроить той варфоломеевскую ночь. Но лучше позже, потому что милейшая, приветливейшая, улыбчивая Машенька и есть тот самый человек, который мне нужен. Сдается мне, что Говорова, во-первых, великолепно знает, кто убил Лену... Правда, весть о нападении на Никиту ее удивила... Во-вторых, Машенька в курсе того, кто взял деньги... Поэтому, прежде чем идти на встречу, надо как следует подумать, чтобы не напортачить... Да и устала я изрядно и опять же не ела, нет, решено, еду домой.

Входная дверь не желала отворяться, подергав за ручку, я позвонила. Они что, закрылись на щеколду? С чего бы это? Послышались торопливые шаги, потом грохот... Наконец дверь открылась.

— Извини, пожалуйста, — сказал Филя, — я кровать к двери случайно прислонил.

Я уставилась на нечто ярко-розовое, похожее на гигантский сандвич из поролона и железок.

— Это что?

— Раскладушечка, — пояснил ветеринар, — по-моему, симпатичная, смотри, мало места занимает, компактная, а мой вес запросто выдержит. Неудобно получается, приехал, поломал все, и привет. Вот теперь порядок, уеду, останется хорошая память.

Я улыбнулась:

— Спасибо, Филечка, нам раскладушка пригодится, только унеси ее сразу на кухню.

Парень легко подхватил «сандвич». Я пошла за

ним, стараясь угадать, что Томуська придумала на ужин. У нас с подругой давний уговор: она готовит, я хожу за продуктами. Но в последние дни я завертелась и ни разу не заглянула в магазин, небось холодильник зияет пустотой...

Но стол поразил изобилием. Рассыпчатая, ароматная картошечка исходила паром, к ней предлагалась жирная каспийская селедочка, посыпанная колечками красного лука, сливочное масло, укроп, «Докторская» колбаска, нежно-розовая, потрясающе аппетитная, соленые огурцы, капуста и маринованные помидоры. Здесь же стояла запотевшая бутылка пива «Бочкарев».

— Откуда яства? — удивилась я. — Кто приволок скатерть-самобранку? Честно говоря, я думала, сегодня будем, как Буратино, жевать три корочки черного хлеба...

Томуська улыбнулась:

— Я хотела сама пойти на рынок, но Аким Николаевич не позволил. Сбегал и еды приволок, да как хорошо все выбрал: капуста хрустит, огурчики крепкие, селедка — объедение, да и картошка выше всяких похвал. Одного не пойму, отчего ты покупаешь такую красивую, розовую, а она по вкусу словно калоша... Аким Николаевич же принес страшненькую, мелкую, а вкусная...

Свекор поднял вверх палец:

— Покупка продуктов не женское дело. К слову сказать, любой мало-мальски образованный мужчина в курсе: хочешь иметь здоровую супругу, не утомляй ее, а таскание сумок, набитых корнеплодами, противоречит слабой дамской конституции и нежной физиологии. Нет, все надо делать по правилам. Муж выполняет тяжелую физическую работу, жена готовит и присматривает за детьми.

Я уставилась на свекра. Надо же, в нем есть и положительные стороны. Лично мне нравится идея по поводу доставки харча с оптушки, но — маленькая деталь — ни Олега, ни Семена никогда нет дома...

— Всем привет, — радостно возвестил Олег, входя в кухню.

— Добрый вечер, сынок, — торжественно ответил свекор, — а что у тебя в руках?

— Раскладушка, — весело сообщил Куприн, — вот, специально сегодня пораньше выбрался, чтобы купить, а то неудобно как-то, Филя на полу спит, еще простудится!

Лерка ухмыльнулась:

— А Филечка уже сам себе кроватку приобрел, вон стоит, розовенькая, такая веселенькая...

Олег посмотрел в сторону стены, где приютился «сандвич», и вздохнул:

— Ну ладно, две так две, у нас часто гости бывают, пригодится.

— Картошечки хочешь? — предложила Тома.

— С селедочкой, — уточнил Олег, — эх, жаль, пивка не купил!

Филипп встал и вытащил из холодильника еще одну бутылочку «Бочкарева».

— Ну, я так и думал, что ты тоже пивко уважаешь!

Братья посмотрели друг на друга и улыбнулись. Я невольно рассмеялась. Однако гости не такие уж и противные.

— Вот здорово, — громко произнес Семен, входя на кухню, — все думаю, давно не собирались! О, пивко, селедочка, класс! Быстренько мне налейте и всего положите: капустки, огурчиков... Кстати, я тоже кое-чего принес, сейчас...

Он исчез в коридоре. Томочка наполняла тарелку мужа, Лерка осторожно откусила кусок колбасы и изрекла:

— Сплошной холестерин.

Аким поднял палец.

— Неверное замечание. Холестерин бывает разный, без него невозможны многие процессы в организме, и всякий...

Лерка скорчила гримасу:

— Ну только без лекций, хорошо? Мы тут все с высшим образованием.

— У меня только десятилетка, — сказала я.

— И у меня, — подхватила Тома.

— Во, любуйтесь, — произнес Сеня, втаскивая в кухню раскладушку. — Нехорошо как-то, Филя на полу спит...

Олег захохотал:

— Во здорово! Ставь у стены, вон там, где холодильник.

Сеня уставился на две раскладушки и спросил:

— Это что?

— Складные кровати, — сообщила я, — отличная вещь.

Дверной звонок ожил. Сеня пошел в прихожую.

— Входи, Ленинид, — донеслось из коридора, — как раз вовремя прибыл, селедочка у нас с картошечкой, пивко стынет. А это что, ой, не могу, сейчас скончаюсь, ой, держите меня...

Я выглянула в коридор. У вешалки топтался папенька, держа перед собой раскладушку с ярко-зеленым матрасом.

— Ну и чего смешного? — бубнил он. — Койки складной не видел? На, доча, владей! Вот специально забежал, принес подарочек, обещал ведь вчера сюрприз. Зарплату мне сегодня дали... Ну как же дом без такой штуки, на полу же людям холодно! Ладно я, ко всему привыкший, а остальные?

Сеня продолжал давиться от хохота.

— Заноси ее в кухню, — велела я.

Появление четвертой раскладушки вызвало бурю смеха.

— Отлично, — одобрила Лерка, — теперь вы можете сдавать желающим угол, просто обогатитесь! Почти на каждой палатке висит объявление: «Ищу комнату».

— Здорово как, — сообщила видящая всегда и во всем только хорошее Томуська, — матрасы разного цвета, розовенький, голубой, желтый и зеленый...

— Одного колера лучше, — заметила Лерка, — можно вместе сдвинуть и клево выйдет, а так в глазах рябит...

Др-р-р — прозвучало от входа.

— Это кто? — удивился Аким Николаевич, — у вас не дом, а шалман!

— Не выражайтесь, — нахмурился Ленинид, — тут женщины.

— Шалман или вертеп вполне цензурное слово, — ответил свекор, — литературное, употребляемое классиками, такими, как Чехов, Гоголь и Куприн.

— Уж не знаю, как там у писателей заведено, — хмыкнул Ленинид, — но у нас на зоне от смотрящего можно было по сусалам огрести за подобные высказывания.

— Не понимаю, — протянул Аким, — на какой зоне?

— Обычной, — пожал плечами Ленинид, отправляя в рот кусочек жирной, нежной селедки, — УУ2467/8...

— Вы отбывали срок? — ошеломленно поинтересовался Аким.

— Пять раз, — бормотнул папашка, подвигая к себе картошку.

Аким Николаевич сначала поднял палец вверх, потом упер его в меня и, голосом, полным скорби, словно герой греческой трагедии, провещал:

— Вы отец Виолы?

— Точно, — кивнул Ленинид, — мое единокровное, любимое дитятко, папочкой выпестованное, а что? Отличная доча вышла!

Аким распрямил плечи.

— Боже, мой сын женат на дочери уголовника! Какой жуткий мезальянс!

Ленинид бросил вилку.

— Слышь, дядька, хватит ругаться, сказал же тебе, держи язык за зубами. И вообще, ты тут в гостях!

— Я у своего сына, — возразил Аким, — следовательно, являюсь хозяином этого дома, все молчат, когда старший разговаривает!

— А я у своей дочи, — отрезал папенька, ловко открывая вилкой бутылку пива, — кстати, о том, что у Олега есть отец, никто и не знал! В первый раз встретились! А я, между прочим, тут диван перетянул, шкафы построил, стол подлатал, да и раз в неделю непременно зайду и поинтересуюсь, не надо ли чего. Так что заткнись, козел.

Аким Николаевич встал и заявил:

— Тут останется кто-нибудь один, либо я, либо он, решайте!

— Конечно, он, — хором ответили я, Томуська, Семен и Лерка. По счастью, Олег, отправившийся открывать дверь, не присутствовал при скандале.

— Хорошо, — пригрозил Аким, — я ведь и впрямь уйду! Филя, собирайся!

Неожиданно ветеринар, всегда беспрекословно подчинявшийся папеньке, ответил:

— Куда?

— Поедем на вокзал, раз вон гонят.

— Нет, — пробормотал Филя, — мне и тут хорошо, да и за собакой ихней приглядеть надо, вдруг мастит начнется.

Я закусила нижнюю губу, чтобы не расхохотаться. У несчастной Дюшки двенадцать щенков, терзающих мать в три смены. Мастит случается при застое молока, а тут дюжина жадных ртов, работающих словно пылесосы... Несчастная Дюшка к вечеру похожа на сдувшийся воздушный шарик. Томочка разводит специальную смесь и подкармливает прожорливую ораву, давая несчастной мамаше хоть чуть-чуть отдохнуть. Еще хорошо, что наша кошка Клепа живо принимает участие в воспитании щенят. Их же надо всех облизать! У Дюшки на восьмом ребенке заканчивается слюна, и она валится набок, оставив четверых «необработанными». Тут-то и принимается за дело Клепа. Она залезает в ящик к собачатам и принимается мыть тех, до кого у матери не дошли руки, вернее, язык. Так что мастит, от которого Филя собрался спасать Дюшку, ей явно не грозит.

— Хорошо, — ледяным тоном отчеканил Аким и, резко повернувшись, исчез в коридоре.

— Неладно вышло, — пробормотала Тамара.

— А чего он в бутылку полез? — спросил Ленинид и встал. — Ладно, девки, не расстраивайтесь, никуда он не денется! Я его на себя возьму!

Не успели мы вымолвить и слова, как папаша, подхватив пиво, выскочил вслед за Акимом. Я почувствовала, что силы покидают меня. Такой тяжелый день за плечами, а тут снова зреет скандал.

Из коридора послышались громкие возгласы, затем смех. В кухню вошел Юра. Вы не поверите, если я скажу вам, что в руках у парня была раскладушка с ярко-красным матрасом.

Увидав комплект из четырех кроватей, Юрка повернулся к Олегу и обиженно протянул:

— Так вот почему ты ржал, когда меня увидел!

— Ничего, ничего, — быстро влезла Томуська, — мы давно хотели иметь столько запасных мест для гостей!

— Где вы их хранить будете?

Я тяжело вздохнула. Замечательный вопрос! На антресоли подарки разом не влезут. Ну почему у нас всегда так? Между прочим, в доме не хватает подушек. Отчего бы кому-нибудь не принести симпатичную думочку, набитую пухом или синтепоном? Впрочем, лучше я промолчу, а то завтра коллектив притянет по подушке, а то и по две...

— Все просто чудесно, — пыталась сгладить ситуацию Томуська, — замечательно! У нас постоянно возникают проблемы, когда больше двух человек надо уложить. Диван в гостиной сами знаете какой! А теперь чудесно...

Оставив Тамару радоваться, я побрела в спальню. По дороге не утерпела и заглянула в слегка приоткрытую дверь комнаты Акима. Настораживала полная тишина, царившая там...

Взгляду открылась невероятная картина. Ленинид и Аким сидели рядышком на диване, папенька обнимал свекра за плечи. На цыпочках, боясь произвести даже шорох, я отступила по коридору в свою комнату. Слава богу, скандал отменяется.

ГЛАВА 15

В «Арт-Мо» я прибыла к полудню. У входа на этот раз сидела другая дама, лет пятидесяти пяти, но такая же элегантная, как и вчерашняя девица.

Я прошла внутрь, повернула налево...

— Извините, вы к кому? — вежливо осведомилась дама.

— К Маше Говоровой.

— Она еще не приходила.

— Можно ее подождать?

— Да, конечно, садитесь, — указала она на глубокое кожаное кресло. — Мария, как правило, в одиннадцать появляется...

— Задержалась, наверное, — улыбнулась я и взяла с журнального столика газету «Культура», — вон какая непогода разыгралась, снег валит, словно на улице не ноябрь, а февраль, гололед жуткий, небось еле-еле ползет, боится в аварию попасть!

— У Маши нет автомобиля, — объяснила дама, — она метро пользуется.

Я продолжала читать газету. Потекли минуты, похоже, что у галереи сегодня не слишком бойко идут дела. За час, который мне пришлось провести за столиком, в «Арт-Мо» никто не заглянул. Может, сейчас просто не сезон для приобретения живописи? В десять минут второго дама вздохнула:

— Ума не приложу, куда она делась! Всегда как штык, ровно в одиннадцать входит.

Я отложила «Культуру»:

— Позвоните ей.

— Да уже сто раз номер набирала! Сосед отвечает: ушла в десять. Маша в коммуналке живет.

Я почувствовала легкое беспокойство:

— По мобильному попробуйте!

— У нее его нет, сотовый аппарат дорогое удовольствие.

Я хмыкнула. Однако, Говорова усиленно скрывала от окружающих наличие огромных средств! Но делать нечего, я не уйду, пока она не появится. Мало ли что могло задержать красавицу! Вдруг встретила подружку и пошла с той в кафе. Но чем больше я успокаивала себя, тем сильней становилась тревога. Наконец в половине третьего дама пробормотала:

— По-моему, вам бессмысленно тут сидеть...

Я не успела ничего ответить, потому что раздался резкий, требовательный звонок.

— Алло, — ответила дама, — «Арт-Мо», слушаю вас.

Из мембраны стали раздаваться бурные звуки.

— Да, — говорила женщина, — да...

Ее лицо медленно покидали краски. Кожа приобрела синюшный оттенок, нос отчего-то стал длиннее.

— Да, да, нет, нет, не могу, ни за что...

Но тут до моего уха донеслись гудки — очевидно, человек на том конце повесил трубку.

— Нет, — потрясенно ответила дама, — нет.

— Что случилось?

— Машенька Говорова погибла, — прошептала она, — в пол-одиннадцатого, и теперь просят кого-нибудь приехать в отделение на Филатовской улице, уж не знаю зачем... но я не могу, не могу...

— Как погибла? — потрясенно спросила я.

— Ничего не объяснили, — рыдала дама. — Ничего. Господи, что теперь с нами будет! В салоне никого, хозяйка уехала в Италию, раньше декабря не вернется... Я-то вообще здесь не служу, сотрудничаю с Третьяковкой, просто Машенька, моя добрая знакомая, попросила Галочку заменить, у той грипп, и у Насти грипп, и у Славы...

— Как вас зовут? — я бесцеремонно прервала тетку.

— Руфина Михайловна, — прошептала та.

А, значит, это к ней посылали фальшивые картины на экспертизу. Интересно, однако, но разговаривать с ней мне сейчас было недосуг.

— Галя, Настя и Слава — это кто?

— Менеджеры, — пояснила, всхлипывая, Руфина Михайловна, — всех грипп свалил, но что делать? Что? Что?

Видя, как тетка с каждой секундой делается все ненормальней, я вздохнула и предложила:

— Хотите, съезжу вместо вас в отделение и узнаю, что к чему?

— Дорогая, — заплакала Руфина, — милая, пожалуйста.

— Ждите меня тут, — велела я и ушла.

В дежурной части на Филатовской улице равнодушный мужик буркнул:

— Ступайте в пятнадцатую комнату, второй этаж, к Рязанцеву Геннадию Николаевичу.

Я послушно поднялась и нашла в крохотном кабинетике с плохо окрашенными стенами паренька лет двадцати с небольшим, сосредоточенно строчившего что-то на листе бумаги. Увидав меня, он недовольно буркнул:

— Ну и что, гражданка Седых, теперь делать станем!

Вспомнив, что Руфина Михайловна не называла во время тягостного разговора своей фамилии, я смело возразила:

— Ошибаетесь, я из галереи «Арт-Мо», вы только что туда звонили по поводу Говоровой...

Парень внимательней посмотрел на меня:

— Извините, спутал. Садитесь, узнаете вещи?

Он вытащил на стол небольшую сумочку и штук десять браслетов.

— Да, — прошептала я, — это ее.

— Тогда распишитесь в описи и забирайте, носильные вещи завтра можно получить вот по этому адресу...

— Господи, — запричитала я, — хоть словечко пророните, что стряслось! Ведь вчера жива-здорова домой ушла...

— Это дело такое, — вздохнул Рязанцев, — сейчас есть, а через десять минут нет. Дорога — дело стремное...

— Она под машину попала?

— Под троллейбус, — пояснил следователь, — торопилась, видно, влезла в «Б», а народу полно, на ступеньках висят, двери водитель не закрыл и поехал, а Говорова не удержалась и упала... Да прямо на проезжую часть, а там, на беду, «мерс» несся... Может, кабы ногами под колеса попала, и выжила, да только она головой угодила!

— Кошмар, — прошептала я, — а того, кто ее столкнул, задержали?

— Да никто ее не толкал! Троллейбус тряхнуло, колдобина на дороге, поручень скользкий, ну и сорвалась. Там, кроме нее, еще бабка цеплялась, божий одуванчик увядший, дряхлый цветочек, чуть повыше стояла женщина беременная, дальше вроде девчонка лет одиннадцати... Случай такой вышел... Имя, отчество, фамилия?

Я растерялась.

— Мария Говорова.

— Нет, ваши данные, пожалуйста!

— Руфина Михайловна...

— Фамилия?

Только бы не ляпнуть «Тараканова»!

— Рейд!

— Как?

— Рейд, — повторила я, совершенно не понимая, отчего в голову пришло это звукосочетание.

Но Рязанцев абсолютно спокойно записал данные, попросил еще пару раз поставить автограф, и процедура закончилась.

Я вышла на стылую улицу и двинулась к метро. Выпала из троллейбуса! Что за чушь, естественно, ее убили, но кто? Может, убийца подскочил сзади и дернул... Ну и глупости же лезут в голову порой... Вдруг она и впрямь не удержалась... Стужа ледяная, руки у Маши небось замерзли, онемели, поручень скользкий, а тут еще троллейбус въехал в колдобину...

Я вошла на станцию, расстегнула куртку, чтобы скорее согреться, и стала ждать поезд. Наконец в глубине тоннеля показался быстро бегущий свет, следом возник звук, и появился состав. Я шагнула внутрь плотно набитого вагона, прижалась к двери... Нет, Говорову убили, и этот факт меняет все мое расследование. Вчера-то я думала, что Маша сама убирает членов «синдиката», но сегодня стало понятно, есть еще кто-то... И этот неведомый человек самый главный в бизнесе. Ну с чего я решила, будто глава «концерна» Говорова? Поверила Илье, рассказавшему, как Маша организовывала весь процесс от покупки холстов до нахождения покупателей? Нет бы сообразить сразу: молоденькой девчонке подобное не по плечу... За спиной Говоровой прятался некто, опытный, безжалостный, умный... Маша просто служила игрушкой в руках мужика. Именно мужчины, в деле чувствуется неженская сила воли и целеустремленность. Скорей всего остальные, то есть Лена Федулова, Катя Виноградова, Женя Бармина и Илья, даже и слыхом не слыхивали ничего о «начальнике», искренне считая Машу заводилой. И ведь они передоверили ей абсолютно все дела, связанные с производством «шедевров» и денежными расчетами. А Говорова просто обманывала приятелей, прикидываясь главной. И не она вовсе это придумала, а таинственный незнакомец... Вот он-то всех и убирает сейчас, и именно он, придя к Лене Федуловой, застрелил девушку и взял полмиллиона долларов. Но мать Никиты впустила мужика домой без колебаний... Значит... Значит, Лена его хорошо знала, просто не предполагала, что он и есть хозяин. Ладно, теперь настало время побеседовать с Руфиной Михайловной.

Не успела я открыть дверь в «Арт-Мо», как дама со всех ног бросилась ко мне:

— Что случилось, как все произошло?

— Здесь есть буфет?

— Нет, только кухонька, сотрудники сами готовят...

— Пойдемте выпьем чайку, — предложила я.

— Но сегодня я осталась тут одна, — воскликнула дама, — вдруг кто-нибудь придет, посетители...

Я посмотрела за окно, где жуткий, ледяной ветер нес юркую поземку. Да уж, погода высший класс. Самая пора ходить по презентациям и вернисажам.

Увидав на двери табличку, я перевернула ее той

стороной, где значилось «Закрыто», и задвинула красивую латунную щеколду.

— Видите, как просто! Пошли, пошли.

Руфина покорно привела меня в крохотную комнатку с электрочайником и круглым столом, покрытым клеенкой. Пока она дрожащей рукой заваривала чай и вытаскивала из шкафчика твердокаменные сухарики, я в подробностях рассказала ей о встрече с Рязанцевым.

— Кошмар, кошмар, — вскрикивала Руфина, — у вас, дорогая, железные нервы. Простите, как вас зовут?

— Виола.

— Жаль, что знакомимся при таких скорбных обстоятельствах, — начала разводить политес тетка, — разрешите представиться...

— Мне известно ваше имя, Руфина Михайловна, — спокойно прервала я искусствоведа.

— Откуда? — изумилась собеседница, забыв про то, что успела уже один раз представиться. — Мы раньше встречались? Извините, но у меня совершенно отсутствует память на лица...

— Главное в вашем бизнесе — иметь память на картины, — улыбнулась я, — но мы никогда до сих пор не виделись...

— Тогда почему... — залепетала дама.

Я увидела, что ее аристократическая рука с узкой ладонью и длинными пальцами, держащая чашку так, как люди держат нечто неприятное, даже грязное, оттопырив мизинец, начала мелко-мелко дрожать.

— Поставьте чай, — велела я, — сейчас прольете!

Женщина послушно выполнила приказ и уставилась на меня голубыми глазами, на дне которых ворочался страх.

Я положила свою руку на ее ладонь и ощутила невероятный холод, было ощущение, что трогаешь труп.

— Дорогая Руфина, — вкрадчиво начала я, — вы мне очень симпатичны, поэтому я хочу вас предостеречь: будьте очень осторожны. Вы следующая на очереди...

— Куда? — прошептала дама.

Ее лоб неожиданно покрылся испариной, но рука, неподвижно лежащая под моей, оставалась холодной, очень холодной.

— К могиле, — пояснила я, — или к нише, если предпочитаете крематорий.

— Не понимаю, — пробормотала Руфина, — о чем вы?

— Женя Бармина, Катя Виноградова, Лена Федулова, Маша Говорова... Продолжить?

— Но я-то здесь с какого бока? — слабо сопротивлялась искусствовед. — Меня просто попросили посидеть денек.

— Руфина, дорогая, подумайте сами, вы и Илья — единственные оставшиеся в живых из «синдиката великих художников». Всех убрала одна рука, скоро она доберется и до вас... Понимаете?

— Вы откуда? — промямлила дама. — Вы кто?

Я грустно улыбнулась:

— Та, которой все известно.

— Что, что вы хотите? — засуетилась дама. — Денег? Ей-богу, их у меня нет, я все в Наденьку вложила... Да если бы не она... Разве я согласилась бы на такое...

Изо рта полностью деморализованной, испуганной до ужаса женщины полились фразы.

У Руфины нет мужа, зато есть обожаемая доченька, Надюша. Поднимала ее женщина одна, на горбу волокла, зарплата сотрудника Третьяковки — просто крохи...

Несчастье случилось пять лет назад. Наденька, возвращаясь от подружки, попала под машину. Девочка сама была во всем виновата. Перебегала дорогу в неположенном месте, да еще вечером, при дождливой погоде. Спасибо, шофер оказался человеком порядочным, вызвал «Скорую»... Наденьку отвезли в Склифосовского. Приговор врачей был суров: перелом позвоночника, вряд ли шестнадцатилетняя девочка опять начнет ходить...

Руфина Михайловна бросилась спасать дочь, подключив все силы: хирургов, ортопедов, мануальных терапевтов, экстрасенсов, иглоукалывателей... Сначала немногочисленные друзья охотно помогали женщине, давали в долг, но потом перестали, поняв, что скорей всего никогда не получат денежки назад. Руфина Михайловна кинулась распродавать немудреные колечки, серьги и оставшиеся от бабушки серебряные ложки...

Но потом пришел момент, когда из дома выносить стало нечего. Руфина Михайловна даже точно помнила число, 13 апреля, когда ей на работу позвонили из больницы и обрадовали: у Надюши появилась чувствительность в правой ступне. Девочке помог один из костоправов, более того, специалист обещал в прямом смысле этого слова поставить Надю на ноги... Вопрос упирался только в деньги. За один сеанс доктор брал семьсот рублей, ну ладно, он соглашался ради девочки сделать скидку, по пятьсот... Но лечение могло растянуться на два, а то и на три месяца... Набегала невероятная сумма... Руфина Михайловна проплакала до обеда, не зная, как поступить. Продавать было нечего, знакомые при виде ее мигом переходили на другую сторону улицы. Квартира — однокомнатная хрущоба в Капотне... Даже если переселиться жить на вокзал и выставить халупу на торги, не факт, что она продастся, мышиная нора, жилище кузнечика...

После обеда, когда несчастная мать с гудящей головой сидела за письменным столом, явился некий господин, держащий под мышкой портрет предположительно кисти Мятлева. Мятлев, не слишком хорошо известный российской публике живописец XIX века, славился тем, что обладал редкой, патологической работоспособностью и любовью делать вариации на темы своих картин.

Постаравшись взять себя в руки, сквозь подступающие к глазам слезы Руфина глянула на портрет дочери художника. Она уже видела эту работу в шести вариантах, и вот выплыл седьмой.

— Тщательно проверь, — зудел посетитель, потный, толстый мужик лет сорока, — вот хочу доченьке своей преподнести на семнадцать лет, ты смотри не лопухнись...

Его толстые, сарделькообразные пальцы сжимали сотовый телефон, от волос одуряюще несло дорогим парфюмом, на запястье болтались золотые часы...

Внезапно на Руфину накатила душная волна злобы. Дочь этого комка сала, засунутого в костюм от Хуго Босс, одногодка несчастной Наденьки, получит в подарок картину и будет плясать на именинах, а бедная Надюша на всю жизнь останется калекой, потому что у матери нет средств!

И тут Руфина Михайловна сделала то, о чем и помыслить не могла еще утром.

— Подлинник в отличном состоянии, — буркнула она, подписывая нужную бумагу.

Руфина видела, что перед ней лежит искусно выполненная подделка, но ненависть к посетителю достигла такого размера, что лишила ее разума.

— Хорошо, — обрадовался мужик и, забирая полотно, протянул Руфине десять долларов, — бери, заслужила.

— Чтоб ты сдох, — прошипела дама, когда радостный обладатель подделки ушел, — чтоб тебя черти разорвали, сволочь...

Из ее глаз опять полились слезы, Руфина заперла кабинет изнутри и отчаянно зарыдала. Вдруг раздался тихий стук, потом желавший войти забарабанил в дверь. Искусствовед открыла, на пороге возникла худенькая девушка, обвешанная браслетами и фенечками.

— Что надо? — весьма грубо рявкнула Руфина.

Но девица не смутилась. Она вошла внутрь и протянула даме конверт. Та уставилась на пять таких необходимых ей стодолларовых бумажек.

— Это вам, — улыбнулась посетительница, — за консультацию. Заприте дверь, поговорить надо.

Так началось сотрудничество Маши Говоровой и Руфины.

— Понимаете теперь, почему я занялась этим бизнесом? — шептала Руфина. — Только из-за Надюшки... Я ее вылечила, поставила на ножки, полгода во Франции на курорте Виши продержала: грязи, минеральная вода, сейчас в Израиль отправила, к Мертвому морю... Все ей, все доченьке...

— Если вас убьют, дочь останется одна!

— Святые угодники, — тряслась Руфина, — спасите и сохраните.

— На бога надейся, да сам не плошай, — вздохнула я. — У вас есть хоть малейшее понятие о том, кто мог убрать девочек, а главное, за что? За подделку? Может, это прозревший клиент?

— А вы сами кто? — догадалась наконец спросить Руфина.

Я слегка замялась. Лучше не прикидываться тут сотрудником милиции...

— Я мать Кати Виноградовой!

— Вы так молодо выглядите, — прошептала Руфина, — ни за что бы не дала больше тридцати пяти...

— Я родила Катю рано, едва шестнадцать исполнилось, — я принялась вдохновенно врать, — мне тридцать девять.

— Просто ужасно, — бормотала Руфина, — я так вам сочувствую, потерять дочь, что может быть страшнее! Вы еще молодец, нашли в себе силы жить, я бы умерла на другой день!

— Только мысль о мщении придает мне силы, — ответила я. — Вот решила сама найти убийцу. Разве милиция что-нибудь сделает?

— Никому, — зашептала Руфина, — никому наши несчастные дети не нужны, бедные... Ваша Катенька, такая талантливая, такая ранимая, такая интеллигентная... Какое горе...

— Вот, — грустно продолжила я, — теперь мучаюсь, думала с Машенькой побеседовать, да не успела.

— Убили ее, — заплакала Руфина, — убили... Вот глупые девчонки! Знаете ведь, как молодежи всего хочется. Я их останавливала, говорила: не надо, не надо, все-таки Леонардо да Винчи, бешеные деньги. Но Машенька так серьезно ответила: «Вот продадим его, обеспечим себя на всю жизнь и завяжем».

— Какой Леонардо? — изумилась я.

— Вам Катя не рассказывала? — удивилась Руфина.

— Нет, — ответила я, — я ведь не в Москве живу, поэтому вообще ничего не знала.

— Тогда слушайте, какая у нас штука приключилась! — воскликнула Руфина.

ГЛАВА 16

Два месяца назад к Руфине в Третьяковку явился старик, сморщенный, словно высохший стручок.

— Вот какое дело, — забубнил он, сжимая коричневыми корявыми пальцами обтрепанный кожаный портфель, модный в начале пятидесятых годов, — ты глянь и скажи, правда, бумажка денег стоит или это враки, а? Продать такое можно?

— Давайте посмотрим, — вежливо улыбнулась Руфина. Она хорошо знала, какие вещи могут иногда таиться на дне потрепанных ридикюльчиков и саквояжей.

Дедок, сопя, открыл портфель, вытащил нечто плоское, тщательно завернутое в пожелтевшую газету «Вечерняя Москва».

— Картинка тут, — кашлял дедуля, разворачивая бумагу.

Руфина Михайловна глянула и почувствовала, что сердце сейчас выпрыгнет из груди. На столе лежало полотно, принадлежащее кисти великого Леонардо да Винчи, итальянского живописца, скульптора, архитектора, ученого, инженера. Не веря себе,

Руфина принялась разглядывать картину. Ей сразу стало понятно, что дедушка принес эскиз к «Тайной вечере», росписи, которую великий Леонардо сделал в трапезной монастыря Санта-Мария-делле-Грациа в Милане. Исследователям живописи известно несколько набросков живописца, но такого яркого, красочного нет ни в одном музее мира. Полотно требовало легкой реставрации, и только. Руфина Михайловна даже боялась предположить, сколько стоит раритет. Речь шла не о сотнях, не о тысячах, а о миллионах долларов. Следовало срочно придумать, как поступить.

— Сразу не могу сказать, — затянула Руфина Михайловна, — похоже, что подделка, надо проверить рентгеновским аппаратом...

Дедок молча кивал, слушая чушь, которую несла дама. Наконец она спросила:

— Откуда у вас это?

Дедушка приосанился и завел по-стариковски длинный, обстоятельный рассказ.

В 1945 году он, Коля Степин, молодой бравый капитан, в составе советских войск брал штурмом крохотный городок, скорей даже, как сказали бы в России, поселок городского типа, Аусхоф в предместье Берлина.

Фашисты сражались отчаянно, основная их масса осела в огромном замке. Наконец советские войска, сломив сопротивление противника, ворвались в Аусхоф и взяли замок штурмом. В нем же и остались ночевать, дивясь на роскошные занавески, посуду и тяжелую мебель. Ночью Коля Степин захотел по малой нужде. В доме, естественно, был туалет, но Николаша не стал ходить по длинным мраморным коридорам, просто вышел во двор.

Стоял одуряюще теплый апрель, воздух полнился запахами весны, заканчивалась война, настроение было у него прекрасное, впереди была целая жизнь...

Насвистывая, Коля двинулся к кустам и вдруг услышал шорох, кто-то хотел убежать в лес. Война вырабатывает определенный стереотип поведения. Руки Николая сработали быстрее разума. Он мгновенно выхватил оружие и выстрелил...

Раздался короткий вскрик, потом шум упавшего тела. Сжимая в руке пистолет, лейтенант глянул в кусты. Там, широко раскинув ноги, лежала молодая, хорошо одетая женщина. Возле тела фрау валялся красивый кожаный чемоданчик. Коля открыл саквояж. Там, среди белья, чулок и кофточек, нашлись несколько коробочек с золотыми колечками и сережками, кошелек с деньгами и кожаный черный футляр, тубус, в котором студенты носят чертежи, чтобы не помять.

Николаша выбросил шмотки, золотишко сунул в свой рюкзак, туда же запихнул и тубус. Внутри его парень обнаружил картинку на божественную тему. Сам Коленька, комсомолец, в бога не верил, Библию не читал и ни о какой «Тайной вечере» понятия не имел. В живописи он совершенно не разбирался и искренне считал, что художник, написавший полотно, изображавшее медведей в лесу, работает на кондитерской фабрике. Кстати, рисунок белого топтыгина на других шоколадках выглядел совсем не хуже... Картинку, вообще говоря, следовало выбросить. Колю, человека не слишком далекого и сообразительного, даже не насторожил тот факт, что пытавшаяся убежать фрау, явно из господ или очень приближенных к ним людей, взяла с собой из огромного количества вещей, которыми был буквально набит замок, лишь эту картинку... Одним словом, он чуть не выбросил полотно, остановила его лишь одна мысль. Дома, под Москвой, в деревеньке Строгино, выплакала все глаза мамочка, истово верящая в бога. Сколько ни выносил сын-комсомолец из избы икон, сколько ни рассказывал неразумной женщине про опиум для народа... толку никакого. В конце концов парень махнул рукой, мать он любил, а война и вовсе примирила его с родительницей. Вот и решил Николаша отвезти матушке красивую картинку.

Так эскиз к «Тайной вечере» прибыл в Подмосковье. Мать обрадовалась сувениру, прикрепила вещицу кнопками в красном углу, между изображениями Николая-угодника и Сергия Радонежского, и стала молиться на новую икону.

После смерти матушки Николай снял все изображения с нимбами со стен, хотел выбросить, да рука не поднялась, затолкал в чемодан и пихнул в чулан. Потом он женился, пошли дети. На месте деревеньки вырос квартал Строгино, где бывшим селянам дали квартиры, хорошие, с ванной и туалетом. Коля подсуетился, снес одно из золотых колечек, найденных в чемодане, чиновнице и получил аж три квартиры: для себя, сына и дочери... Жизнь потекла хорошая. Возил хлеб в фургоне, работа нравилась, доставляла радость... Незаметно подошла старость, пенсии хватало, правда, не на все, но помогали выросшие дети, на шести сотках радовали глаз овощи... Потом начался ужас перестройки...

Золотишко Коля, вернее, теперь уже Николай

Петрович, продал не сразу. Сначала проводил в Германию на постоянное место жительства сына и сноху. В душе жило недоумение: как же так, мы же их победили... Затем подалась в Америку дочь с семьей... Следом умерла жена. И остался Николай Петрович один-одинешенек, никому не нужный. Вот и пошли в дело цацки из чемоданчика фрау, их хватило на десять лет вполне нормальной жизни. Картинку же, хранящуюся теперь на антресолях в газете, Степин за ценность не считал. В Третьяковку пошел только, потому что внучка как-то сказала:

— Это, дедуля, копия очень известной вещи, похоже, сделанная хорошим художником, небось денег стоит!

Но Руфина Михайловна, благоговейно державшая в руках работу, только кивала головой. Нет, это подлинник!!! Глуповатого Николая Петровича оказалось легко обвести вокруг пальца.

Искусствовед оставила работу у себя, велев старику прийти в понедельник.

— Есть у меня один знакомый богач, — улыбалась Руфина, — как раз такое собирает. Он вам, дедушка, хорошо заплатит.

— Дай бог тебе здоровья, дочка, — просипел Степин, покидая кабинет. — Уж помоги, хоть сколько дадут — и ладно.

Руфина Михайловна тут же позвонила Маше Говоровой. Галерейщица не поверила ушам.

— Леонардо? Ты ничего не перепутала?

— Нет, — клялась искусствовед, — абсолютно точно!

— Невероятно, — прошептала Маша и начала искать покупателя.

В нашей стране теперь тоже есть до омерзения обеспеченные люди. Журнал «Форбс», публикуя в конце каждого года список ста богатейших личностей земного шара, включил в него в 1999 году наряду с французом Дюпоном, американцем Биллом Гейтсом и немцем Кохом более десятка русских фамилий. Маша знала, что она обязательно отыщет того, кого заинтересует Леонардо. Жаль лишь, что полотно нельзя выставить на аукционы «Кристи» или «Сотбис», потому что неленивая Машенька перерыла гору литературы, просидела пару дней в Ленинке, но узнала подробности про «Тайную вечерю».

Дом в Аусхофе, замок, поразивший великолепием простоватого Колю и его товарищей, принадлежал барону Карлу фон Рутенбергу, известному коллекционеру. Венцом его собрания считался эскиз, а вернее, копия, сделанная маслом гениальным Леонардо.

В 1945 году, при взятии Аусхофа, барон погиб, его жена и дочь тоже, а замок разграбили солдаты. Хотя генералы и утверждали, что советские воины не мародерствуют, это было не совсем правдой. Из Германии уходили вагоны, набитые мебелью, посудой, одеждой, тканями... Высшее командование хотело порадовать свои семьи. Предметы искусства брали только редкие, понимающие в нем толк люди, а таких среди маршалов, генералов, полковников и их приближенных были единицы. Солдаты, сержанты и лейтенанты тоже хватали «мануфактуру»... Наверное, поэтому замок в Аусхофе лишился столов, стульев, занавесок, роскошных сервизов, сделанных в Мейсене, ковров, столового серебра... Но коллекция яиц Фаберже осталась нетронутой. Военным показались невзрачными эти штуки, да и Пасху в России тогда не отмечали. По той же причине в шкафах не тронули раритетные издания: первую печатную Библию, рукописные книги Средних веков. А уж полуразбитые глиняные плошки из Древнего Египта не вызывали ничего, кроме усмешки, ну кому нужны эти черепки? Вот парчовые шторы, это да, выглядят богато. Однако эскиз Леонардо пропал.

Окажись он сейчас на «Сотбис» или «Кристи», потомки Карла фон Рутенберга подняли бы дикий крик. Говорова это великолепно понимала и решила искать покупателя в России.

Николаю Степину отвалили целых пять тысяч долларов. Благодарный старик, не ожидавший получить за мазню больше ста баксов, готов был целовать Руфине ноги.

Эскиз Маша Говорова спрятала у Лены Федуловой. У той дома имелся сейф, да и квартира была в элитном доме... Машка жила в коммуналке вместе с соседом, который обожал открывать ее комнату и рыться в вещах. Катька Виноградова делила квартиру с бывшим мужем, отвратительным субъектом, доверия которому не было ни на грош. Руфина обитала в хрущобе на первом этаже, дверь в которую легко вышибалась с полпинка. Илье... Илюше девицы ничего не сказали. Парень занимал в «синдикате» самую нижнюю ступень. Маша, Лена, Женя и Катя были очень дружны, Илюша же попал в их круг только из-за того, что Женя Бармина, главная «кисть», неожиданно скончалась.

— От чего? — прервала я Руфину.

Та замахала руками:

— Тут ничего непонятного. Женечка сначала,

как всем казалось, заработала какую-то аллергию, покрылась красными пятнами. Особого внимания болячке не придала. Началась она просто: насморк, кашель, следом появились пятна... Но утром столбик градусника подскочил к сорока. Два дня районный терапевт пытался сбить температуру, упорно держащуюся на этой цифре. Потом его осенило: корь! В двадцать с лишним лет трудно подцепить эту болячку, но еще тяжелее вылечиться, в особенности если время упущено...

У Жени Барминой не выдержало сердце. Похоронив подругу, Лена, Катя и Маша поняли, что у них есть еще один повод для скорби. Женечка обладала дикой работоспособностью, могла рисовать днями и ночами... Лена и Катя писали медленно... Поэтому привлекли еще и Илью. Но парень не стал в их среде своим, да к тому же хорошие деньги, просто сами плывшие в руки, мигом его испортили. Илюша начал пить... Одним словом, никто не собирался брать его в долю и показывать Леонардо... Дикие баксы должны были поделить между собой Лена, Катя, Маша и Руфина.

Через какое-то время за искусствоведом прислали роскошную машину, «БМВ» последней модели с затемненными стеклами. Руфине Михайловне предлагалось оценить «Тайную вечерю» на дому у предполагаемого покупателя.

Женщина села в машину и ахнула, в салоне имелись телевизор и видеомагнитофон. Но это было не последнее ее потрясение в тот день.

Даму довезли до кирпичного трехэтажного дома где-то в Подмосковье, привели в кабинет... Хозяина Руфина не увидела, только секретаря, молодого парня лет тридцати в дорогом костюме и ботинках из кожи питона. Впрочем, сам юноша сильно смахивал на удава, в его лице не читалось никаких эмоций, когда он показывал Руфине картину. Она подтвердила подлинность вещи, ей дали триста долларов и доставили домой. Но не успела дама вздохнуть, как позвонила Маша Говорова и официальным голосом, таким, каким она говорила в присутствии посторонних, заявила:

— Уважаемая Руфина Михайловна, не могли бы вы оценить картину, машина выезжает.

Недоумевая, что бы это значило, искусствовед вновь очутилась в шикарном кабриолете, на этот раз в «Мерседесе», тоже с затемненными окнами. Не было телика, зато имелись бар и микроволновая печь.

Опять перед глазами предстал дом, правда, в московском дворе, и секретарь, на этот раз дама около сорока лет с жестким взглядом и приторно-вежливой улыбкой.

Когда из чемоданчика появилось полотно, Руфина чуть не спросила: «Это откуда, мы же его уже продали?» Пришлось еще раз признать подлинность «Тайной вечери», и, что самое интересное, она и была настоящая.

Ничего не понимающая Руфина опять получила доллары, вернулась домой и кинулась звонить Маше:

— Что вы придумали!

— Спокойствие, только спокойствие, — ответила Говорова. — Каждый получит бешеные бабки.

— Машенька, — залепетала Руфина. — Вы решили подделать Леонардо?

Говорова засмеялась:

— Просто цирк. То ни одного покупателя не

было, теперь сразу двое! Грех упускать такую возможность, продадим «Тайную вечерю», и все, завяжем. Средств хватит до конца жизни. Я подсчитала, что на каждую по миллиону долларов придется. Конечно, на Западе мы бы в десять раз больше получили, но следует учитывать российскую специфику.

— Деточка, — залепетала Руфина, — не делай этого!

— Тебе не нужен миллион долларов? — усмехнулась Маша.

— Кто же откажется, — вздохнула искусствовед, — ясное дело, денег хочется, но очень страшно.

— Ерунда, — отрезала Маша. — Сколько мы уже всего провернули.

— Ну до этого мы всовывали «Рокотовых» людям, которые не слишком умны, и, сама знаешь, больше десяти-пятнадцати тысяч за картину не имели. Теперь же речь идет о бешеных деньгах, вдруг проверят?

— Они уже проверили, — фыркнула Машка, — ты же все по правилам сделала: печать, акт.

— Конечно, но ведь у одного-то окажется липа, вдруг еще раз проверит, убьют нас всех.

Машка помолчала, потом ответила:

— Люди, которые покупают «Тайную вечерю», скрывают доходы. Они не коллекционеры, любующиеся на обожаемую вещь. Нет, это бизнесмены, вкладывающие деньги. Картина будет тщательно спрятана, в ближайшие годы ее никто не собирается продавать. А там что-нибудь случится, или падишах умрет, или ишак сдохнет. Я вообще уеду куда-нибудь в тихое место. Монако, например. Да и вам что тут делать, а?

Руфина Михайловна потрясенно молчала.

— Вот и хорошо, — продолжила Маша, — вот и ладненько...

Руфина выкурила полпачки сигарет и решила поговорить с Леной и Катей, она хотела привести девочек в чувство. Ну не надо так зарываться, полмиллиона долларов тоже хорошо, зачем на «лимон» замахиваться?

Но и Федулова, и Виноградова только фыркнули.

— Такой случай выпадает раз в жизни, — заметила Лена.

— Да наши подделки лучше подлинников, — засмеялась Катя.

— Понимаете теперь, как я перепугалась, когда погибла Катюша? — шептала Руфина. — Только Лена и Маша ничего странного в этом не усмотрели. Деньги-то еще не получили!

— Как! — удивилась я. — Как не получили!

— Договор был такой, — пояснила искусствовед, — с Машей покупатели расплачиваются 27 октября. Вся эта история только-только разворачивалась. Деньги Машенька привезла к Лене, больше некуда было, та их спрятала. Не в банк же нести. А первого ноября мы предполагали разделить сумму...

— Сколько денег хранилось у Федуловой? — напряженно спросила я.

— Четыре миллиона, — спокойно ответила Руфина, — наличными, в пачках по сто долларов, из-за этого и задержка с расчетом произошла. Маша не хотела брать кредитные карточки, боялась обмана. Поэтому потребовала ассигнации, а покупатели сразу не могли такую сумму обналичить.

— Значит, вы не получили денег? — тихо спросила я.

Руфина покачала головой:

— Нет. На следующий день, после того как Лена спрятала деньги, у нее арестовали мужа. Она, правда, позвонила Маше и успокоила ее: милиция произвела обыск поверхностно, доллары не нашли, будьте спокойны. Ну, а потом сами знаете, что случилось!

— Лена точно сказала, будто сумма у нее?

— Да, — кивнула Руфина, — еще смеялась, мол, тайник так хитро устроен, ментам ни за что не догадаться, находится на самом виду, только постороннему человеку и в голову не придет, что там внутри бешеные бабки.

— И вы с Машей не пошли после смерти Лены за долларами? — изумилась я.

— Нет, конечно, — ответила Руфина, — как бы мы туда вошли? И потом, никто, кроме Лены, не знал про тайник. Машенька последние дни все голову ломала: где ключи взять? Очень уж хотела поискать...

Искусствовед внезапно залилась слезами:

— Господи, не надо мне теперь ничего, пусть доллары кому угодно достаются, сколько на них крови! Вот ужас! Что мне теперь делать? Что?

— Где ваша дочь? — поинтересовалась я.

— В Израиле, на Мертвом море.

— Советую вам тоже временно исчезнуть из Москвы.

— Да, верно, правильно, — лихорадочно засуетилась Руфина, — моя подруга живет в Северодвинске, к ней отправлюсь, а там посмотрим.

— Скажите, вы не знаете, конечно, имен тех, кто приобрел Леонардо?

— Нет, — покачала головой Руфина, — да и самих людей я не видела.

— Может, в доме что-то странным показалось, — я цеплялась за последнюю соломинку.

Искусствовед призадумалась.

— Вот у первого была целая свора собак, штук пятнадцать, я чуть не умерла, когда они в кабинет вошли. Такие высокие, лохматые, горбатые, морды узкие, охотятся с ними...

— Русские псовые борзые!

— Точно, — обрадовалась дама, — еще секретарь увидел, что я дернулась, и говорит: «Не бойтесь, они добрые, охотничья свора, хозяин на зайцев любит ходить». Больше меня ничего и не удивило, кроме роскошной обстановки... Хотя во втором доме она еще более чудная была. Представляете, там посреди гостиной оборудован бассейн.

— Да ну? — изумилась я. — Откуда вы знаете?

— А меня повели к лестнице на второй этаж, — ответила Руфина, — мимо открытой двери. Я глаза скосила и ахнула: вода. Спрашиваю у секретарши: «Это что, бассейн?» А она так улыбнулась и отвечает: «Нет, гостиная».

Руфина страшно изумилась. Очевидно, бесхитростный восторг дамы тронул секретаршу. Потому что та притормозила и сказала:

— Хотите посмотреть?

Искусствовед заглянула внутрь и заахала. Огромное, почти стометровое пространство было обставлено антикварной мебелью, настоящий Павел I. Руфина, как специалист, вычислила возраст диванов сразу. Но самое интересное оказалось не это. Посреди помещения находилась огромная чаша, наполненная голубоватой жидкостью. Контраст между тяжелой темной мебелью, обитой красным атласом, и современным бассейном действовал ошеломляюще. Очевидно, на этот эффект и рассчитывал хозяин, надо отдать ему должное, гостиная впечатляла.

ГЛАВА 17

Домой я ехала с гудящей головой. Прежде чем идти к себе, села на скамеечку, стоявшую на платформе. Пораскину мозгами, на кухне опять небось толчется человек десять, подумать не дадут.

А интересная картина получается! Во всяком случае, в конце длинного темного тоннеля забрезжил свет. Значит, один из покупателей, богатый Буратино, решивший вложить средства в раритет, узнал о подделке и, естественно, озверел. Нанял киллера, поубивал глупых девчонок, решивших надуть олигарха, пришел в квартиру к Федуловой, нашел тайник, который не обнаружили лохи-менты, забрал денежки... То-то он обрадовался, обнаружив там вдвое больше, чем заплатил...

Я стащила с головы шапочку, расстегнула куртку. Так, дальше возможны варианты... Либо Лена хранила в укромном месте еще и чужие полмиллиона долларов, которые она кому-то обещала отдать, либо олигарх вообще ничего не нашел... Но почему эти гады подумали, будто деньги у меня? Ладно, не станем зацикливаться на этом вопросе. Действовать будем так. Сначала установим имена покупателей Леонардо, сделать это можно, во всяком случае, я знаю, как поступить. А дальше совсем просто. Следует проникнуть в дом и узнать, где «Тайная вечеря». Тот, кто тщательно хранит полотно, мне не нужен, а вот другой, разорвавший и бросивший в помойку картину, это тот самый человек, который убил Лену. Или тот, кто нанял убийц. Дальше остается чистая ерунда. Либо он нашел не все деньги и, отчего-то решив, что полмиллиона у меня, похитил Кристину, либо он прихватил лишние бабки и надо убедить его отдать их мне...

Натянув шапку, я побрела домой, чувствуя, что каждая нога весит по сто килограмм.

На кухне, как и ожидалось, толклись Филя, Лерка и Томочка. Они притащили сюда щенков и теперь кормили их из бутылочки теплым молоком.

— Ну и жадина, — восхищалась Лерка, держа на ладони самого крупного песика, — уже пузо раздулось, а он все равно жрет и жрет!

— В нашем доме поесть дают только щенкам? — поинтересовалась я, заглядывая в кастрюли.

— Сейчас, сейчас, — подхватилась Тома, — вон там, под зеленой крышечкой, каша, а сосиски в холодильнике.

— Ой, икает, — засмеялась Лерка, — как ребенок прямо.

— Наверное, дырка в соске большая, — предположил Филя, — вот воздуха и нахватался, подержи его стоймя.

— Кристина не звонит, — неожиданно сказала Тома, — уехала и как пропала!

— Она утром со мной разговаривала, — быстро нашлась я.

— Что же ты меня не позвала?

— Так дом Вики Мамонтовой в семидесяти километрах от Москвы, — я принялась вдохновенно врать, — мобильный у родителей маломощный, стационарного телефона нет, треск, писк, слышно плохо. Сообщила лишь, что хорошо отдыхает, и все, прервалось.

— Сколько раз убеждалась, — вздохнула Тамара, — надо ей купить мобильный, с карточкой, «Би плюс», сейчас бы позвонили сами, а то неудобно чужие денежки тратить.

— Хорошо, — согласилась я, — давай на Новый год подарим, не так уж это и дорого, меньше ста долларов с НДС и подключением.

В этот момент дверь стала сотрясаться под ударами.

— Что за безобразие, — воскликнула Лерка, — кто к нам ломится?

Услыхав слова «к нам», я тяжело вздохнула. Господи, Парфенова уже искренне считает, что поселилась тут навсегда.

— Пойду открою, — вскочил ветеринар.

Да и Филя тоже ведет себя как дома...

— Эх-ма, тра-ля-ля, жили две канашки, — донеслось из прихожей нестройное пение.

Недоумевая, мы вылетели в коридор и увидали потрясающе живописную группу. Справа, у вешалки, весело улыбался Ленинид, сжимавший в руке сумку, набитую пивом. Красное лицо папашки, его блестящие глазки без слов говорили: он приложился к водочке, но не слишком. В Лениниде булькало грамм сто пятьдесят, как раз для хорошего настроения и бодрого самочувствия.

Возле двери покачивался... Аким. Свекор в отличие от папахена выглядел бледно, губы его по цвету сравнялись со щеками. Скорей всего мужик гипотоник, и сейчас давление в его сосудах упало ниже некуда. Но слабость не помешала Акиму Николаевичу пребывать в великолепном расположении духа. Именно свекор и завел новую песню:

На Муромской дороге стояли две сосны,
Прощался со мной милый до будущей весны.

— Папа, — потрясенно сказал Филя, — ты? Ты пьян?

— Нет, — прервал Акима Ленинид, — эта скучная, давай лучше мою.

С одесского кичмана сорвались два уркана...

— Кто сказал, что я пьян? — ухмыльнулся Аким.

— Да, — подвякнул Ленинид, — кто? Всего-то по полбутылочке и вышло, тьфу, а не выпивка!

Аким поднял вверх указательный палец.

— В малых дозах алкоголь необходим!

— Но ты раньше отказывался даже лекарства на спирту пить, — бормотал Филя. — Как же, меня из-за пива ругал, только в этом году разрешил по бутылочке в неделю...

— Вот, уважаемый Ленинид, — пропел Аким, — мой дорогой сват, и указал на ошибку! Алкоголь необходим... Эй, давайте лучше споем

Не стая воронов слеталась...

— Нет, мрачно, — влез Ленинид.

Постой, паровоз,
Не стучите, колеса,
Кондуктор, нажми на тормоза.
Я к маменьке родной с последним приветом
Спешу показаться на глаза...

— Хорошая песня, — одобрил свекор, — мне нравится, когда о родителях с почтением говорят, только я ее не знаю.

Ленинид начал стягивать куртку.

— Что же мы с тобой никак не споем?

Я хихикнула. У мужиков явные трудности с репертуаром. То, что знает Ленинид, неведомо Акиму, и наоборот.

— «Катюшу» давай! — выкрикнул свекор.

— Точно, — восхитился Ленинид.

— Скоро и я у вас сумасшедшей стану, — возвестила Лерка, слушая, как мужчины, стаскивая ботинки, фальшиво выводят:

Выходила, песню заводила,
Про степного, горного орла...

— По-моему, они слов не знают, — шепнула мне Томуська.

— Папа, зачем вам еще пиво? — укоризненно спросил Филя, отнимая у Ленинида сумку с бутылками.

— Не смей делать старшим замечания, — ответил Аким, — еще не дорос. Поди посмотри телевизор, пока мы с дядей Ленинидом побеседуем. Иди, иди, детям не место среди взрослых!

Лерка захохотала и подхватила Филю:

— Пошли, детеночек, посмотрим «Спокушки».

— Ступай, — кивнул Аким, — но помни, не больше пятнадцати минут!

Обхватив Ленинида за плечи, свекор заявил:

— Давай на кухню, сейчас нам бабы селедочку разделают, с лучком.

— Фиг вам, — сказала я.

— Сердитая ты, доча, — улыбнулся Ленинид, — видишь, хорошо людям, так нет, обязательно надо настроение испортить.

— Молчать, — рявкнул Аким и ткнул в меня пальцем, — как смеешь отцу перечить? Ты, Ленинид, мало ее порол! Плохо воспитывал!

— Он мной вообще не занимался, — пояснила я, — некогда было, по зонам мотался.

— Подумаешь, — фыркнул Аким, — человек искал себя, метался. История литературы полна таких примеров. Солженицын сидел, Достоевский сидел, Радищев тоже...

— Но они же не кошельки перли, — возмутилась я.

— Не смей отцам перечить, — велел Аким.

— Их у меня что, много? — обозлилась я.

— Двое, — на полном серьезе ответил свекор. — Я и уважаемый Ленинид. Скажи спасибо, что учим тебя уму-разуму, опыт передаем...

— Пиво степлится, — вздохнул папашка.

Внезапно Аким, нудные сентенции которого еще вчера было невозможно прервать, осекся и сказал:

— Верно, пошли на кухню.

Чувствуя легкое головокружение, я отправилась в спальню. Каким образом эти два полярно непохожих человека ухитрились скорешиться? Уму непостижимо, как Лениниду удалось подпоить Акима!

Ночью я проснулась от протяжного стона и зажгла ночник. Справа на кровати лежал Олег. Муж очень часто приходит поздно, чтобы не будить домашних, на цыпочках крадется в спальню и рушится в койку. Вот и сегодня я заснула, не дождавшись его.

— Что случилось? — испугалась я.

— Умираю, — прохрипел Олег. — Конец пришел.

— Да в чем дело?

— Пошел в туалет...

— Ну!!!

— Вернулся...

— Почему?!!

— Нога не двигается, парализовало, а теперь дикая, жуткая боль, умираю!

Я понеслась за телефоном и принялась лихорадочно набирать 03.

— Ерунда это все, — стонал муж. — Коновалы. Уж я-то хорошо знаю, кто приедет... Один анальгин в запасе... Ох, умираю, дай скорее чего-нибудь, дикая, жуткая боль...

Я ринулась с трубкой в ванную, где находится аптечка. Как назло, под руку попадались валокордин, аскорбинка, гутталакс...

— Вилка, — заорал Куприн, — скорей сюда, скорей!

Уронив упаковки, я понеслась назад.

— Что?

— Дай обезболивающее, немедленно!

— Так ищу!

— Скорее, — заорал Олег так, что дверь в комнату открылась. — Скорее, сейчас умру!!!

Я снова на рысях понеслась в ванную и начала перебирать коробочки и бумажные «бандерольки», одновременно слушая, как в ухе мерно раздаются гудки, диспетчер 03 не желал брать трубку.

— Помогите, инфаркт! — вопил муж.

У меня затряслись руки, от волнения я дернула аптечный шкафчик, он неожиданно сорвался с петель и рухнул на пол, зеркало мигом разбилось, усыпав кафельную плитку мелкими брызгами осколков.

— Вилка, скорее! — не утихал Куприн.

Из коридора послышались шаги и голоса, это домашние и гости, разбуженные воплями, тянулись в мою спальню, чтобы выяснить, в чем дело.

Я уставилась на руины аптечки. Мне стало совсем не по себе. Разбить зеркало — плохая примета.

— Алло, — раздалось в трубке. — «Скорая» слушает.

— Пожалуйста, быстро, мужчине плохо...

Диспетчер завела длинный разговор, нудно выясняя возраст и анамнез.

— Лучше пришлите машину, — взмолилась я. — У него очень сильная боль, жуткая, по всему телу.

— Травма была?

— Нет!

— Проблемы с сердцем?

— Нет!!

— Почки болели?

— Нет!!!

— Радикулит?

— Нет!!! Да пришлите машину!

— Девушка, — рявкнула баба, — я как раз и пытаюсь понять, кого к вам отправить. Много толку будет от невропатолога, если у больного инфаркт!

— Но вы же по телефону все равно диагноз не поставите!

— Адрес, — смилостивилась наконец диспетчер.

Получив заверения, что врачи выехали, я влетела в спальню и нашла там абсолютно всех, даже Дюшку, оставившую ради такого случая своих щеночков.

— Олежек, бедненький, — хлопотала Томуська, — дай я тебе подушечку поправлю.

— Не подходи ко мне, — ревел муж, — не колыхай кровать, жуткая боль!

— Дай погляжу, — предложил Филя, — я все-таки врач!

— Ветеринар, — хмыкнула Лерка, — по свиньям, коровам и собакам.

— Если на то пошло, — миролюбиво возразил Филипп, — Олег не слишком от ротвейлера отличается. Ну, где болит?

— В спине, — прошептал супруг.

— Опиши боль, — велел Филя.

— Не понимаю...

— Ну какая она? Режущая, колющая, тупая, ноющая, приступообразная...

— А как тебе собаки про боль рассказывают? — опять встряла Парфенова.

— Жжет, — прошептал Олег, — дико печет, отдает в ногу и руку, под лопатку...

Филя нахмурился:

— Под лопатку... Так, так.

— Пусть повернется, — велел Аким, — на живот ляжет!

— Не надо, — отрезал Филя и велел: — Срочно вызывайте «Скорую».

— Уже, — сообщила я.

— Не могу, — прошептал муж, — такой пожар в спине, прямо до желудка дошел!

Лицо Фили совсем помрачнело. Я перепугалась окончательно.

— Может, ему дать валокординчику? — робко предложил жавшийся в углу Юра.

— Лучше нитроглицерин, — пробормотал Филя. — Есть дома?

Я покачала головой:

— У нас только цитрамон и гутталакс...

Олег обозлился.

— Так и умру сейчас у всех на глазах. Это что же за семья такая, где пьют лекарства только от головы и от запора?! Да у нормальных людей в аптечках все-все есть. Даже ГИБДД требует наличие нитроглицерина в автомобиле! А у нас, пожалуйста, гутталакс! Обосрись и умри! Помогите скорее, нет мочи терпеть, что уставились на меня, козлы, не видели, как люди загибаются, да? Вилка, все из-за тебя!

Я, конечно, знаю милую мужскую привычку винить в любых неурядицах жен, но это было уже слишком!

— Да что я-то сделала плохого?

— В том и дело, что ничего хорошего не предприняла, — стонал Олег, — видишь, умираю, а ты даже помочь не хочешь!!!

— Филечка, скажи, — вмешалась Лерка, — все будущие покойники так отчаянно ругаются?

— Сейчас в машину сбегаю, — отмер Семен, — у меня там в аптечке нитроглицерин есть!

— У него ноги ледяные, — сообщила Тома.

— Несите грелку, — велел Филя, — если животное зябнет, его надо согреть!

— У нас ее нет, — ответила я.

— О! — взвыл Олег. — О, ничегошеньки тут нет, ни лекарств, ни грелочки, о, смерть идет, чую ее смрадное дыхание!

На пороге кончины супруг отчего-то заговорил гекзаметром.

— Надо ему аспиринчик дать, — авторитетно заявил Ленинид, — полтаблеточки, отечественного, не УПСУ сраную. У нас на зоне если заболеет кто, доктор вмиг аспирин совал, как рукой все снимало.

— И инфаркт? — с надеждой спросил Куприн.

— Запросто, — пообещал папенька, — мигом люди выздоравливали от всех болячек.

Я вздохнула: на зоне от аспирина встают на ноги, потому что там просто нет других лекарств.

— Несите скорее, — взмолился Куприн, — ой, ой, жжет.

— Ноги еще больше похолодели, — голосом Левитана объявила Томуська.

— Налейте в бутылку горячей воды и прижмите к ступням, — велел Филя.

Все взялись за дело. Ленинид крошил аспирин, чтобы поднести больному волшебную дозу.

— Именно полтаблеточки, — бормотал папулька.

Томуська притащила емкость с надписью «Смирнофф» и сунула под одеяло.

— А-а-а, — завопил Олег, — сдурела совсем! Жжется!

— Надо было в тряпку обернуть, — укорил ее Филя. — Экие вы безрукие, ничего не умеете.

— Вот, — стонал муж, — вот! А еще говорят, семейному мужчине хорошо, уют и забота. Что я имею? Сосиски на ужин? А теперь умирать с обожженными ногами, потому что жена дура?

— Томуська тебе никто, — напомнила Лерка.

— Какая разница, — взвыл Олег, — теперь еще и пятки болят...

Тут явился Семен и запихнул Куприну в рот белую крошку. Муж затих. Мы уставились на него, ожидая эффекта.

— Ну? — через пару минут поинтересовался Филя. — Легче?

— Нет, — прошептал Олег, — все, конец, ребята, насквозь прожгло. Слушайте внимательно. Ты, Юрка, возьми на память обо мне кожаную фляжку, знаю, она тебе нравится... Ленинид пусть забирает костюм, брюки ушьет, и хорошо. Тебе, Филя, портсигар, серебряный, там, правда, написано «Куприну от товарищей по работе», ну да ерунда. Вилка, дорогой, мраморный памятник мне не ставь... Очень накладно, лучше мою зарплату себе на пальто потрать!

— На твою получку памятник ни за что не соорудить, — вмешалась Лерка, — даже на табличку не хватит! И пальто не приобрести, разве один рукав...

— Даже сейчас, когда я умираю, вы со мной спорите, — прошептал Олег, — жестокие, злые люди...

Тут раздался требовательный звонок, и в спальню вошли две женщины, одна лет тридцати, другая на пороге пятидесяти.

— Что у нас тут? — поинтересовалась молодая.

Мы начали хором излагать события.

Докторица поморщилась:

— Один кто-нибудь!

— Давай ты, Филя, — велела Лерка. — Все-таки медик.

— Вы врач? — спросила девушка, окидывая мужика взглядом.

— Ветеринар, — пояснила Тома.

При этих словах Дюшка, сидевшая до сих пор тише мышки, неожиданно подняла вверх морду и завыла.

— Вот, — закатил глаза Олег, — вот, даже животное чует мою скорую кончину, а вы, как все бабы, вместо того, чтобы начать работать, человека спасать, языком чешете!

— Уберите собаку! — рявкнула пожилая.

— Анна Ивановна, — железным тоном велела доктор, — готовь электрокардиограмму, посмотрим.

Женщина принялись споро делать свое дело — мерить давление и навешивать на Олега резиновые груши. Через несколько минут стало ясно: сердце работает, как часы.

— Так, — протянула врач, протирая стетоскоп, — садитесь.

— Но очень жжет в спине, — начал сопротивляться муж.

— Быстро сесть, — велела докторша, — не мешайте осмотру, больной!

Олег покорно приподнялся. Врач задрала майку, глянула на спину муженька, потом резко спросила:

— Ну и что, тут болит, да? Жжет, говоришь?

— Да, — застонал Куприн, — ой, ой, что вы делаете, кожу сдираете, о, я сейчас умру.

— Сиди молча, — гаркнула девица, и я увидела у нее в руках кусок клеенки.

— Что это? — изумленно спросила Тома.

— Перцовый пластырь, — ответила эскулапша, — наклеил себе на спину, а потом забыл. Ясное дело, жжется! Ох уж эти мужики, никакого терпения! Такую бучу поднял! Тебе бы хоть раз аборт сделать!

— Или брови пощипать, — подхватила фельдшерица, — это только мы, бабы, с температурой по магазинам мечемся. У мужиков же тридцать семь случится, и все, караул! Пластырь! Тьфу! Почему вы ему на спину сами не посмотрели, а? Зачем нас от дела оторвали? Может, сейчас кто и впрямь загибается, а мы тут с вами балду гоняем!

— Так до сих пор жжет, — тихо сообщил Куприн.

— Ясное дело, — ухмыльнулась Анна Ивановна, — помажьте кожу «Детским кремом», к утру пройдет.

Семен протянул медикам пятьсот рублей:

— Уж извините, девочки!

Дамы подобрели:

— Чего там, еще не то случается, ну ладно, не болейте.

Лязгая железным чемоданом, они ушли.

— Да кто тебе прилепил пластырь на спину? — взвилась я.

— Юрка, — печально ответил Олег.

— Зачем?!!

— Мы сейф перетаскивали из кабинета в кабинет, — принялся каяться мужик, — ну у меня поясницу и заломило. А Юрка посоветовал «перцовку». Да сами у него спросите...

Мы повернулись и увидели, что Юрасик, справедливо предполагающий, какая буря сейчас снесет его голову, предпочел потихоньку удалиться.

— Но как можно было про него забыть, — недоумевал Филя, — как?

— Так он не действовал вначале, — чуть ли не со слезами ответил Куприн, — только ночью начал печь... Вот у меня и выпало из головы. Знаете, как было больно, думал, умру.

— Эх, — вздохнул Филя, — не иметь мне твой портсигарчик в ближайшее время.

Олег промолчал, все побрели на свои места. Я влезла в ледяную кровать и устало закрыла глаза. Надо обязательно узнать у Акима, что за лекарство он пьет на ночь. Я тоже хочу спать без эмоций до утра.

ГЛАВА 18

Утром я проснулась оттого, что совсем замерзла. Скосив глаза, увидела пустую правую половину кровати. Значит, наш умирающий ушел на работу. Через секунду до меня дошло, что ногам не только отчаянно холодно, но и мокро.

Сев, я посмотрела на кровать. Так, понятно, бутылка с горячей водой, призванная вчера служить грелкой, остыла, пробка открутилась, и теперь на матрасе лужа!

Чертыхаясь, я оттащила одеяло и простыню в ванную, развесила их на веревках, потом пошла на кухню и внезапно поняла, что нахожусь дома совсем-совсем одна. На вешалке в прихожей не было верхней одежды, а внизу не валялись ботинки.

Вне себя от радости я спокойно помылась в ванной, не боясь, что кто-нибудь начнет ломиться в дверь с воплем:

— Вилка, пусти, опаздываю.

Затем вышла, заварила чай, слопала кучу бутербродов и сладко потянулась. Нет, хорошо иногда почувствовать себя одинокой и незамужней дамой. Блаженное настроение длилось недолго, взяв телефон, я принялась за дело. Начнем с обладателя своры борзых. Думаю, отыскать его будет легко.

Наверное, удача повернулась ко мне лицом, потому что не успела я набрать номер клуба любителей русских псовых, как приятный женский голос пропел:

— «Элита» слушает.

— Вас беспокоит телевидение, программа «Догшоу».

— Очень приятно, — обрадовалась собеседница. — Чем могу помочь?

— Вот, задумали сделать передачу с борзыми, — завела я.

Женщина слушала, не прерывая. Потом сказала:

— Наши собаки живут не поодиночке, а, как правило, сворами... Пятнадцать штук, говорите? И загородный дом? Есть у нас такой владелец, только, думается, он не захочет, чтобы его телевидение снимало.

— Почему? Наша передача популярна, у нее высокий рейтинг.

— Попробуйте другого поискать, — вздохнула тетка, — вот есть Корчагин, трех собак имеет...

— Нет-нет, мы хотим именно самую многочисленную свору в Москве и интерьер частного дома! — настаивала я.

— Впрочем, попытайтесь, — неожиданно согласилась собачница, — кто знает, может, ему тоже реклама нужна, пишите, Роман Михайлович Конкин.

— А он кто? Чем занимается?

— Вы не знаете? — удивилась дама.

— Нет.

— Председатель фирмы «Русское богатство», — пояснила она. — Бриллиантами торгует. Пишите адрес. Рублевское шоссе... Только с ним бессмысленно разговаривать, лучше с женой, Луизой, она собаками занимается, он только охотится.

— Спасибо, — с жаром воскликнула я, — а с кем я сейчас беседую?

— Нина Александровна Логинова, председатель клуба, — сообщила тетка и отсоединилась.

Я мигом вновь начала терзать телефон.

— Слушаю, — раздался женский голос.

— Можно Луизу?

— Кто ее спрашивает?

— Нина Александровна Логинова, клуб борзых.

— Минуточку, пожалуйста.

Из мембраны полилась заунывная мелодия, потом послышался высокий, совершенно детский голосок:

— Ниночка, душенька, только не говорите, что

соревнования перенесли на субботу! У Романа день рождения!

— Простите, Луиза, вы не так поняли. Мне дала этот телефон Логинова, я работаю в журнале «Охота».

— Очень здорово, — с энтузиазмом воскликнула женщина и затарахтела: — О моих собаках уже много писали, такая свора во всей России одна, уникальные животные, рабочие, мы по зайцам. Да и на соревнованиях всегда первые.

Она болтала и болтала, не давая вставить и звука в поток слов.

— Можно к вам сегодня подъехать? — вклинилась я в монолог.

— Да, конечно, это очень даже здорово.

— К двум?

— Отлично, я весь день дома.

Еще бы, имея мужа, торгующего алмазами, можно себе позволить праздное времяпрепровождение. Поэтому небось и завела пятнадцать собак, чтобы было чем заняться, а то ведь со скуки помереть можно! Теперь главное, чтобы дома оказалась Зина Серова, она-то в отличие от богачки каждый день вынуждена трудиться. Зинка переводчица, «перетолковывает» с немецкого на русский детские книжки. Надеюсь, не умотала в издательство за очередным заказом.

Но фея удачи продолжала мне улыбаться во весь рот.

— Да! — рявкнула Зинка.

— Слышь, Серова, — отозвалась я, — дай бабушкин комплект поносить, только на один день.

— Приезжай, — милостиво разрешила подруга, — как раз Танька его вчера вернула, на свадьбу брала.

Зиночкина бабушка была богатой женщиной, то ли графиней, то ли княгиней. Немалое состояние погибло в горниле революции. Бабуля успела спрятать совсем немногое. И среди прочего невероятной красоты набор: серьги, кулон и перстень. Огромные, редкой чистоты изумруды в платине с бриллиантами. Зинка дает поносить вещи близким подругам, желающим произвести впечатление на кавалеров или работодателей...

— На, — сунула она мне на пороге замшевую коробку, — в метро не надевай, неси в сумке, прижми к сердцу. Потеряешь, убью.

Я кивнула и двинулась в сторону метро.

Рублевское шоссе — суперпрестижное место для проживания, и поселок, куда лежал мой путь, явно не был рассчитан на людей, которые пользуются общественным транспортом. Мне пришлось ждать на ледяном ветру маршрутное такси, а когда оно наконец появилось, выяснилось, что я в очереди тринадцатая, и «Автолайн», выпустив струю вонючего выхлопного газа, стартовал без меня...

Наконец, замерзнув до окоченения, я добралась до остановки «Немчиновка» и спросила у мужика в жутко грязной куртке:

— Где поселок Новый?

— А иди через поле, — мотнул головой абориген, — напрямик шуруй, никуда не сворачивай.

Потом окинул меня оценивающим взглядом и добавил:

— Только ежели мечтаешь у них на работу устроиться, то зря.

— Да, — заинтересовалась я, — им прислуга не нужна, сами убирают?

— Как же, — заржал мужик, — такие люди не

бегают с сумками по магазинам. Только когда поселок построился, наши бабы обрадовались, думали, их домработницами возьмут. Обломилось! Там уже были слуги. Так-то! Имей в виду, работы не сыщешь!

— Далеко идти?

— Километра четыре.

Я присвистнула:

— Чего же так неудобно построились! Это сколько же от остановки переть!

Мужчина засмеялся:

— Ну ты хохмачка! Они же все на машинах, вжик — и на месте!

Я вздохнула, накинула капюшон и пошла по тропинке через поле.

Луиза оказалась молоденькой девушкой, веселой и приветливой. В моем понимании жена одного из богатейших людей России должна была выглядеть не так. На Луизе были самые затрапезные черные джинсы, серенький свитерок «лапша» и простенькие туфли, кожаные, без всяких прибамбасов.

Я не стала снимать шапочку и шарфик, просто скинула куртку. Целый час Луиза, взахлеб рассказывая о собаках, демонстрировала мне животных. Они и впрямь выглядели роскошно: элегантные, безумно худые, с умными длинными мордами. Вскоре мне стало понятно, что собаки умнее хозяйки, а еще через полчаса выяснилось: Луизе всего двадцать лет.

— Я третья жена Романа, — по-детски бесхитростно объяснила девушка, — работала моделью, по «языку» бегала. «Русское богатство» нам драгоценности для показа представляло, восхитительные вещи. Там я его и увидела.

— Теперь дома сидите? — спросила я, заранее зная ответ.

— Да, — грустно сказала Луиза, — год уже! Скукотища зверская! Подруг нет, работать Рома не разрешает, да я и не умею ничего, кроме как вещи демонстрировать. Но муж не хочет, чтобы на меня посторонние мужики пялились. Вот, собаками занялась. Сама их мою, расчесываю, бегаю по три километра в день, это мои дети. Хотите чаю?

По-прежнему не снимая шапочки и шарфа, я прошла за хозяйкой в гостиную, где получила чашечку великолепного чая и восхитительные пирожные, явно только что выпеченные кондитером.

Прислуга в этом доме оказалась вышколенной до безобразия. Когда мы вошли в комнату, на столе сверкал фарфоровыми боками горячий заварочный чайник, остро пахло свеженарезанным лимоном, а пирожные только что наполнили взбитыми сливками... Но никаких слуг в комнате не наблюдалось. Луиза сама разливала ароматный «Липтон». Разговор, естественно, шел о собаках. Я рассказала о щенках, родившихся у Дюшки, Луиза показала фотографии, сделанные на последней выставке.

Если бы не шикарная мебель, не роскошная посуда и не только-только выпеченные пирожные, запросто можно было подумать, что беседуют две добрые знакомые.

— Красивые вещи делают в «Русском богатстве»?

Луиза кивнула:

— Есть, конечно, ширпотреб, но иногда такое

встречается! Вот, смотрите, муж подарил на Новый год.

Она вытянула вперед руку с весьма незаурядным колечком на среднем пальце. В центре перстня зеленел крупный изумруд.

— Не слишком чистая вода, — с видом знатока сообщила я.

Луиза с легким превосходством глянула на «журналистку».

— Ошибаетесь, этот изумруд лучший в Москве, ни у кого, а поверьте, я часто хожу на тусовки, так вот ни у кого нет подобного. Дамы прямо синеют, как увидят.

Я стащила шапочку и показала подвески Зинки Серовой, оттягивающие уши.

— Мои пошикарней будут!

Луиза разинула рот. Потом пробормотала:

— Дайте поглядеть.

Я вытащила одну серьгу и протянула жене олигарха. Луиза внимательно изучила драгоценность.

— Это старина, не новодел.

— Точно, от бабушки достались.

— Отличная вещь, только у меня все равно лучше, потому что комплект. К перстню еще и серьги есть, хотите посмотреть?

Я кивнула. Мы поднялись наверх, в спальню хозяйки. Луиза вынула из коробочки сережки и вдела в розовые ушки, потом приложила руку с перстнем к щеке и кокетливо спросила:

— Ну что? Перещеголяла вас? Говорила же, лучше моих драгоценностей в столице нет!

Потом подумала и добавила:

— А может, и во всей России!

Глупенькая, маленькая девочка, избалованный

ребенок, наивно гордящийся богатством. Наверное, не следует напоминать ей, что есть в Москве «Алмазный фонд», в котором хранятся такие вещи, которые даже ее суперобеспеченный супруг приобрести не сможет. Да и у разных людей дома порой лежат такие штуки!

Я расстегнула сумочку, достала кольцо, спокойно надела его на палец и сунула Луизе под нос:

— У меня лучше!

Бедная дурочка уставилась на мою длань с таким видом, словно увидела перед собой сокровище царя Соломона. Честно говоря, одалживая у Зины изумруды, я хотела изобразить из себя богатую даму, от скуки занимающуюся «писательством». Мне и в голову не могло прийти, что у олигарха такая молоденькая и патологически глупенькая женушка.

— У меня лучше, — повторила я.

— Ну это с какой стороны посмотреть, — промямлила Луиза.

— А со всех — мои украшения лучше, — добила я несчастную, — во-первых, они настоящий антиквариат, не новая работа, а во-вторых, гляньте...

Жестом фокусника я сняла шарфик. На свет явился кулон. Неизвестный ювелир прошлого столетия вставил в него самый крупный изумруд. Честно говоря, камни в серьгах и перстне мигом «линяли», когда на груди начинал переливаться медальон. Когда-то, еще в советские времена, только за него Зинке предлагали сразу «Волгу» и дачу... Луиза была сражена.

— Можно посмотреть?

— Пожалуйста, — ответила я, — любуйтесь

сколько угодно. Теперь понимаете, что лучшие драгоценности в столице у меня!

Дальше наш разговор потек как в известном детском стихотворении. Помните:

— А у нас в квартире газ! А у вас?
— А у нас водопровод, вот!

Луиза покраснела и сообщила:

— Подумаешь! Конечно, не спорю, качественные вещи, зато у меня есть шуба из шиншиллы!

— Фу, — наморщилась я. — Эка невидаль! И вообще, манто из крысы! Дрянь страшная!

— Из шиншиллы, — отчеканила Луиза, — из белой шиншиллы! Такая точно в Москве одна!

— Ой, — засмеялась я, — а шиншилла, по-вашему, кто? Крыса! К тому же белой в природе не существует, только серая, или, как ее называют, голубая. Следовательно, шиншилла для вашего манто выращена в неволе, в клетке, в лаборатории! Прикиньте на минутку, у вас шубейка из белых лабораторных мышей!

— Неправда, — вскипела Луиза, — шиншилла не крыса!

— Крыса!

— Нет!

— Крыса!!

— Нет!!

— Крыса!!!

— Нет!!!

Разговор зашел в тупик.

— У вас есть энциклопедический словарь? — осведомилась я.

— Не знаю, — пожала плечами Луизочка, — небось у мужа в кабинете имеется!

Мы перешли в другую комнату, я нашла на полке толстый коричневый том и торжествующе ткнула пальцем в нужную строчку.

— Шиншилла, — потрясенно прочитала девочка, — отряд грызунов... Ну не может быть!

— Не расстраивайтесь, — «успокоила» ее я, — некоторые манто из кошки носят, и ничего, довольны...

Но Луизу уже понесло.

— Все равно я самая богатая!

— Билл Гейт круче!

— У нас трехэтажный особняк.

— Да тут у всех такие, посмотрите в окно!

Девочка чуть не затопала ногами от злости.

— Я езжу на «БМВ» специального выпуска!

— У султана Брунея «Роллс-Ройс» с золотым рулем.

— Вы меня нарочно дразните, — плаксивым тоном протянула Луиза, — да?

— Совсем нет, — ухмыльнулась я, — вам просто придется признать, что на свете бывают более обеспеченные люди, чем вы!

Луиза побагровела. Честно говоря, я слегка испугалась. Как бы девицу инсульт не хватил. Она секунду посидела молча, потом ринулась к стене, на которой висела большая картина.

Не успела я ахнуть, как Луиза отодвинула полотно и обнажила дверцу сейфа. Нервными движениями она нажала на кнопки и выхватила из нутра железного ящика небольшую картину.

— Вот, — азартно выкрикнула она, — вот, только гляньте! Леонардо да Винчи! Слыхали про такого?

Я кивнула.

— Любуйтесь, — ликовала Луиза, — «Тайный вечер»! Есть только у нас. Рома бешеные бабки отдал!

— «Тайный вечер», — повторила я.

Да Луизонька еще глупее, чем кажется.

— Только у меня такая, — ликовала девочка,

наконец-то ей удалось «уесть» наглую тетку, обладающую вызывающе шикарными изумрудами, — только у меня! Во всем мире больше ни у кого! Леонардо расписал церковь в Италии, а потом сделал картину или наоборот, точно не знаю! Но она в одном экземпляре и моя!

— Настоящая? — с сомнением протянула я.

— Подлиннее не бывает, — заверила глупышка. — Рома в Третьяковке проверял, ой!

Внезапно она прикусила язык.

— Что случилось? — усмехнулась я.

Глупышка растерянно пробормотала:

— Только муж строго-настрого запретил комунибудь о ней рассказывать. Вы уж, пожалуйста, не проболтайтесь, а?

— Конечно, — успокоила я ее, — честно говоря, мне картины до фонаря, больше всего собаки волнуют.

Обратный путь через поле к автобусной остановке показался мне короче. Так, значит, у «алмазного короля» настоящий Леонардо, тогда второму покупателю, естественно, достался фальшивый. Что ж, дело за малым, нужно узнать, кто из нуворишей сделал в гостиной бассейн!

Дома я радостно отметила, что в квартире находится только одна Томуська. Весело напевая, подруга готовила обед. Я выпила чай и проскользнула в свою спальню.

ГЛАВА 19

Не имей сто рублей, а имей сто друзей. По этому принципу мы с Томой прожили большую часть нашей жизни. Стоит только раскрыть телефонную книжку, и все проблемы решаются мигом. Так, посмотрим... Ага, Лиза Хронова!

— Журнал «Ваш дом», — пропела жеманная девица.

— Будьте добры Лизу Хронову.

— Кто спрашивает Елизавету Андреевну? — мигом поставила меня на место секретарша.

— Виола Тараканова.

— Одну минуточку.

Полилась музыка. Ну почему производителей телефонов зациклило на Моцарте? В конце концов, есть Чайковский, «Лебединое озеро»... Хотя нет, мелодия из балета про белых птиц мигом вызывает у россиянина дикий ужас. Десять из девяти, подняв трубку, подумают: опять революция. Нет уж, пусть лучше звучит Моцарт!

— Слушаю, — низким тембром отозвалась Лизавета, — в чем дело, Вилка?

— Ты писала когда-нибудь об идиоте, который совместил гостиную с бассейном? — я мигом взяла быка за рога.

— Лично мне не приходилось, — занудела Лизка, — вот мои сотрудники могли!

— Не придирайся к словам, — рявкнула я, — узнай быстренько про этот водный антураж.

Лизавета взяла другую трубку и принялась раздавать указания. Представляю, как сейчас засуетились ее девчонки, сидящие в кабинетах. Им-то Лизка жуткий начальник: владелица и главный редактор издания.

— Интересно, — спросила Лизавета, — откуда ты знаешь про такой прибамбас? Только не говори, что читаешь мой журнал, все равно не поверю.

— Значит, писали, — обрадовалась я, — а когда?..

— В прошлом году, под Рождество...

— Можешь назвать фамилию владельца и адрес здания?

— Нет.

— Почему? — возмутилась я. — Жалко, что ли?

— Я не знаю ничего про этих людей.

— Так посмотри в статье, там небось все указано.

— А вот и нет.

— Что за ерунда? — удивилась я. — Твое издание рассказывает о красивых интерьерах, не упоминая их владельцев?

— Понимаешь, — завела Лиза, — в нашем государстве открыто шикарно живут только люди искусства: писатели, актеры, музыканты. Вот представители этих профессий всегда рады журналистам, знают, что любая информация повышает их рейтинг. А остальные! Просто кошмар! Знаешь, что мне сказала жена Набатова, владельца банка «Монополия»? «Нам известность не нужна. Ну и подумаешь, что у меня в доме полы, специально вывезенные из Италии! Кому интересна эта информация? Простой народ она обозлит, а налоговая служба и бандиты насторожатся. Нет уж, наши полы — это наши полы!» Вот и работай с такими. Да на Западе любой человек мечтает, чтобы о его доме рассказали как об образце стиля. А здесь! Жуткие люди!

— Но вы же писали про этого, с бассейном.

— Правильно, иногда у «новых русских» тоже тщеславие разыгрывается. Вот в данном случае так и произошло! Хозяйка здание показывала, а фамилии владельцев велела не упоминать: просто Вадим и Дина А. Кому надо, поймет, а кому не надо, не догадается. Кстати, мы так довольно часто поступаем.

— Но корреспондент, который там был, он-то знает и адрес, и телефон, и фамилию...

— Естественно!

— Спроси у него.

— Не могу.

Вот тут я вконец обозлилась и прошипела:

— Знаешь, Лизка, когда ты от любовника залетела и пошла делать аборт по моему паспорту, чтобы муженек, не дай бог, не узнал, я не говорила тебе, что не могу помочь. И когда тебе захотелось с Петькой Камышовым в Сочи скатать, кто пришел на помощь и обманывал твоего супружника? Кто блеял в трубку: «Ах, Вовочка, мне так плохо с сердцем, можно Лизавета тут недельку поживет?»

— Ну вспомнила, — заржала Лизка, — я уже после Вовки три раза в загс сбегала! Не обижайся, только я не могу вызвать корреспондента.

— Да почему?

— Материал делал Ицхак Моисеевич Блюмен-Шнеерзон, он весной укатил в Израиль, на ПМЖ, номера его телефона я не знаю.

От злости я треснула трубкой о базу с такой силой, что ожил мирно стоящий рядом автоответчик:

— Здравствуйте, вы позвонили в квартиру...

— Ладно, не старайся, — рявкнула я, выдирая из розетки адаптер.

Впрочем, расстраиваться не стоит. Я схватила трубку и начала прилежно набирать цифры, которых на этот раз оказалось очень много.

— Шолом, — ответил приятный голос.

— Женька, — заорала я, — Женюрка!

— Мама на работе, — спокойно ответил юноша. — Вы кто?

— Гришка, ты?

— Я.

— Если мама на службе, то почему ты не в школе? У вас который час? Это Вилка Тараканова.

— У нас в Иерусалиме на два часа меньше, чем в Москве, — пояснил парень. — И вообще, я уже окончил школу и сейчас служу в армии.

— Погоди, погоди, — растерялась я, — сколько же тебе лет? Вроде, когда уезжал, девять всего исполнилось.

— Так с тех пор уж десять лет прошло, — хихикнул Гришка. — Да ты чего, Вилка! Прислала мне в сентябре с Коганами на день рождения пластмассовый автомат, мама обхохоталась, когда коробку увидела. Я уже давно в игрушки не играю, теперь настоящее оружие имею.

Десять лет!!! Какой ужас!!! А кажется, совсем недавно рыдающая Женька обнимала меня в Шереметьеве, уезжая навсегда из страны... Не может быть!

— Извини, Гришка, — потрясенно пробормотала я, — прости...

— Ерунда, — смеялся парень, — звони вечером, мама придет по-нашему в девять, по-вашему в одиннадцать.

— Слышь, Гришка, а у тебя в компьютере нет случайно программы с адресами и телефонами израильтян.

— Есть, а кто тебе нужен?

— Ицхак Моисеевич Блюмен-Шнеерзон.

— Вот что, — велел Гришка, — перезвони через полчаса, незачем столько денег тратить. Кстати, я хотел приехать в декабре в Москву, пустишь к себе пожить?

— Конечно.

— А если с девушкой?

— Гришка, у тебя есть дама сердца?!!

— Вилка, — обозлился парень, — мне скоро двадцать.

— Естественно, приезжай с кем хочешь, — быстро ответила я, — у нас теперь имеется жуткое количество раскладушек. Запросто всех можем спать уложить.

Гришка не подвел. База данных в Израиле оказалась лучше, чем в Москве, и я получила не только домашний, но и рабочий телефон Ицхака. Интересно, на какую сумму мне пришлют счет?

В трубке послышалась фраза на незнакомом языке.

— Ицхака позовите, — завопила я, — Шнеерзон-Блюмена.

— Блюмен-Шнеерзона, — поправил мужчина, — слушаю, в чем дело?

Я принялась излагать простую, как табурет, историю. Мне поручили сделать материал о доме в Подмосковье, где гостиная соединена с бассейном... Никак не могу найти владельца, редактор обещает уволить, жуткий ужас. Лиза Хронова, желая помочь, подсказала телефон Шнеерзон-Блюмена.

— Блюмен-Шнеерзона, — терпеливо сказал Ицхак, — что вы так нервничаете? Погодите, сейчас дам все координаты. Значит, так, Вадим Михайлович Аркин и Дина Сергеевна, супруга, можете передать от меня привет.

— А он где работает, Аркин этот?

Ицхак засмеялся:

— Предприниматель, а уж в чем состоит его бизнес, я не знаю. Да не бойтесь, его самого никогда нет, а Диночка очаровательная дама, интеллигентная, большая умница, мы с ней вместе в Полиграфическом учились!

— Большое, огромное спасибо, — завела я, — просто не знаю, как вас благодарить.

Обычно на такое заявление люди отвечают: «Ерунда какая, не стоит благодарности», — но Ицхак поступил по-иному.

— Вы и правда хотите сделать мне приятное?

— Конечно, — с энтузиазмом воскликнула я, — очень!

— Тогда приютите меня на недельку в конце ноября, — сказал Ицхак, — в Москве почти никого из друзей не осталось, а за гостиницу мне теперь, как иностранному гражданину, жуткие доллары надо платить. Только ответьте честно: я стесню вас?

— Совсем нет, у нас куча комнат и стадо раскладушек, — ответила я, — пишите адрес.

— Ну спасибо, — обрадовался Ицхак, — цеховая солидарность — великая вещь, журналист журналиста всегда выручит. А насчет Дины Аркиной не волнуйтесь, скажите, что от меня, она примет. Правда, Диночка у нас дама избалованная, папа у нее генерал был, а теперь муж богатый имеется, да еще она слишком умная, вот ее и заносит порой, так что не обижайтесь, если вдруг что-нибудь не то вам скажет. По сути, она не вредная...

Он говорил и говорил. Я просто видела, как деньги вылетают из моего кошелька и попадают на счет телефонной станции, но остановить парня не представлялось возможным. Он отпустил меня, только узнав в подробностях про погоду в Москве.

Переведя дух, я опять схватилась за телефон. Трубку сняли сразу.

— Алло, — послышалось грудное сопрано.

— Будьте любезны госпожу Аркину.

— Я у телефона, — вежливо, но холодно ответила дама.

— Добрый день, Дина, — радостно начала я, — Ицхак Шнеерзон-Блюмен попросил меня передать вам небольшую посылочку.

Воцарилась тишина. Потом дама произнесла:

— Я незнакома с Ицхаком Шнеерзон-Блюменом...

— Но как же, — растерялась я, — он говорил, будто учился с вами в Полиграфическом...

— Незнакома с Шнеерзон-Блюменом, — продолжила Аркина. — Но... я ходила в одну группу с Блюмен-Шнеерзоном!

От негодования у меня чуть было не пропал голос. Ну не дрянь! Однако надо во что бы то ни стало попасть к Аркиной в дом, поэтому я залепетала:

— Ой, я спутала! Двойная фамилия такая редкость! Конечно же! Шнеерзон-Блюмен!

— Блюмен-Шнеерзон, — ледяным тоном возвестила Дина.

Я решила больше вообще не упоминать фамилию и забормотала:

— Если разрешите, я привезу вам посылочку...

— Мы можем встретиться у Центрального почтамта, — отрезала Аркина, — в пять часов вечера.

— Мне не трудно завезти коробочку, она не такая уж и большая, и потом...

— Ну, — нетерпеливо сказала Дина, — что еще?

Внезапно мне в голову пришла блестящая мысль. Судя по всему, собеседница жутко гордится своим умом и сообразительностью. А раз так, то следует прикинуться непроходимой идиоткой...

— Диночка, — затараторила я, — Ицхак говорил, у вас шикарный дом, а в гостиной бассейн, верно?

Неожиданно Аркина рассмеялась и вполне почеловечески ответила:

— Верно.

— Я никогда не видела ничего подобного! Очень любопытно!

Дина расхохоталась:

— Хорошо, подъезжайте.

— А вы мне покажете бассейн?

— Обязательно, — веселилась хозяйка, — к пяти успеете?

— Смотря куда.

— Центральный почтамт представляете?

— На Тверской?

— Там телеграф. Почтамт на Мясницкой, бывшей улице Кирова.

— А-а-а, знаю, конечно.

— Напротив него магазин «Чай-кофе», — спокойно объясняла дорогу хозяйка, — войдете в арку, повернете влево и увидите двухэтажный дом светло-зеленого цвета. Жду вас к пяти.

— Простите, вы не назвали номер квартиры...

Дина спокойно ответила:

— Все здание принадлежит нам!

Я подскочила на месте и рванулась к гардеробу. Так, имидж выбран: богатая, но страшно глупая дама, замужем за израильтянином...

Загвоздка была только в одном — что на себя натянуть? Ни мои вещи, ни шмотки Томуськи никак не походят на одежду обеспеченной дамы. Мы можем купить себе дорогие вещи, только зачем? Главное для нас не мода, а удобство. Впрочем, в тех богатых домах, куда я хожу преподавать, хозяйки одеты более чем просто: в джинсы и свитерочки. Но наметанный глаз опытной женщины мигом отличит шмотки производства вьетнамцев от вещей, сшитых в лучших домах моды...

Пришлось вновь хвататься за телефон.

— Алло, — протянула Катя Гвоздина, — кто там в такую рань?

— Ты чего, Катюха, люди уже обедать сели! — возмутилась я.

— Мы обедаем в двенадцать ночи, — отчаянно зевая, сообщила Катька, — спектакль заканчивается когда в десять, когда в пол-одиннадцатого... Ну какого черта ты меня разбудила?

Катюшка с переменным успехом выступает в не слишком популярном театре. Главные роли ей не достаются, правда, не так давно подвалила удача. Она снялась в телесериале про бандитов, ей опять дали роль второго плана, но Гвоздина проявила себя молодцом. Эпизод с ее участием запомнился зрителям, и теперь Катюшка надеется на новые предложения. Она не замужем, детей у нее нет, и все деньги баба тратит на шмотки. Если у кого и есть модные вещички, так это у нее.

Отворив дверь, Гвоздина протянула:

— Ну и зачем тебе шмотки понадобились?

— Нас с Олегом пригласили на день рождения, — забубнила я, вылезая из ботинок, — к очень крутым и богатым. Бабы небось расфуфырятся, а мне краснеть!

— Ща все сделаем, — воскликнула Катька, — пусть денежные мешки от зависти пятнами пойдут... А ну, топай в спальню! Впрочем, нет, сначала в ванную.

— Зачем?

— На свою голову давно смотрела? — поинтересовалась Катька и застучала кулаком в стену.

Тут же раздался звонок в дверь.

— Что случилось? — спросила худенькая девочка в обтягивающих кожаных штанах. — Пожар?

Катька бесцеремонно ткнула пальцем в мою сторону.

— Слышь, Верка, можешь из этого чучела человека сделать?

Вера крепкой рукой ухватила меня за волосы и сообщила:

— Ну в принципе...

— Ей в четыре надо отсюда вылетать.

— Иди сюда, — приказала Вера и втянула меня к себе в квартиру.

Следующий час они с Катькой измывались надо мной по полной программе. Волосы сначала выкрасили в каштановый цвет, потом высветили несколько прядей. Затем Вера, ловко щелкая ножницами, постригла меня так коротко, что на макушке волосы встали дыбом. Потом им не понравились мои брови, и Вера ухватилась за пинцет...

Одним словом, в шестнадцать ноль-ноль узнать меня было практически невозможно. Нельзя сказать, что я похорошела, нет, просто стала другой.

Расклешенные темно-синие брюки пришлись мне впору, но, когда Катька вытащила из шкафа жуткий свитер, я возмутилась до глубины души.

— Ну, Катерина, ты с ума сошла! Эту вещь ни за что не надену!

— Почему? — удивилась актриса.

— Сама посмотри на пуловерчик внимательно

но, — окрысилась я, — да его вязала слепая бабушка, причем однорукая...

Катька заржала и показала крохотный зеленый ярлычок, пришитый возле кармашка на груди.

— Читай, что написано.

— Глинфильд, — протянула я.

— Поняла теперь?

— Нет!

Катюшка вздохнула:

— Ой, тяжело с тобой, темнота беспросветная. Кофточка на пятьсот баксов тянет, богачки мигом фирменный лейбл увидят и в отличие от тебя тут же сообразят, что к чему!

— Ты хочешь сказать, — недоверчиво пробормотала я, касаясь отвратительной вещицы, — что ЭТО стоит почти пятнадцать тысяч рублей?!!

Катька кивнула:

— Именно. Сейчас такие штуки супермодны. Стиль называется «бабушкин сундук». Не спорь, бога ради, поверь, я знаю, что делаю. Еще вот на, держи сапожки...

Я уставилась на узконосые баретки, больше всего похожие на тапки старика Хоттабыча. Острые носы устремились ввысь, а пятка покоилась на невероятно длинной и тонкой шпильке...

— Но я сразу упаду, как только их напялю!

Катька всплеснула руками.

— Нельзя же к этой одежде нацепить твои жуткие ботинки! И сумочка вот! А теперь давай сюда руки...

Она вытащила из холодильника пузырек с лаком. Я поджала пальцы.

— Давай сюда, — заорала Гвоздина, тряся флакон, — немедленно вытягивай когти! Разве можно надевать кольца на такие лапы!

— Но у меня нет с собой колец, — отбивалась я.

Катька пихнула меня в кресло, цепко ухватила крепкими пальцами за запястье и прошипела:

— Чтобы всякие богатые дряни, обвешанные брюликами, которые их мужья приобрели за ворованные у народа деньги, посмеивались над моей подругой! Сиди молча!

Ровно без пяти пять я, раскрашенная, принаряженная и пахнущая неизвестными мне духами, вошла во двор и увидела нужный дом.

Единственная поблажка, которую мне сделала Катька, — это разрешение добраться до места в удобных ботинках. Остроносые полусапожки лежали в пакете.

Я прислонилась к стене здания, поменяла обувь и позвонила в дверь. Она распахнулась. На пороге стояла женщина редкой, потрясающей красоты. Огромные карие глаза, опушенные пушистыми черными ресницами, занимали, казалось, пол-лица. Тонкий, абсолютно прямой нос, красиво очерченный рот с полными губами, кожа, напоминающая по цвету тонкий китайский фарфор... Хозяйка оказалась высокой, стройной, длинноногой, словно топ-модель, но в отличие от плоскогрудых «вешалок» у Дины имелся вполне приличный бюст.

Смерив меня взглядом, хозяйка минуту молчала, но потом ее глаза подобрели.

— Вы от Ицхака?

Я кивнула и выставила вперед коробочку, обернутую в разноцветную бумагу.

ГЛАВА 20

Начав карьеру наемной преподавательницы, я стала бывать в разных квартирах. Кое у кого стояли продранные кресла и поцарапанная мебель, другие жили лучше, третьи совсем хорошо... В доме у глупенькой Луизы, столь гордящейся своим богатством, роскошь сквозила изо всех щелей, просто била в глаза! Но в апартаментах, подобных этим, я никогда не бывала.

Просто Останкинский дворец крепостных, даже паркет такой же, набранный из ценных пород дерева. Широкая мраморная лестница, у подножия которой стояли два больших торшера, вела, очевидно, на второй этаж, перед ней простирался огромный холл, из которого в разные стороны вели двери.

— Спасибо, — сказала Дина и поставила коробку на журнальный столик у вешалки.

Надеюсь, мадам не слишком разочаруется, когда увидит, что там всего лишь коробочка мацы, купленная мной по дороге в булочной. Но Дина Сергеевна, очевидно, была превосходно воспитана. Она не стала при посторонней женщине проявлять любопытство и жадно срывать красивую упаковку.

Старательно исполняя роль богатой идиотки, я закатила глаза и ахнула:

— Боже, какая красота! Ицхак, правда, говорил, что дом необыкновенный, но я не ожидала, что настолько! Изумительный паркет!

Лицо Дины постепенно теряло настороженность, я продолжала:

— У нас с мужем тоже очень большие апартаменты, восемь комнат, но все как-то традиционно, без стиля... Муж человек консервативный, бывший инженер, привык жить просто, и переубедить его невозможно. Я хотела купить элегантную кровать, знаете, такую, с радиоприемником... Нет, уперся лбом: мне и на обычной хорошо. Решила приобрести стильное кресло с массажером... Слыхали небось. Здоровская штука, включаешь моторчик, а оно начинает тебе спинку массировать. Опять не разрешил! Кое-как согласился на комнатный фонтанчик! Ах, очень красиво! Вода журчит, подсветка, а посередине сидит птичка, ненастоящая, конечно, и поет...

— Поет? — спросила вконец изумленная глупостью гостьи хозяйка. — Как поет?

— Замечательно, — воодушевленно подхватила я. — Соловей! Тра-ля-ля, тра-ля-ля... Понятно, что от электричества работает! А еще у меня повсюду бронзовые фигуры, коллекция! Две у входа, кошки, одна в гостиной, слоник, и несколько в спальне, такие красивые! Где же ваш бассейн? Жутко хочется посмотреть!

В глазах Дины загорелись веселые огоньки.

— Хотите чай?

— О, — воскликнула я, — как хорошо, что вы не предложили кофе! Мой папа, между прочим, я происхожу из элитной семьи, работал в Министерстве обороны...

Дина широко улыбнулась:

— Ваш отец военный?

Я приосанилась, подняла, как Аким, указательный палец вверх и возвестила:

— О! Не простой военнослужащий, не капитан, не майор, а полковник! Самый настоящий полковник, высшее командование, генералитет!

Хозяйка прикусила нижнюю губу и отвернулась, она с трудом сдерживала смех. Я почувствовала, как меня начинает отпускать напряжение. Если смеешься над человеком, то перестаешь его опасаться. Дина явно решила, что видит перед собой потрясающую дурочку.

— Так вот мой отец, — продолжала я щебетать, — мой папочка всегда говорил: чай — питание для мозга!

Тут Дина не выдержала и расхохоталась:

— Ну, прямо скажем, нетрадиционная фраза для военного. Мне всегда казалось, что они питают свои мозги тем, что разлито в бутылки, причем крепостью не ниже сорока градусов.

— Мой отец, — вещала я, — мой папочка на дух не переносит алкоголь!

— Ну вам повезло, — усмехнулась Дина, — так как насчет чая?

Сделав пару шагов, она толкнула дверь, и я ахнула, на этот раз совершенно искренне. Открывшаяся нашим глазам комната поразила меня. До сих пор я никогда не встречала ничего подобного.

Огромное пространство, но не четырехугольное, а круглое. В центре поблескивает голубая вода и сверкают хромированные лесенки, но стоит скосить глаза в сторону от зеленовато-голубой глади, как картина меняется.

По периметру бассейн был окружен тяжелой, темной антикварной мебелью. Диваны, стулья, кресла — все обтянуто темно-красной тканью, столы, а их тут насчитывалось штук пять, были покрыты кружевными скатертями, на полу лежали плотные ковры, а окна задрапированы тяжелыми занавесками. Над бассейном ярко светили потолочные лампочки, мебель тонула в тени, в меблированной части гостиной стояли торшеры, создающие мягкий полумрак.

Комната производила дикое впечатление, это

был полный идиотизм, но одно точно — такой больше ни у кого нет.

— Вот это да! — выпалила я. — Думала, Ицхак привирает, ну кому придет в голову делать из зала для приема гостей Венецию! Как красиво!

— Можете искупаться, — предложила Дина, очевидно, ее тронула моя детская реакция.

— Купальника нет.

— У нас их целая куча, — хмыкнула хозяйка, — держим на любой размер. Хотите, велю принести?

— Нет-нет, спасибо, я не умею плавать.

Дина опять засмеялась, дверь открылась, появилась женщина лет пятидесяти.

— Рената, — велела хозяйка, — чай, ну и все такое.

Горничная кивнула и исчезла.

— А что у вас еще есть интересного? — спросила я.

— В каком смысле? — оторопела хозяйка.

— Ну, может, зимний сад или коллекция какая-нибудь, я бы посмотрела, пока чай готовится!

Дина опять прикусила нижнюю губку. В ее красивых глазах скакали бесенята.

— Хотите весь дом посмотреть?

— О! Обожаю! Просто обожаю разглядывать комнаты!

Аркина легко поднялась с кресла:

— Тогда пошли.

Дом оказался огромен, спален и санузлов бессчетное количество, а еще столовая, кабинет, библиотека, бильярдная, кинозал, баня...

Короче говоря, мы бродили по зданию больше часа. При входе в каждую комнату я не упускала возможности сказать:

— Ну, у меня в Израиле тоже есть похожий ковер, на арабском рынке купила.

Или:

— Ой, какая хорошенькая люстрочка! Где брали? Небось у «Тати»!

Дина крепилась и не смеялась во весь голос, но было видно, что ситуация ее жутко забавляет. Не сдержалась она только один раз, в столовой, когда я, ткнув пальцем в буфет, где стоял роскошный сервиз, сделанный в начале века во Франции, скорее всего в Лиможе, заявила:

— Тарелочки-то простоваты! У меня пошикарней будет, сервиз «Мадонна». Надо и вам такой купить. Знаете, как отлично на столе смотрится! Весь перламутровый и с картинками!

Дина прыснула, потом быстро закашлялась.

— Извините, я простыла, очевидно, погода меняется, прямо не знаешь, как одеваться.

— Главное, — занудно сообщила я, — теплое белье. Всегда ношу его в октябре и до апреля не снимаю.

— В Израиле разве холодно? — удивилась Дина.

— Нет, но лучше перебдеть, чем недобдеть, — нашлась я.

Дина снова закашлялась, и мы вошли в небольшую темную комнату, где было значительно прохладнее, чем в других помещениях.

Аркина щелкнула выключателем. Мягкий свет осветил небольшое пространство, заставленное шкафами. Дина пояснила:

— Мой муж страстный коллекционер, собирающий книги. Они, к сожалению, от времени портятся, поэтому в хранилище своих редкостей он попытался создать идеальные условия: постоянную температуру воздуха, определенную влажность, даже свет здесь включают не слишком часто, причем лампы не обычные, а специальные, от их...

— Ой, — взвизгнула я, — я тоже обожаю детективчики! Просто до умопомрачения! Мы могли бы иногда меняться! Сейчас как раз я читаю Корнилову, про Пантеру! У меня есть все ее романы! Хотите, пришлю вашему муженьку? Теперь в Израиле можно купить любые книги. Наши эмигранты читают только на русском...

Дина вздохнула и приоткрыла один из шкафов. Перед моими глазами предстали толстые, какие-то корявые тома в темных переплетах.

— Мой супруг не любит криминальные истории, он покупает раритетные издания, вроде этого, Радищев «Путешествие из Петербурга в Москву», выпущено при жизни автора.

Я сморщила нос.

— Радищев, Радищев... Где-то слыхала.. Кажется, в школе проходили... Но, простите, какой интерес в такой книге? Сплошная скука, ей-богу, заснешь сразу. Посоветуйте супругу Маринину. Вот мой муженек с огромным удовольствием ее читает. А фильм про Каменскую смотрите?

Хозяйка улыбнулась:

— Мы не слишком увлекаемся подобного рода историями. Пойдемте, наверное, чай давно остыл.

Но мне совсем не хотелось покидать прекрасно оборудованное хранилище. Если говорить о картине, то только здесь.

— А там что? — ткнула я пальцем в другой шкаф.

— Тут везде старопечатные книги, — пояснила Дина, демонстрируя внутренности стеллажей.

— Господи, зачем ему столько! — кривлялась я.

Аркина терпеливо ответила:

— Это страсть. Вот вы говорили, будто собираете бронзовые фигурки...

— Да, кошечек, собачек, слоников, но они красивые, — возразила я, — и потом, все их видят! А у вас какие-то грязные книжки, да еще в самом укромном углу. Я бы не разрешила своему супругу держать дома подобную дрянь, пусть бы лучше машинки собирал или, на худой конец, марки с открытками, хотя, согласитесь, от них тоже не слишком много пользы...

— Вы любите пирожные с заварным кремом? — решила переменить тему Дина.

Но я лихорадочно бегала глазами по стенам, кругом лишь одни шкафы... Хотя, нет!

В простенке висело нечто, прикрытое полупрозрачными занавесками.

— А там что? — бесцеремонно спросила я и быстро дернула за свисающую сбоку веревочку. С легким шорохом занавески разъехались, и взгляду открылась картина, заключенная в стеклянный ящик, внутри которого виднелся термометр. Именно так в Лувре хранится Джоконда. Мы с Олегом после свадьбы отправились на пять дней в автобусную экскурсию по Европе. Было весьма утомительно трястись все время на колесах, а потом бегать толпой по музеям. Мне больше нравится изучать экспозицию в одиночестве. Но на индивидуальный тур средств не хватало, поэтому мы решили: лучше на автобусе, чем вообще никак. Кстати, всемирно известное произведение Леонардо да Винчи не произвело на меня никакого впечатления. Просто не слишком красивая женщина с ехидной ухмылкой. Напротив Моны Лизы в Лувре клубилась толпа, фотографировать было запрещено, но кое-где в толпе людей вспыхивали яркие огоньки, и тогда служители громко выкрикивали на разных языках:

— Дамы и господа, просим соблюдать правила.

Свет, падавший на стекло, бликовал, и Джоконду было плохо видно... Словом, я ушла, испытывая разнообразные чувства. От глубокого разочарования до жуткого комплекса неполноценности. Ну надо же, все в восторге, а мне запомнился лишь стеклянный ящик с термометром...

И вот теперь в подобной «упаковке» предстала иная картина. Помня уроки Лувра, я быстро отошла в сторону и взвизгнула:

— Ой! Я видела такую! Но где?

Дина недовольно задернула занавески.

— Эта вещь не представляет никакого интереса, просто муж очень любит эту церковь, вот и попросил сделать для него копию росписи... Естественно, в уменьшенном виде.

— О, — завизжала я, старательно демонстрируя экстаз. — Вспомнила! Конечно! Церковь! Италия! Мы были там когда-то и видели эту штуку! «Тайный вечер»! Какой-то знаменитый художник сделал! Со странным именем! Иначе, инчи, ванчи...

— Леонардо да Винчи, — не утерпела Дина.

Надо отметить, что у дамы были железные нервы, я бы давным-давно стукнула наглую посетительницу по башке, но Аркина лишь тщательно прятала ухмылку.

— Точно! — обрадовалась я. — Именно он. Небось жутко дорогая штука?

— Как раз нет, — быстро возразила хозяйка, —

это современная работа, копеечная. Однако чай уже потерял всякий аромат, пошли, пошли...

И она буквально вытолкала меня в коридор. Я просидела у Аркиной еще около часа, поедая страшно вкусные слоеные пирожки и варенье из инжира. Но всему приходит конец, к тому же мои ноги, обутые в страхолюдские сапожки на уродской шпильке, заболели немилосердно. Все время, пока мы путешествовали по нескончаемому дому, я ходила на цыпочках, боясь наступить на тонкий каблук, и теперь пальцы ног онемели, и у меня было ощущение, что у меня вместо ног хвост, как у Русалочки...

Дина довела гостью до двери, любезно распрощалась и сказала:

— Приедете еще раз, заходите в гости.

— Спасибо, дорогуша, — отозвалась я, потряхивая ярко-мелированной головой, — обязательно привезу вам в подарок сервиз «Мадонна». А то, право, странно, такой шикарный дом, а едите, как простонародье, на обычных тарелках.

— Спасибо, — рассмеялась хозяйка, распахнула дверь, выглянула наружу и, мигом ее захлопнув, крикнула: — Рената, немедленно подите сюда.

Женщина возникла, словно материализовавшееся из воздуха привидение, абсолютно беззвучно и мгновенно.

— Ну-ка, посмотрите на крыльцо, — раздраженным голосом велела хозяйка, — и ответьте мне, что это за безобразие!

Рената молча выскользнула за дверь и через секунду вернулась, держа двумя пальцами... мои ботинки. Я уставилась на них во все глаза. Ну надо же было свалять такого дурака! Сняв не слишком презентабельную обувку, я, вместо того чтобы положить в пакетик и прихватить с собой, оставила ее у двери.

— Наверное, бомжи бросили, — вздохнула Рената, — экая грязная мерзость.

Я мысленно возмутилась. Согласна, ботинки слегка запылились, но утром я их тщательно вычистила, и потом, они из натуральной кожи, мех, правда, искусственный...

— Вы в своем уме, Рената? — возмутилась Дина. — Зачем мне слушать рассказ о том, кто тут бросил эту гадость! Ваше дело вынести дрянь на помойку, а не делиться умозаключениями!

Вздохнув, горничная уволокла мою обувь куда-то в глубь коридора. Я безнадежно проводила ее взглядом. Дина сердито продолжила:

— Вот, все прелести проживания в центре налицо!

— Почему бы вам не переехать в охраняемый поселок? — поинтересовалась я, натягивая у зеркала идиотскую курточку из крашенной в красный цвет норки.

— Мой муж — урбанист[1], — со вздохом пояснила Дина...

Я вздернула брови.

— Сочувствую, дорогая. Но не отчаивайтесь, сейчас медицина ушла так далеко! Обратитесь к специалистам, вылечат!

Ковыляя на цыпочках по обледенелому двору, я кожей чувствовала волну веселья, исходящую от стоявшей в дверях хозяйки.

---

[1] Урбанист — человек, который любит жить только в городе, или, другое значение слова, художник, рисующий городские виды.

ГЛАВА 21

До метро я добралась, как ярмарочный танцор на ходулях. Кое-как, уцепившись за перила, сползла вниз и кинулась к первому попавшемуся ларьку, торговавшему обувью.

— Дайте вон те кроссовки, за триста рублей!

Продавщица прокатила во рту жвачку, оглядела мою выпендрежную курточку, узконосые баретки, черные брючки и сообщила:

— Дама, это Китай.

— Давайте, тридцать восьмой размер есть?

— Они из кожзама.

— Дайте померить!

Девчонка, обозленная моей непонятливостью, брякнула:

— Господи, да зачем вам это говно? Развалится через месяц! Лучше купите вон те «Хаш паппис», замша натуральная, фирма! И всего-то сто баксов.

Потеряв терпение, я рявкнула:

— Хватит спорить, живо вытаскивай китайские за три сотни!

Девица фыркнула и достала грязную, раздавленную коробку, украшенную иероглифами.

— Только имейте в виду, — бормотала она, выбивая чек, — назад не приму, потому как предупреждала, эта обувь — жуткая дрянь!

Я ткнула пальцем в стекло, где висело объявление «Гарантийный срок на всю обувь две недели».

— Еще как возьмете!

Продавщица покраснела и сдержалась. Не обращая внимания на ее хорошенькое, перекошенное от злости личико, я плюхнулась на стульчик, перед которым валялась картонка, скинула жутко модные сапожки и, застонав от удовольствия, засунула измученные ноги в дешевые, но замечательно удобные кроссовки.

— Вам плохо? — испугалась девчонка.

— Нет, — пробормотала я, чувствуя, как колет иголками несчастные онемевшие пальцы. — Мне, наоборот, слишком хорошо!

Домой я вползла совершенно разбитая, мечтая только о том, как сейчас окажусь в теплой ванне. День выдался суматошный, пообедать мне, слава богу, удалось слоеными пирожками у Дины, поэтому желудок сегодня не бунтовал, зато отказали ноги.

Войдя в прихожую, я горестно вздохнула: вешалка забита куртками, все в сборе и, скорее всего, вновь ругаются. Впрочем, наличие дома Парфеновой не удивляло. Часы показывали полвосьмого, а она работает до пяти. Стоит стрелкам подобраться к заветному часу, как знаток семейной жизни мигом захлопывает кабинет. Но отчего на крючке болтается верхняя одежда Олега и Юрки? Они-то как оказались дома в «детское» время?

Недоумевая, я влетела на кухню и увидела... пустой стол, в центре которого возвышалась кастрюля с абсолютно остывшей картошкой. Не понимая, что заставило всех бросить горячий ужин, я услышала громкие голоса из своей спальни и пошла на звук.

— Нет, — вопил Олег, лежавший на кровати, — все, что угодно, только не укол!

Филя, державший в руках шприц, ласково бубнил:

— И совсем не больно. Велели же диклофенак

колоть три дня, ну не капризничай, поворачивайся на живот!

— Нет! — отрезал Олег.

Ветеринар вздохнул и сел у его изголовья.

— Что случилось? — спросила я.

Муж повернул голову в мою сторону и грустно отметил:

— Пришла наконец! Одно непонятно, где ты все время шляешься?

— Радикулит у него приключился, — быстро пояснила Томуська. — Сильный приступ. Юрка Олега на себе с работы приволок.

— Не надо было сейф таскать, — вздохнула я.

— Да при чем тут это, — отмахнулся муженек, — просто окно в кабинете не заклеено, вот и надуло.

— Ну и что теперь делать? — спросила я, собираясь сесть на кровать.

— Ой, только не сюда, — вскрикнул Куприн, — лучше в кресло, а то тряханешь постель, живо умру!

Я хмыкнула.

— Врач велел колоть ему диклофенак, — пояснил Юрка, — вот, я привез ампулы, а Олег сопротивляется!

— Не люблю уколы, — сообщил муженек.

— Ой, какие мы нежные, — прошипела Лерка, ненавидящая всех мужиков, — подумаешь, диклофенак! Тебе бы магнезию или витаминчики попробовать, вот это настоящий кайф!

— Только уколы, — поинтересовалась я, — другое никак нельзя? Ну компрессы, растирания, горчичники...

— Никогда, — быстро откликнулся супруг, — просто полежу спокойно, само пройдет.

— Мануальная терапия поможет, — сообщила Тома, — Сеня за специалистом поехал.

Не успела она закрыть рот, как бодрый голос Сени произнес:

— А вот и мы.

Все повернулись к двери. В комнату решительным шагом вошла незнакомая женщина, нет, мужчина, нет, все же баба, потому что из-под длинной кофты виднелась черная юбка.

— Здравствуйте, — громким голосом возвестила о себе тетка.

В глазах Олега появился неприкрытый ужас. Впрочем, я хорошо понимала мужа. Мануальный терапевт выглядела устрашающе. Больше всего эта дама напоминала гениального спортсмена, а теперь еще и удачливого политика Александра Карелина. Рост у бабенки зашкаливал за метр восемьдесят, шея в объеме была как мои бедра, руки походили на огромные колбасные батоны, ноги — на колонны Большого театра. А личиком чудовище смахивало на ночной кошмар. Впрочем, мне не хватит красок, чтобы достойно описать мануального терапевта. Просто поверьте, Фредди Крюгер выглядит приятней.

— Знакомьтесь, — выпалил Сеня, — Валечка, лучший в Москве специалист, экстрасенс и хиропрактик.

— У меня уже ничего не болит, я сейчас встану, — зашевелился Олег, — надо же, разом прошло.

— Ну, — глубоким басом заявила Валечка, — рассмотрим, что у нас тут.

Она подошла к Олегу и рывком стянула одеяло.

— Поворачивайтесь.

— Не надо, — простонал муж.

Но Валечка совершенно спокойно, одной рукой, легко повернула Куприна и сообщила:

— Вижу поле для деятельности.

— Но, — начал Олег.

Мануальный терапевт со всего размаха стукнула ладонью по спине Куприна. Сначала послышался хруст, потом крик.

— Отлично, — констатировала дама, — позвонок встал на место, теперь начнем выгонять из мышц молочную кислоту.

— Что? — изумился Филя. — Первый раз про такое слышу! Сколько лет работаю, но об этом не знаю!

— Вы врач? — еще больше выкатила глаза Валечка.

— Ветеринар.

— А-а-а, — протянула она, — тогда ясно. Значит, слушайте все сюда. От чрезмерной нагрузки в мышцах скапливается молочная кислота, ее застой приводит к воспалениям, флебитам и радикулитам!

— Но флебит — это болезнь вен, к мышцам не имеет никакого отношения, — вновь не утерпел Филя.

Валечка крякнула:

— А вены где пролегают? В мышцах! И вообще мне недосуг заниматься тут анатомическим ликбезом. Сейчас могу при вас начать процедуру, сами все увидите!

— Не надо, — пискнул из подушки Олег, — это вам не цирк!

Валечка ласково пошлепала Куприна:

— Ну, ну, не пугайтесь, мы только продемонстрируем тот ужас, который скопился у вас в спине, а потом останемся вдвоем...

Муж молчал. Очевидно, перспектива оказаться с глазу на глаз с «Карелиным» испугала его больше, чем наше присутствие при манипуляциях.

Валечка вымыла руки, облачилась в огромный белый халат, шумно выдохнула, натрясла на спину Куприна детской присыпки, хекнула и схватила супруга за складку на талии с правого бока.

— О-о-о, — заорал Олег, — больно!!!

— А кто сказал, что будет приятно? — удивилась Валечка, вталкивая пальцы в мышцы моего мужа. — Выздоровление приходит через страдание! Ну-ка, гляньте сюда, фомы неверующие.

Я уставилась на ее тарелкообразные ладони. Между пальцами-сосисками творилось нечто невероятное. Там пузырилась, словно кипела, бело-желтая жидкость, вернее, пена.

— Щипет! — взвыл Олег. — Жутко, ужасно дерет! Нет мочи терпеть!

— Естественно, — спокойно отозвалась Валечка, — молочная кислота завсегда все разъедает, я поэтому в перчатках работаю, а то вместо пальцев кровавые раны будут. Прикинь теперь, мужик, как эта дрянь тебя изнутри ест! Ну, посмотрели, и хватит, ступайте отсюда, я сейчас точки разминать начну.

— Идите, — простонал Олег, — может, она и впрямь поможет.

— У меня мертвые бегать начинают, — обнадежила нас Валечка и вновь воткнула в несчастного Куприна пальцы.

Мы гуртом вышли на кухню.

— Где ты добыл это чудовище? — поинтересовалась Лерка.

Сеня хмыкнул:

— Мне посоветовал мой главный редактор, Жора Козлов. Эта дама его квартиру чистила.

— Она домработница? — изумилась я, слушая жуткие вопли, которые издавал мой несчастный муж.

Семен возмутился:

— Вечно ты, Вилка, глупости говоришь! Ну при чем тут поломойка!

— Так ты сам сказал, она квартиру чистила!

— Энергетически, от вампиров и черной ауры!

Я не нашлась, что сказать.

— И помогло? — поинтересовался Филя.

— Удивительный эффект, — оживился Семен, — стоило ей завершить процедуры, к Козлову повалила удача: теща уехала жить к себе домой, у жены прошла язва, у самого Жорки прекратился колит, дочка их из сумасшедшего, грубого ребенка превратилась в милейшее существо, а собачка родила щенков!

Я вздохнула. По мне, так Валентина тут ни при чем. Просто престарелая женщина, решив, что пришла пора обидеться на родственников, убралась восвояси. Расставшись с любимой мамой, все мигом перестали болеть, даже собачка, которую милая старушка скорее всего в отсутствие дочери и зятя лупила тряпкой...

— Может, и нам чистку квартиры предпринять? — с энтузиазмом поинтересовался Сеня.

— Ни в коем случае, — отозвалась Тома, — мне больше щенков не надо, их и так двенадцать!!!

— И потом, — быстро вставила я, — пока совершенно не изучено влияние экстрасенсов на беременных, вдруг Томуське станет плохо!

— Это верно, — согласился Сеня, — значит, отложим до лета.

— А где Аким? — удивилась я.

— К Лениниду в гости поехал, — ответил Филя.

Я не успела как следует изумиться, как раздался жуткий вопль, треск и громкий мат.

Отталкивая друг друга, мы кинулись в спальню. На полу, в развалинах кровати барахтался несчастный майор.

— Мебель у вас хлипкая, — недовольно заявила мануальный терапевт, — чуть поднажала, и, пожалуйте, матрас выпал.

— Ничего, — бодро ответил Сеня, — у нас раскладушек полно, не переживайте, Валечка.

— Даже и не думала, — пожала плечами монстриха, — пожалуй, я уже пойду.

Она обвела нас тяжелым взглядом, я невольно поежилась, когда ее глаза воткнулись прямо в мое лицо.

— Значит, так, — «утешила» дама, — сегодня ночью будет болеть, сильно, нужно потерпеть!

— А анальгин можно давать? — робко поинтересовалась Тома.

Валечка поморщилась:

— Не следует загружать организм таблетками.

— И диклофенак не колоть? — спросил Филя.

Мануальный терапевт поджала губы:

— Я же только что пояснила! Лекарства забивают чакры, идет сброс энергии внутрь организма, отсюда все заболевания. Кстати, у вас дома крайне неблагополучная обстановка, вон виден черный хвост.

— Где? — ошарашенно пробормотал Сеня. — У кого хвост?

— Из потолка свисает, — как ни в чем не бывало пояснила Валечка, — очень жирный и отрицательно заряженный.

Все уставились вверх.

— Ты что-нибудь видишь? — свистящим шепотом поинтересовалась Лерка у Сени.

Тот помотал головой:

— Ничего.

— Совершенно?

— Ага.

— Даже люстру?

— Люстру вижу, а хвост нет!

— Не старайтесь, — сказала Валечка, — такое видение под силу лишь опытному экстрасенсу. Но учтите, жгут следует отрезать, иначе он все соки из вас высосет. И еще...

Она странно задергала носом.

— Что? — спросила Томуська.

— Да так, — отмахнулась тетка, — значит, когда надумаете, позвоните.

— Сегодня нельзя хвост оторвать? — поинтересовался Сеня.

Мануальный терапевт с сомнением покачала головой:

— Дело долгое, канительное... Могу прийти завтра.

— С Олегом-то что будет? — спросила я.

Валечка опять выпучила глаза:

— К утру как рукой все снимет.

Она взяла у Сени конверт с деньгами и пошла в прихожую. Я проводила бабу до двери и заметила, как она опять, словно принюхивающаяся собака, задергала носом.

— Что вы все вынюхиваете? — обозлилась я, глядя, как Валечка, кряхтя от натуги, пытается нагнуться, чтобы застегнуть сапоги. Голову даю на отсечение, мануального терапевта тоже мучает радикулит. Наконец дама справилась с «молниями», с трудом разогнулась и брякнула:

— Смертью тут пахнет просто невыносимо! То

ли умер на днях ребенок, то ли вот-вот умрет. Скорее хвост отрубайте!

Перед моими глазами неожиданно возникла картина: бледное личико Кристины и прижатое к ее виску дуло пистолета.

— А ну убирайся на... — злобно прошипела я, — пошла прочь, сволочь!

— Смотри, — погрозила противным, толстым пальцем баба, — оскорблять станешь, помогать не буду!

Я пихнула ее в бок, но совершенно безрезультатно. С таким же успехом можно было толкать гору Эльбрус. Валечка гадко усмехнулась, потом плюнула на порог и удалилась.

Почти всю ночь Олег не спал, ворочался, стонал... Наконец около четырех утра я не выдержала, зажгла верхний свет и приказала:

— А ну ложись на живот.

Муж покорно повиновался. Я задрала его пижамную куртку и ахнула. Спина выглядела ужасно: вся покрыта жуткими кровоподтеками, а куски кожи, где отсутствовали синяки, были красными, словно обожженными.

— Боже! Тебе же жутко больно!

— Ничего, — кряхтел Олег, — когда в 88-м меня Колька Бетон подстрелил, хуже было!

Я перевела взгляд на шрам, до сих пор заметный на его плече, и скомандовала:

— Садись!

Муж приподнялся.

— Сейчас принесу баралгин.

— Не надо, доктор же сказала, нужно потерпеть, к утру пройдет.

Я глянула на часы.

— Во-первых, скоро рассвет, а во-вторых, отвечай честно, тебе лучше?

Олег горестно вздохнул:

— Нет, жжет ужасно и ноет... Пожалуйста, Вилка, я встану, а ты стряхни простыни, там крошек полно.

Кое-как, с трудом, он слез с кровати и сел в кресло. Я склонилась над софой и увидела на белье какие-то странные белые крупинки. Одни похожие на муку или соль, другие чуть крупнее, примерно как сахарный песок.

Не понимая, что бы это могло быть, я отнесла простыню в ванную, встряхнула ее над раковиной и тут же услышала легкое шипение. Я посмотрела в умывальник. На его дне пузырилась белая жидкость, как две капли воды похожая на «молочную кислоту».

Страшное подозрение закралось в мою голову. Я нашла на самом краю раковины несколько крупинок, поднесла к ним палец, а потом лизнула его... Так, сода. А крупные кусочки поразили меня кислым вкусом. Понятно, лимонная кислота. Значит, милейшая Валечка посыпала больную спину Олега не детской присыпкой. Нет, в симпатичной белой коробочке с надписью «Джонсон и Джонсон» лежала смесь питьевой соды и лимонной кислоты. Вот дрянь, то-то она натянула перчатки, не хотела повредить себе руки! Набросала на моего супруга то, что во всех кулинарных книгах именуется «порошком для выпечки», и принялась втирать его в несчастного. Как все крупные мужчины, Куприн легко потеет, а что происходит, когда «коктейль» из соды и кислоты вступает в контакт с жидкостью? Правильно, это знает любая женщина, хоть раз выпекавшая кекс, начинается бурная химическая реакция, для которой характерно шипение и выделение некоей пузырящейся субстанции. Вот только я никак не вспомню, хоть и имела в школе по химии твердую пятерку, что там в результате образуется? Ну да черт с ней, с химией, важно одно, нас обманули. Валечка самая настоящая мошенница.

Утром я спросила у Сени:

— И какой гонорар взяла элитная массажистка?

— Триста долларов, — ответил Семен.

Я хмыкнула и рассказала ему про свое открытие.

— Ну, Козлов, — вскипел приятель, — ну, сволочь, погоди.

— Говорил же, надо диклофенак колоть! — вмешался Филя.

Сеня треснул кулаком по столу:

— Убью дрянь!

Томочка погладила его по плечу:

— Ладно тебе, с каждым случается!

— Но не со мной, — злился Сеня, — меня не обманывают.

— Обманывают всех, — заявила я, — вопрос теперь в том, как поступить с Олегом!

— Врача искать, — отозвался Филя, — нормального невропатолога, диклофенак колоть, согревающие мази, пояс из собачьей шерсти еще хорошо.

— Ясно, — сказала я и пошла в спальню.

Измученный муж крепко спал. Юрка, убежав на работу, пообещал сказать начальству о болезни Олега. Я послушала тихое сопение супруга, взяла телефонную книжку и соединилась с Ритой Громовой.

Риточка — медсестра, работает в больнице и знакома с кучей разных специалистов.

Через десять минут все утряслось.

— Приезжай к полудню в клинику на Костинском валу, — тарахтела Ритка, — найдешь там Леонида Мартынова, скажешь, от Андрея Сергеевича Ревина, он тебе полную консультацию и выдаст.

— Так болит не у меня!

— Поняла уже, — крикнула Ритка, — не дура! Запомнила, к кому идти?

— Но зачем идти? Позвонить нельзя?

— Нет, — рявкнула Громова, — туда нельзя.

Я тяжело вздохнула и пошла собираться. Делать нечего, придется ехать к этому Мартынову, надеюсь, он настоящий специалист.

ГЛАВА 22

Клиника оказалась огромным неряшливым зданием, построенным, очевидно, в начале двадцатого века. В огромных, гулких коридорах гулял пронизывающий сквозняк. Внутри больницы было прохладней, чем на улице, и редкие больные, бродящие с безнадежным видом туда-сюда по выщербленной кафельной плитке, были одеты теплее, чем я.

Равнодушные женщины в белых халатах, встреченные на пути, отправляли меня каждый раз в другую сторону.

— Мартынов? Только что в рентгеновском кабинете видела, — бросила одна.

Но за тяжелой железной дверью другая тетка проблеяла:

— Леонид в процедурной.

Однако в помещении, где возле кушетки стоял

таз, до краев наполненный окровавленными бинтами и ватой, вертлявая девчонка недовольно гаркнула:

— Он в гипсовой.

Я побрела в указанном направлении, толкнула облупленную дверь с нужной табличкой, обозрела совершенно пустую кубатуру, потом заметила арку, очевидно, ведущую в другую, смежную комнату.

— Вы Мартынов?

— Да.

— Меня прислал Андрей Сергеевич Ревин!

Леонид засмеялся. Вспомнив, как путала фамилию Блюмен-Шнеерзона, я осторожно поинтересовалась:

— Неправильно назвала имя или отчество?

Мартынов вытащил «Золотую Яву».

— Нет, просто вы уже двадцатый человек, который является с этим паролем, но, ей-богу, я никогда не встречался с Ревиным, даже интересно стало, ну кто он такой?

— Значит, не поможете нам...

— Отчего же? Триста рублей за консультацию, добавите еще двести, и на дом приду.

— Прямо сейчас?

— Без проблем, поехали, — ответил Леонид, снимая халат.

Пока доктор осматривал Олега, я села в гостиной и начала терзать телефон. Слава богу, дома была только Томуся, и мне никто не мешал. Первый звонок я сделала Нине Пантелеймоновой на работу.

— Слушаю, — ответила Нинка, — архив древних актов.

— Нинок, скажи, зачем картину засовывают в стеклянный ящик с термометром?

— Какую? — уточнила подруга.

— Ну, «Джоконду», например!

— Во-первых, пуленепробиваемое стекло убережет от идиота, знаешь, что с «Данаей» подонок сделал? Облил кислотой, и привет — несколько лет реставрировали. Потом, я сильно подозреваю, что «Джоконду» хранят в специальном противопожарном боксе. Лувр весь сгорит, а она останется.

— Так стекло расплавится!

— Нет, это специальный состав. И еще, естественно, внутри, как ты выразилась, ящика созданы идеальные условия для полотна: постоянная температура, влажность...

— Дорого стоит оборудовать такой бокс?

— Страшные деньги, — вздохнула Нинка, — между прочим, в нашем архиве имеется парочка раритетов, которым такое хранилище пришлось бы очень кстати, но средств нет.

— Значит, копию картины не станут помещать в такие условия?

— Ну, — завела Нина, — случаются авторские повторения... Впрочем, точно не скажу. Бокс — страшно дорогое удовольствие, для наших музеев практически недоступное!

— Спасибо, Нинуша.

— Пока, — отозвалась Пантелеймонова и отсоединилась. В этом она вся. Звонит подруга, начинает невесть с чего расспрашивать про условия хранения «Джоконды»... Десять человек из десяти удивятся и поинтересуются: «Тебе это зачем?»

Десять спросят, а Нинок никогда, даст исчерпывающую информацию и рванет к своим летописям. Ее ничто, кроме древних текстов, не волнует!

Значит, у Дины Аркиной подлинник! Ее муж ни за что бы не стал хранить таким образом дубликат! Но и у супруга глупенькой Луизы тоже настоящий Леонардо!

Было от чего сойти с ума! Одно полотно-то точно фальшивое, только, похоже, я вытянула пустую фишку. И Конкин, и Аркин искренне уверены, что владеют подлинником... Значит, им не было никакой необходимости похищать Кристю, убивать Лену...

Уж не знаю, каким образом «синдикат великих художников» ухитрился обмануть ушлых бизнесменов, ясно одно: эти мужики ни сном ни духом и не подозревают о том, что случилось.

Я просидела над столом целый час, пока голову не посетила воистину гениальная мысль! Деньги! Значит, безумные миллионы, целых четыре, лежат по-прежнему в квартире несчастной Леночки Федуловой. Она после ареста Павла перезвонила Маше и успокоила ее: заначка осталась в доме, глупые менты ничего не нашли, хотя тайник находится на самом видном месте!

Недолго колеблясь, я побежала в прихожую. Надо еще раз обыскать дом Лены. Уж не знаю, почему похитители решили, что баксы украла я, не ясно и отчего они хотят только полмиллиона, но сейчас я разломаю в квартире все, чтобы найти доллары. И, если их обнаружу, отсчитаю полмиллиона и со спокойной душой отдам негодяям. В конце концов к Лене эти денежки пришли обманным путем, а Кристину могут убить.

— Ты куда? — спросила Тома.

Я осторожно заглянула в спальню. Олег спал, словно накричавшийся младенец.

— На работу.

— Так ведь каникулы, — удивилась она.

— Аня Красавина решила заниматься, — бодро соврала я, натягивая жуткие кроссовки, — вот, придется идти.

— Купила новую обувь? — поинтересовалась Томка. — Знаешь, скажу тебе честно, кожаные нравились мне больше.

— Мне тоже, — пробормотала я, путаясь в чересчур длинных шнурках.

— Так надень их!

— Ботинок нет.

— Куда делись?

— Я их потеряла!

Тамара удивилась:

— Полусапожки? Каким образом?

— Ну, пришла в гости, оставила в прихожей, а кто-то их увел.

— Нельзя узнать, кто? — продолжала недоумевать Тома. Я засунула концы шнурков внутрь кроссовок, выпрямилась и ответила:

— Нет, там была куча народу, человек сорок.

— Да? — недоверчиво протянула подруга.

Я шагнула за порог.

— Вилка!

— Ну?

— Доктор очень спешил, поэтому с тобой не попрощался. Вот, держи, велел купить.

Я сунула бумажку в карман куртки и, чувствуя, что подруга сейчас начнет задавать вопросы, не стала ждать лифта, а побежала вниз по лестнице.

В прошлый раз я проникла в квартиру Лены при помощи молодого человека, ловко вскрывшего дорогущие замки фирмы «Аблоу». Но уходя, мне пришлось прихватить с собой связку Лениных ключей, болтавшуюся на специальном крючочке у входа, дверь-то у Федуловых сама не захлопывается, ее нужно запирать снаружи! Конечно, ключи следовало отдать матери Лены, Марье Михайловне. Но старушку увезли в больницу с инфарктом, так что связка преспокойненько лежала сейчас на дне моей сумки. Собственно говоря, ключи пока никому не нужны. Лена умерла, Павел в тюрьме, Никита и Марья Михайловна в больницах. Куда положили пожилую художницу, я так и не узнала, а Кит до сих пор находится в реанимации.

Каждое утро я начинаю со звонка в детскую больницу, и каждый раз мне отвечают: «Состояние крайней тяжести, больной интубирован». Если перевести это на человеческий язык, значит, несчастному мальчику в горло засунута специальная трубка, он дышит при помощи аппарата, все еще находясь без сознания... Жизнь Никитки висит на волоске, но Лена уже никогда об этом не узнает, Павел ни о чем плохом не подозревает, боюсь, что и Марья Михайловна тоже не в курсе...

В квартире Федуловых стояла мертвая тишина. Впрочем, учитывая последние события, мне в голову пришло плохое сравнение. Вот странность, тишина, как правило, ассоциируется с кладбищем, люди обычно употребляют эпитеты: мертвая, замогильная, загробная, вечная...

Тяжело вздохнув, я вошла в гостиную и огляделась. В какой же из комнат на самом виду спрятана кубышка Али-Бабы? Опустив тяжелые гардины и тщательно проверив, чтобы сквозь них не проник наружу даже тоненький лучик света, я зажгла люстру и приступила к методичным поискам.

Около восьми вечера, переведя дух, я рухнула в большое кресло, стоящее в кабинете. Ничего. Пусто! Трудно назвать место, куда бы я не заглянула: шкафы, банки с крупами, полки с бельем... Выдвигала ящики из столов, искала тайники под подоконниками и столешницами, пыталась поднять сиденья у стульев и табуреток, ощупала диваны, кресла, перебрала все игрушки и книги... Пусто! Впрочем, сумма хранилась скорее всего в стодолларовых купюрах. Значит, пачек было много...

Тяжело дыша, я тупо ерзала в кресле. Опять попала пальцем в небо. А как надеялась найти здесь деньги! Но нет.

Внезапно в комнате раздался грубый мужской голос:

— Сдавайся, сука!

В первую секунду я чуть не умерла от ужаса, потом сразу поняла, в чем дело. Огромный телевизор, супермодный и навороченный, метра полтора в диаметре, такие называют «домашний кинотеатр», неожиданно замерцал голубым светом. По экрану несся зверского вида детина с невероятно правдоподобным револьвером в руке. Очевидно, в кресле валялся пульт, за который я случайно задела задом.

Огромный экран завораживал, но громкий звук мог привлечь внимание соседей. Порывшись под собой, я нашла крошечную черненькую коробочку, пару раз нажала на самую большую кнопку, но безрезультатно. Тогда я использовала клавишу, на которой были изображены плюс и минус. Звук пропал. Уже лучше, надо только сообразить, как выключить этого монстра. На панели телевизора не нашлось никаких кнопок, а на команды с пульта он не реагировал и не отключался. Я встала из кресла и принялась искать розетку, чтобы выдернуть штепсель, но шнур уходил прямо в стену, он был вделан в нее... Я снова потыкала в кнопку пульта. По экрану по-прежнему носился свирепый дядька. Очевидно, дистанционное управление сломалось. Я подошла к ящику и обнаружила сзади, там, где сквозь ребристую панель просвечивали огоньки, возле гнезда антенны крохотную черненькую пупочку, почти слившуюся по цвету с корпусом «Панасоника». Секунду я колебалась. Насколько знаю, включать и выключать «домашний кинотеатр», как правило, нужно самой большой кнопкой или клавишей, но у этого ничего подобного не наблюдалось.

Я ткнула пальцем в едва видную выпуклость. Раздался тихий щелчок, и произошла невероятная вещь. Телик распался на две части. Одна, оказавшаяся справа, была телевизором, экран мерцал, мужик носился теперь с ножом в руках. Но слева! Слева зиял огромный, пустой ящик... Вот он, тайник, тот самый, стоящий на видном месте.

Дрожа от возбуждения, я чуть не опрокинулась в «захоронку». Но там было пусто, только на самом дне сиротливо лежала тоненькая розовая резиночка, такими, как правило, перетягивают пачки денег! Я в растерянности повертела ее, похоже, это все, что осталось от огромного богатства.

Палец вновь нажал на пупочку, «домашний кинотеатр» собрался. Я плюхнулась в кресло и опять угодила на пульт. Экран вспыхнул и погас.

Да уж, хитро. Никому и в голову не придет, что внутри работающего прибора спрятаны деньги. Интересно, для чего его оборудовали? Хотя Павел вроде попался на хранении наркотиков.

— Как вы сюда попали? — раздался резкий голос.

Надо же, опять нажала на пульт! Я перевела глаза на темный экран, телевизор не работал.

— Сидеть, не двигаться, — продолжал голос.

Впрочем, последний глагол он мог не упоминать, от ужаса я просто окаменела и, даже если бы захотела, не смогла бы пошевелиться.

От двери, к которой я сидела спиной, послышались легкие шаги, и передо мной возник молодой парень в спортивном костюме. Мгновение мы смотрели друг на друга, потом одновременно воскликнули:

— Как вы сюда попали?

ГЛАВА 23

Павел опомнился первым.

— Виола, вы откуда?

— Павел! Вы же в тюрьме!

Он тяжело вздохнул:

— Сейчас уже нет.

— Вас отпустили?

Федулов замялся:

— Ну...

Я похолодела:

— Господи, вы сбежали!

— Ну, в общем...

— Как это вам удалось?!

— Сразу и не рассказать.

Я подскочила на кресле:

— Но какая глупость прийти домой! Первым делом станут искать здесь!

— Мне надо переодеться и взять деньги, — пояснил Павел.

— Их нет, — ответила я.

Следующий час мы провели, сидя в полной темноте. Я рассказала парню обо всех происшедших событиях. Я не видела, как он реагировал, только слышала его тяжелое дыхание.

— Но когда меня уводили, — наконец произнес он, — менты закончили обыск и ничего, кроме героина, не нашли. Доллары лежали в телевизоре...

— Вы знали о Леонардо?

Павел кивнул:

— Конечно.

— И о том, что Лена состоит в «синдикате гениальных живописцев»?

Паша вздохнул:

— Естественно.

— Но почему вы разрешили ей заниматься таким опасным делом? Неужели не хватало на жизнь того, что зарабатывали вы!

Он усмехнулся:

— Понимаете, Виола, я владею крохотной точкой на рынке, мармеладом торгую. Покупаю на фабрике две-три коробки по оптовой цене и продаю по розничной... Ну, скажите, откуда навар?

— Но вы всегда говорили...

Собеседник засмеялся:

— Ну не могли же мы открыто заявить про картины! А так ни у кого вопросов не возникало. Я — бизнесмен, а Ленка дурью мается, бумагу пачкает, чтобы дома со скуки не помереть. Ясно? Только все зарабатывала она, у меня никак не получалось. Едва голову поднял, бац, дефолт!

— Но куда делись деньги?

Павел пожал плечами:

— Я бы сам хотел это знать!

— Их унес тот, кто убил Лену!

Павел с сомнением сказал:

— Тяжело бы ему пришлось, несколько миллионов много весят, они даже все в телевизор не влезли, пятьсот тысяч пришлось в другом, не столь укромном месте прятать.

— В каком?

Павел молчал.

— Да говорите же, — обозлилась я, — небось их тоже нет.

— Пошли, — велел Федулов и включил свет.

Хозяин прошел в кладовку и, ткнув пальцем в пространство между шкафами, сообщил:

— Тут стоял чемоданчик, в нем под тряпками лежали...

— Такой симпатичный, из крокодиловой кожи, запертый на золотой замочек?

Паша кивнул.

— Я отнесла его Марье Михайловне...

— Зачем? — изумился мужик.

— Она попросила, сказала, будто там вещи Никиты...

Федулов в задумчивости кусал губы.

— Мать Лены знала о деньгах? — тихо спросила я.

— Нет, конечно, — ответил парень, — она тоже думала, будто это я финансовый столп семьи. Марья Михайловна, честно говоря, меня терпеть не может, считает, будто я искалечил Ленке жизнь, заставив ее так рано родить... Если бы она догадалась, на какие средства мы существуем, мигом бы начала нас ссорить.

— По-моему, вы на нее возводите напраслину, Марья Михайловна очень хорошо к вам относится, всегда так уважительно отзывается. Между прочим, когда вас посадили, она жутко переживала, собиралась передачу отнести...

— Что же ей помешало? — жестко поинтересовался Павел.

— Так ведь у нее инфаркт!

Тихо насвистывая, хозяин пошвырял в дорожную сумку кое-какие вещи и протянул мне ключи, незаметно перейдя на «ты». Я восприняла это как должное.

— На.

— Что это.

— От тещиной квартиры, езжай туда, забери баксы и отдай за Кристину.

— Но...

Павел глянул на меня тяжелым взглядом.

— Недосуг мне тут с тобой болтать, доллары эти никому радости не принесли, пусть хоть ребенка спасут. Искренне надеюсь, что они там, хотя...

— Что?

— Съезди и посмотри, а мне пора.

— Куда ты теперь? — поинтересовалась я.

— На дно, — ответил Павел, — спрячусь временно, а там подумаю.

— Есть где жить?

— Пока нет.

Я вздохнула:

— Тогда пошли.

— Куда?

— К нам.

— Смеешься, что ли? Да у тебя мужик мент!

— Откуда ты знаешь? — удивилась я.

— Я похож на идиота? Пустил в дом к своему

ребенку учительницу и ничего не узнал о ней? Нет уж, я собрал о тебе справочки.

— Тогда поехали к Алке Барсуковой, она спрячет.

Павел недоверчиво посмотрел на меня:

— Почему?

— Потому, что я попрошу.

— Денег много возьмет?

— Ни копейки, давай, шевелись, самое надежное место, там тебя никто никогда искать не станет.

Мы поймали такси.

— Воропаевская улица, — велела я.

— Эта Алка дома?

— Дома.

— Точно?

— Сто процентов.

— Одного не пойму, — сказал через пару минут Павел, — отчего ты не в ментовку побежала, а стала мне помогать.

Я хмыкнула:

— У меня папашка — бывший вор, правда, теперь, как говорят, «твердо стал на путь исправления», много раз судился и срок мотал. Так что я — дочурка блатного, как же своему не помочь!

Павел ухмыльнулся:

— Ври больше, нет, скажи, почему?

— Не похож ты на наркобарона, уж извини, и потом, ты всегда такой приветливый был со мной, куртку подавал... И еще Никитку дико жаль, Лена умерла, отец в тюрьме... Ну не знаю почему, отвяжись, бога ради! Муж у меня и впрямь майор. Очень хорошо от него знаю, какие порядки в СИЗО. Вот только дам тебе совет. Как в себя чуть придешь, иди к нему на Петровку и все расскажи. Я тебе гарантирую: он честный, умный, он во всем разберется.

— Никогда наркотой я не баловался, — тихо ответил Павел, — прямо обалдел, когда менты в квартиру ворвались и «герыч» под матрасом нашли, в моей спальне, целых двести граммов.

— Может, Лена приторговывала?

— Да ты чего? — возмутился Федулов. — Зачем ей! Знаешь, сколько она в месяц сшибала! Нет, его кто-то подложил, но кто?

Я промолчала, в голову пришла одна мысль, но озвучивать ее при вдовце не следует. Вдруг у Леночки имелся любовник, решивший таким образом избавиться от законного муженька?

Возле квартиры Барсуковой я велела Павлу:

— Ничему не удивляйся, — и позвонила.

Послышался бодрый перестук, дверь распахнулась, и показалась Алла, стоящая на костылях, пустая штанина была пришпилена к поясу английской булавкой.

— Вилка! — завопила Барсукова. — Почему не предупредила, я бы ногу прицепила! Эй, Катька, Анька, готовьте чай, Ванька, беги на проспект за тортом, Женька, разгреби на кухне.

Мы сняли куртки. По коридору туда-сюда засновали дети с пакетами, кульками и банками.

— Ну вы раздевайтесь, мойте руки, — радовалась Алка, — сейчас я вернусь.

Ловко опираясь на костыли, она исчезла в глубине квартиры.

— Сколько тут детей! — ошарашенно сказал Павел.

— Только пять, — ответила я, — правда, еще три

собаки, кошка да дико зловредный попугай, может здорово в макушку клюнуть, если придешься не ко двору.

— С ногой-то у нее что?

— Рак костей.

Павел поперхнулся.

— Рак?! Сколько же ей лет?

— Тридцать восемь. Да не переживай, ногу ей ампутировали давно, еще в детстве, Алке лет десять было. Сказали, полгода кряхтеть осталось. Только надо Барсукову знать, она докторам фигу показала и живет себе великолепно, детей нарожала.

— Она замужем? — мужик никак не мог прийти в себя.

— Сейчас нет.

— А была?

— Ага, четыре раза.

— Ну чего стоите, как дурак на именинах, — заорала Барсукова, — топайте сюда.

Мы вошли в просторную кухню, и я приказала:

— Так, слушайте меня! Это Павел, но его здесь нет и никогда не было, я никого не приводила.

— Отлично, — сказала Алка, — не было и не надо. Пусть угловую комнату занимает.

— Так там же Лешка живет?!

— Уже нет, — хихикнула десятилетняя Катька, — она его выгнала.

— За что?

— Он ей сказал, что Женька слишком много ботинок рвет, — наябедничал девятилетний Ванька.

— А Алка взяла его чемодан, — заржала одиннадцатилетняя Аня, — и в лестничный пролет спихнула. Шуму было! Словно бомба разорвалась. А Лешка как скажет!!!

— Эко диво! — ухмыльнулась я. — Могли и привыкнуть, что мать запросто всех сгрызет, кто вас, дурачков, обидит!

— Чисто гиена, — вздохнул Женька, — Лешка-то ничего был.

— Другой найдется, — отмахнулась Алка.

После чая я довела Павла до просторной угловой комнаты и пояснила:

— Белье в шкафу, устраивайся.

— Слышь, — очумело спросил парень, — а где она работает? Детей столько, ремонт отличный...

Я засмеялась:

— Угадай.

— Ну, — почесал в затылке «мармеладник», — торгует.

— Точно, только чем?

— Водкой?

Я решила больше не терзать мужика.

— Алка пишет любовные романы под псевдонимом Нора Бейтс.

— Погоди, погоди, — забормотал Паша, — Ленка их читала пачками... Нет, ты врешь! Нора Бейтс — англичанка! Я одну книжонку смотрел, там на обороте было написано!

Я захихикала:

— Ага, самая настоящая англичанка, цирк да и только!

— И за эти книжонки много платят? — не успокаивался Пашка.

— С каждого томика Барсукова получает около рубля...

— Фу!

— Так у нее тиражи по триста тысяч, умножь триста тысяч на рубль, сколько получишь? И потом учти, она пишет по книге в месяц и издает так же, усек?

— Во дела! — протянул парень. — Неужели столько за такую ерунду дают!

— А ты сам попробуй, — развеселилась я, — впрочем, подойди к любому лотку да пересчитай, сколько авторов в продаже, двадцать, ну тридцать, ладно, пятьдесят! На всю Россию с ее многомиллионным населением. А тех, кто способен писать сериями, и вовсе единицы! Ладно, давай, устраивайся!

Я пошла к двери, потом обернулась:

— Только знаешь что...

— Ну?

— Завтра утром, когда выйдешь на кухню, первым делом скажи: «Здравствуй, Алка, я — Павел, меня Вилка велела спрятать». А то Барсукова за ночь тебя из головы выбросит, а дети убегут кто куда, каникулы ведь, напомнить некому будет.

— Ага, — кивнул Павел, — ну чисто сумасшедший дом.

Я вздохнула:

— Да уж, у Барсуковой даже шумнее, чем у нас.

У метро подпрыгивала вусмерть замерзшая бабулька с красной коробочкой в руках. Я заинтересовалась и спросила:

— Это что у вас?

— Домик для тараканов, — шмурыгнула носом озябшая бабушка.

Я уставилась на упаковку.

— С мебелью?

— Чего? — обозлилась бабка.

— Домик с мебелью?

— Иди давай отсюда, — просипела торгашка, — без тебя тошно, шутница фигова.

— Я совершенно серьезно, — ответила я, — просто интересно стало, зачем тараканам дом? Чтобы по всей кухне не ползали, а в одном месте жили, да?

Бабушка недоверчиво покосилась на меня и стала пояснять:

— Там, внутри, лежит приманка вкусная. Один сожрет и к другим поползет, а дрянь эта заразная, вот все и перемрут. Неужели рекламу никогда по телевизору не видела: «Рейд» убивает тараканов наповал»?

— Конечно, видела, — обрадовалась я. — Только сама коробка мне не попадалась на глаза.

— А ты купи, — предложила бабка, — отлично действует. Бери, бери, не сомневайся, тебе будет хорошо, и я домой побегу.

— Сколько стоит?

— Сто рублей.

— Дороговато!

— Ладно, девяносто пять, — уступила бабуся.

Я еще раз посмотрела на красную коробочку. Вчера ночью на кухне видела рыжего гостя, правда, одного, но где гарантия, что это не был отец большого семейства, вышедший на добычу пропитания для беременной жены и бесчисленных деток?

— Давайте.

Бабушка выхватила из моих пальцев деньги, сунула мне «домик», ледяную монету и опрометью бросилась в метро, очевидно, ее ждало любимое кресло у телевизора. Тяжело вздохнув, я двинулась за ней следом. Моим домашним тапочкам предстоит еще долго скучать в прихожей, надо поискать в квартире у Марьи Михайловны чемоданчик с деньгами.

Дверь открылась легко, я вошла в квартиру, ожидая увидеть дикий беспорядок. Хорошо помню, что тут творилось в тот день, когда напали на бедного Кита: разбросанные вещи, валяющиеся во всех углах посуда, осколки, обрывки...

Но сегодня здесь оказалось на диво убрано. Ковер в гостиной, где лежал без сознания мальчик, был тщательно вычищен, все предметы стояли на своих местах, только тонкий слой пыли на мебели свидетельствовал без слов: хозяйки давно нет. Значит, Марья Михайловна успела привести жилье в порядок... Однако она проявила завидную оперативность.

Чемоданчик я увидела сразу. Он стоял в комнате Никиты, абсолютно пустой. На всякий случай я ощупала дно. Но, естественно, ничего не нашла. Рубашки, брючки и белье мальчика спокойно лежали аккуратными стопками на полках. Я сгребла вещи, запихнула в саквояж и потрясла его в руке. Так, похоже, именно столько и весила поклажа, когда я несла ее к Марье Михайловне... Полмиллиона долларов довольно тяжелая ноша... Впрочем, я ведь не изучала содержимое чемодана. Вполне вероятно, что деньги там и были... Но что-то подсказывало: нет, в саквояже лежали только тряпки... Впрочем, это можно проверить.

Недолго думая, я набрала телефон Катьки Гвоздиной, раздались редкие гудки. Все понятно, вечер на дворе, Катюшка давным-давно в театре. На этот случай у нас имеется мобильный.

— Ну, — прошипела Гвоздина, — кто там?

— Слышь, Катюха, у вас в спектакле «Мой любимый киллер» выносят на сцену чемодан с долларами, они настоящие?

— Ты, Вилка, совсем сдурела, — захихикала Катерина, — ну кто же такие сумасшедшие деньги даст?

— Нет, ты не поняла. Там, внутри, лежат пачки, имитирующие деньги, или просто наклеено на фанеру несколько бумажек, ну чтобы создавать эффект для зрительного зала?

— Нет, там «куклы», — пояснила Катерина, — если помнишь, по ходу действия я вынимаю их и швыряю в бандитов!

— Если я сейчас приду, дашь посмотреть на реквизит?

— Зачем?

— Ну мы хотим с детьми в школе пьесу ставить...

— Давай, — велела Гвоздина, — двигай.

Еле-еле передвигая ноги от усталости, я добралась до подвала, где устроился театр, в котором работает Катерина. Если не знать, что там раньше был общественный туалет, запросто поверишь в то, что помещение всегда служило «очагом культуры».

Гвоздина сидела у гримировального столика, стирая с лица косметику.

— Разве спектакль уже закончился? — удивилась я.

— Меня в первом акте убили, — радостно пояснила Катька, — финита ля комедиа, можно домой бежать. Вот за что «Федру» ненавижу! В первом акте на пять минут появляюсь, потом в третьем, в самом конце, прикинь, до чего неудобно.

— Показывай чемодан! — прервала я ее стоны.

Если Катьку не остановить, до утра прожалуется.

— В реквизитной лежит, — ответила подруга, и

мы с ней пошли по нескончаемым коридорам, проползли за сценой, потом полезли через какие-то железки.

— Эй, Костик, — заорала Катька, распахивая дверь в темную, пахнущую пылью и краской комнату, — слышь, Константин!

— Не глухой, — донеслось из темноты, и появился парень в халате, перемазанном чем-то белым.

В руках он держал человеческую голову, выполненную столь натурально, что я вздрогнула.

— Помни! — возвестил Костя и положил голову на стол.

— Что? — оторопела Катерина. — О чем помнить-то?

Константин вытер ладони тряпкой.

— Ты, Гвоздина, абсолютно безграмотная личность, — сообщил он, — историки утверждают, что Карл I, когда ему отрубали голову, сказал на плахе: «Помни!»

— Кому и зачем? — удивилась Катька.

Костя зашвырнул тряпку в угол.

— Сие неведомо, не успели поинтересоваться, потому как палач опустил топор. Тюк, и нет Карлуши.

— Ну тебя на фиг, — возмутилась Гвоздина, — лучше покажи чемоданчик с баксами, ну тот, из «Киллера».

— Да вот он, — кивнул головой Костя. — Любуйся.

— Нет уж, принеси, нам тяжело!

Через пару секунд, глянув в чемодан, забитый пачками, я спросила:

— Можно одну вынуть?

— Пожалуйста.

Я внимательно осмотрела «куклу». Сверху и снизу стодолларовые бумажки, между ними зеленая нарезанная бумага.

— Здорово сделано!

— Из зала ни за что не отличить, — веселился Костя. — На ксероксе «доллары» отпечатали, а пачки и по виду, и по весу как настоящие.

— Сколько тут? — тихо спросила я.

— Миллион.

— Можно половину выгрузить?

— Валяй.

Облегчив чемоданчик, я закрыла его и взяла в руку. Да, ничего не понять, вроде весит как тот с вещами, нет, все-таки тот должен быть тяжелей — ведь в саквояже еще лежали шмотки...

— Да что тебе надо, в конце концов? — разозлилась Катька.

— Вот, пробую, насколько тяжело, боюсь, дети не поднимут миллион, — как ни в чем не бывало сообщила я.

— Дети и деньги несовместимы, — философски заключил Костя.

Я вздохнула, вообще-то правильная мысль, но с тех пор, как в нашей стране начали продавать младенцев, она потеряла свой смысл.

ГЛАВА 24

Утром Олег кряхтя слез с кровати.

— Ты куда? — пробормотала я, поглубже зарываясь в подушку.

— Спи, — ответил муж, — на работу.

Я села.

— А спина?

— Ноет немного. Ты купила мне лекарство?

— Забыла!

— Ладно, не беда, — миролюбиво ответил супруг, — список не потеряла?

— В кармане лежит.

— Вот и хорошо, — бубнил Куприн, натягивая брюки, — сегодня зайди в аптеку.

Он поднял мою сумочку, но вверх ногами. Защелка раскрылась. Содержимое высыпалось на ковер. Расческа, пудреница, проездной на метро, кошелек, конфетка «Минтон», носовой платок...

— А это что? — поинтересовался Куприн, поднимая красную плоскую коробочку.

— Ловушка «Рейд».

— Ловушка «Рейд»? — с удивлением переспросил муж.

— Ну да, — ответила я, отчаянно зевая и поглядывая на будильник.

Семь утра! Все-таки безжалостно заставлять людей подниматься в подобную рань, да еще в ноябре, когда за окном непроглядная темнота. Олег продолжал вертеть «Рейд». Видя, что он никак не поймет, в чем дело, я пояснила:

— Ну неужели ты никогда не слышал рекламу по телику: «Рейд» убивает тараканов наповал»?

— «Рейд», — повторил муж, — «Рейд»... тараканы... «Рейд»...

Внезапно он побагровел, в один прыжок преодолел пространство от двери до кровати, схватил меня за плечи и начал трясти, словно пакет с кефиром.

— Слушай внимательно, слушай меня очень внимательно!!!

— Ты чего? — лязгая зубами, поинтересовалась я. — С ума сошел?

— С тобой и впрямь последний ум потеряешь, — рявкнул Куприн и отпустил меня.

От неожиданности я рухнула в подушки, муж навис надо мной и зашипел:

— Имей в виду, тебе запрещено выходить из дома! Поняла?

На всякий случай я кивнула, с сумасшедшими лучше не спорить.

— Сидеть смирно, никуда не ходить! — злился супруг.

— В туалет можно? — осведомилась я. — Или конвой вызовешь?

Куприн покраснел так, что я перепугалась, как бы его инсульт не хватил. Но муж огромным усилием воли справился с эмоциями и четко приказал:

— По квартире передвигаться разрешено.

Я обрадовалась, слава богу, приступ безумия прошел.

— Но на улицу ни-ни, — погрозил он пальцем, — если узнаю, что выходила, — убью лично!

С этой фразой он развернулся и вылетел вон. Я подобрала красную коробочку. Интересно, отчего Олег так взбесился, услыхав про «Рейд», убивающий тараканов наповал? Или все дело в радикулите?

Дома не было никого, даже Томочки. Я спокойно заварила чай, полюбовалась на подросших Дюшкиных щенков, погладила кошку и села, задумчиво глядя в окно.

Так, теперь, по крайней мере, стало понятно, отчего эти подонки решили, что деньги сперла я.

Откуда-то они узнали, что полмиллиона хранятся в кожаном чемоданчике, и увидели, как я иду с ним по улице. Да уж, положение хуже некуда! И что теперь делать?

В полном отчаянии я позвонила в детскую больницу и приготовилась услышать привычную фразу: «Федулов без изменений», но высокий женский голос неожиданно произнес:

— Пришел в сознание!

— Еду! — закричала я и понеслась в прихожую.

По дороге я тормозила у всех лотков и в результате притащила в больницу туго набитые пакеты. Дежурный врач, молодой, очень серьезный, пожал плечами, глядя на горы винограда, яблок, киви, бананов и манго:

— Ничего этого нельзя.

— Совсем-совсем? — расстроилась я. — Никиточка больше всего на свете любит фрукты!

Доктор покачал головой и ткнул пальцем в клюквенный морс:

— Вот этого чуть-чуть, полстакана.

Я побежала в палату, держа перед собой бумажный пакет.

Конечно, я ожидала, что Никита выглядит не лучшим образом, но совершенно не представляла, что он так плох!

Сначала мне показалось, что на огромной кровати никого нет. Просто легкое одеяло, под которое со всех сторон уходили всякие трубочки, но потом глаза различили на подушке, плоской как блин и, очевидно, жесткой и неудобной, маленькое желтоватое личико, похожее и по размеру и по цвету на недозрелый апельсин.

— Никиточка, — осторожно прошептала я, приближаясь, — Кит!

Верхние веки его слегка дрогнули, показалась тоненькая блестящая полосочка. Бескровные губы зашевелились. Я наклонилась к подушке.

— Ма... ма... ма...

— Это я, Вилка.

— Ба... буш... ба...

— С ней все хорошо, — поспешила я успокоить мальчика, — хочешь пить?

Кит молчал.

— Если да, то закрой оба глаза, если нет, то только один!

Блестящая полосочка исчезла.

Я взяла поильник с длинным носиком и поднесла ко рту Никитки, но красная жидкость не хотела вливаться, она вытекла на пододеяльник. У бедного ребенка не было сил глотать.

— Кит, ты видел, кто на тебя напал?

Веки тихонько приподнялись и опустились.

— Да?

Движение повторилось.

— Кто это? Мужчина?

Никита лежал неподвижно.

— Женщина?

Нет ответа.

— Почему ты впустил этого человека?

— Ба... — прошептал мальчик, — ба...

— Бабушка здорова, она скоро к тебе придет.

Никитка как-то странно дернулся, и один из аппаратов, стоящих у его изголовья, противно запищал. Тут же вошла молодая женщина в белом халате. Глянув на экран, она велела:

— Покиньте палату.

Я вышла в коридор и пошла в ординаторскую. Доктор что-то писал в толстой пухлой тетради.

— Вы его мать?

— Нет, учительница.

— Странно, однако, — протянул врач.

— Что?

— Ребенок в таком состоянии, а родственников нет.

— Его мать убили, а у бабушки инфаркт!

— Да? — недоверчиво протянул мужчина. — Кто же тогда каждый день сюда названивает? Вот странно. Вроде трезвонят, волнуются, а в больницу ни ногой.

— Извините, это я вас беспокоила, думала, раз он без сознания, то присутствовать не надо...

— Да ваш голос я узнал, — отмахнулся парень, — нет, еще одна звонит, пожилая...

— Марья Михайловна! — обрадовалась я. — Это его бабушка! Пожалуйста, очень вас прошу, узнайте у нее, в какой больнице она лежит, и обязательно скажите, что Никита видел нападавшего, это очень важно! Пусть сообщит в милицию.

— Хорошо, — коротко бросил собеседник, — вас-то как величать?

— Виола.

Врач усмехнулся:

— Ну а я Дима, Дмитрий Мельников.

— Никита выздоровеет?

— Надеюсь, хотя в случае черепно-мозговых травм делать прогнозы трудно.

— Чем его так?

— Пулей, — пояснил Дима, — одну в грудь всадили, другую в голову, контрольный выстрел. Только повезло парнишке, жив остался. Редкий случай. Пакетики не забудьте.

— Какие?

— А с фруктами.

Я посмотрела на бананы, киви, виноград и манго.

— У вас ведь, наверное, лежат дети, к которым не приходят?

— В двенадцатой, Витя Назаров из детдома.

— Отдайте ему.

— Сами отнесите.

Я оттащила в двенадцатую палату лакомства, вручила их худенькому, просто прозрачному мальчику, тихо перелистывающему книжку, и поехала домой.

У выхода из метро стоит большой стеклянный павильон, украшенный отчего-то зеленым крестом. Никто не может мне объяснить, почему крест именно зеленый? По мне, так он должен быть красным. Москвичи издавна привыкли: красный крест — врачи для людей, синий — для животных. Но зеленый для кого? Для инопланетян, что ли?

Я вошла внутрь и приобрела все лекарства по списку: реопирин, вольтарен, метиндол, диклофенак... Последний, правда, оказался в свечах, но я решила, что без разницы! Важно, чтобы лекарство попало внутрь больного, а уж каким путем это произойдет, не все ли равно. Главное — эффект.

Дома я вывалила коробочки на тумбочку возле кровати Олега и от нечего делать принялась разбирать шкаф. У Куприна есть омерзительная привычка заталкивать вещи на полки, комкая их и сминая. И вообще, он жуткий лентяй. Брюки никогда не вешает, рубашки тоже, просто швыряет их на дно шкафа, туда, где хранятся ботинки, а потом начинает орать: «У меня нет чистых рубашек!»

Все-таки мужчины отвратительные существа, шумные, прожорливые, крикливые, обидчивые, болезненные, неаккуратные... Просто обреченный на вымирание вид, готовый скончаться от голода перед холодильником, забитым под завязку едой. Не знаю, как в других семьях, а в нашей и Сеня, и Олег ни за что сами не вынут из рефрижератора кастрюльки, мотивируя свое нежелание очень просто:

— Их же подогревать надо.

Недовольно бурча, я наводила на полках порядок, но чем больше появлялось в шкафу аккуратных стопок, тем меньше мыслей оставалось в моей голове. Если признаться честно, я просто не понимала, как поступить дальше...

Внезапно руки вытащили вконец измятую толстовку, и я дико обозлилась. Нет, Олег все-таки свин! Сначала набезобразничал в своем отделении, а когда понял, что больше туда ничего не впихнуть, начал хозяйничать в моем. И вот результат! Любимая толстовка, очень уютная, легкая и теплая, измята до невозможности, а ведь гладить ее нельзя!

Кипя от негодования, я встряхнула ее, послышался стук. На полу темнел выпавший из кармана кошелек. Я уставилась на портмоне. Это не мое. Мой лежит в сумочке: красивый бумажник, черный с золотой застежкой, подарок Томуськи к дню рождения. А этот из крокодиловой кожи. Черт побери! Это же бумажник Лены Федуловой! Кошелечек валялся у нее в спальне, я вертела его в руках и машинально сунула в карман толстовки. Ой, как нехорошо, надеюсь, там немного денег.

Сев на диван, я открыла элегантную вещицу. Так, триста долларов, две тысячи рублей, куча монет в специальном отделении на «молнии», чек из магазина «Свет», рекламная листовка химчистки, куча дисконтных карт, а это что?

Я вытащила из одного отделения небольшую фотографию, сделанную «Полароидом».

Смеющаяся Леночка в синей кожаной курточке обнимает за плечи худенькую даму в розовом пальто с воротником из «шанхайского барса». Женщины выглядели счастливыми и совершенно беззаботными. Но мой взгляд был прикован не к их радостным, безмятежным лицам. Рядом с Леночкой, чуть поодаль, но все же вместе, стоял красивый светловолосый парень с картинно-правильным лицом манекена. Мне никогда не нравились писаные красавцы, и среди моих приятелей нет мужчин, способных демонстрировать костюмы... Но этого парня я узнала мгновенно.

Неожиданно мои руки оледенели, а спина вспотела. Я внимательно вгляделась в ярмарочно-яркую фотографию.

Монте-Кристо! Парень, который требовал у меня полмиллиона долларов, подонок, укравший Кристину, негодяй, сволочь, мразь и ублюдок! Значит, Лена его все же знала!

Сшибая на пути стулья, я схватилась за телефон.

— Да, — пропела Барсукова.

— Алка, позови Павла.

— Кого? — удивилась приятельница. — Не понимаю, о чем ты, извини, я работаю.

Я вздохнула: когда Барсукова находится в процессе ваяния очередной порции розовых соплей, обращаться с ней следует, как с умственно отсталым младенцем.

— Аллочка, пойди в ту комнату, где жил Лешка, и позови к телефону мужчину.

— Какого?

— Любого, которого там найдешь.

— Сейчас, — охотно согласилась неконфликтная писательница.

Послышался шорох, потом стук, затем какие-то странные звуки.

— Алло, — сказал парень.

— Павел...

— Извините, я Миша.

— Кто?!

— Михаил.

— Какой?

— Пряжников.

— А где Павел? — изумилась я. — И откуда взялись вы?

— Приехал сегодня из Питера, в восемь утра, — ошарашенно ответил мужик.

— Зачем?

— В командировку, я всегда у Алки останавливаюсь.

Да уж, у Барсуковой не дом, а гостиница, но куда делся Павел?

— Кроме вас, кто еще есть в квартире?

— Алла.

— А еще?

— Женя и Аня.

— Позовите кого-нибудь из них.

— Да, — пропищала Анька.

— Слышь, Анюта, вчера я к вам привела дядьку, Павла.

— Это про которого никому рассказывать нельзя? — проорала девчонка.

— Именно. А теперь ответь, где он?

— Так ушел.

— Куда?

— Не знаю.

— Когда?

— Утром, — затараторила Аня, — в жуткую рань. Только шесть пробило. Я пописать пошла, а он куртку в прихожей надевает.

— Ничего не сказал?

— Сказал.

— Что? Говори быстрей, — разозлилась я.

— Ну, прощайте, спасибо за гостеприимство.

— И все?

— А что еще надо?

Я шмякнула трубку. Действительно, что еще! В доме у Барсуковой все психи. Пришел, ушел, лег спать, поел... Да Алка и не заметила присутствия Павла, ее вообще ничего, кроме ее дурацких книжек, не волнует, а дети привыкли к череде бесконечных гостей. Значит, ушел, смылся...

В полной тоске я взяла с письменного стола лупу и принялась разглядывать снимок. Он был сделан на улице перед входом в какое-то заведение, за спиной женщин виднелись буквы — большая С, потом ничего не видно за головой Лены, затем ОН, небольшой промежуток, слог МИ, физиономия дамы и конец слова ИКО. Так, с...он — это явно салон, а Ми...ико — его название. Маленькая, но все же зацепочка.

Я взяла справочник «Желтые страницы» и принялась его с упоением читать. Удача пришла ко мне на 274-й странице. Салон «Митико»! Улица Пряникова, девятнадцать. Все виды парикмахерских работ плюс сауна, кафе и массаж!

В очередной раз радуясь, что человек изобрел телефон, я набрала номер салона.

— Салон «Митико», — пропел бесполый то ли высокий мужской, то ли низкий женский голос. — Слушаю вас внимательно.

— Дорогуша, — капризно пробормотала я, — Танечка сегодня когда свободна?

— Вам Татьяну, какую?

— Не понимаю, дружочек.

— Орлову или Баркову?

— Ну ангел мой, не думаете ли вы, что я на самом деле знаю фамилии ваших служащих? — кривлялась я.

— Извините, она мастер или маникюрша?

Небось отполировать когти стоит дешевле, чем постричься. К тому же соседка Катьки Гвоздиной вдохновенно создала на моей голове мелированное безобразие, ухитрившись состричь прядки почти под корень, так что теперь их остается только побрить!

— Маникюрша.

— В четыре часа вас устроит?

— Прекрасно, детка, ровно в шестнадцать я прибуду. Кстати, я у вас никогда не пользовалась ни массажем, ни сауной, ни солярием.

— Милости просим, — оживился невидимый собеседник, — ждем, у нас лучшие специалисты, есть мануальный терапевт...

Я хихикнула, вспоминая Валечку, и прощебетала:

— А как цены? Радуют?

— Все для вас!

— Ну а сколько стоит массаж?

— Сто долларов час.

— Да, — протянула я, — ничего, это мне по карману, но, раз массажист такой дешевый, отчего на маникюр жуткие цены?

— Разве тридцать долларов много?

— Ну, по сравнению с массажем, впрочем, ладно, просто я очень, очень не люблю бросать заработанные денежки на ветер, вы меня понимаете?

— Конечно, конечно, ждем в 16.00.

— Ждите, — милостиво разрешила я. — Приду.

— Ваша фамилия, пожалуйста.

— Зачем?

— Записать вас.

— Лучших клиентов следует знать в лицо!

— Обязательно узнаю, как только придете, — пообещал администратор или администраторша.

ГЛАВА 25

Всю дорогу я гадала, мужчина или женщина отвечает в «Митико» на звонки. Но увиденное существо не развеяло мое недоумение. От пояса вниз оно выглядело по-мужски: узкие бедра были упакованы в обтягивающие кожаные штаны, на ширинке которых всеми цветами радуги переливались пуговицы, сделанные то ли из хрусталя, то ли из стекла. Насколько я понимаю, ни одной женщине не придет в голову притягивать к себе взгляды таким образом, скорее уж она обтянет грудь тесной кофточкой. Чем гордимся, то и подчеркиваем. Да и ботинки, казалось, принадлежат представителю сильного пола — огромные, тупорылые, на невероятной подошве, толщиной примерно сантиметров десять. Зато от пояса вверх «нечто» походило на женщину: яркий бирюзовый свитер с люрексом, длинные, волнистые каштановые волосы, собранные в кокетливый хвостик. Ярко накрашенные глаза и крохотная бриллиантовая точка в одном ухе.

Усевшись за столик, я вытянула перед улыбающейся Танечкой руки. Маникюрша глянула на мои ногти, но, даже если и подумала что-то нехорошее, вслух с самой милой гримаской произнесла:

— Ну и какой маникюр будем делать?

— Он бывает разный?

— Конечно. Французский, классический, нагелпирсинг, татунагел...

Ага, «нагел» по-немецки ногти. Значит, вденут колечко или разукрасят ноготь татуировкой. Но это, пожалуй, не для меня... И вообще, опытная Танюша, окинув посетительницу оценивающим взглядом, тут же, естественно, поняла, что я не являюсь завсегдатаем модных салонов и бутиков, поэтому не стану ничего из себя изображать.

— Понимаете, — тихо сказала я, — вообще-то я редко занимаюсь собой!

— Это зря, — ответила Танюша, вытаскивая пилочки.

— Работаю учительницей, все недосуг.

— Зачем же вы к нам пришли? Тут жутко дорого! У меня мама в школе работает, знаю, какая у вас зарплата. Давайте сделаем так. Скажите на выходе Саше...

— Кому?

— Ну Сашеньке, администратору, что у вас на руке дикая аллергия, и я посоветовала прийти через неделю...

— И что?

— А я вам дам телефончик своей подружки, она в обычной парикмахерской сидит и за сто рублей вам такие ногти сделает!

— Прямо как вы?

— Даже лучше, — усмехнулась Таня, — здесь цену задирают из-за того, что все клиенты богатенькие, такие ни за что не пойдут туда, где простые люди обслуживаются. И что вас сюда привело?

Я достала из сумочки фотографию и показала Танюше.

— Мать одного из учеников посоветовала, вот она.

Таня посмотрела на снимок.

— А, я ее знаю, она раз в две недели ходит к Светке голову поправлять.

— Маникюр не делает?

— У Наталии Львовны обслуживается, — сухо ответила Таня.

— Вот рядом с Леной женщина, ее вы тоже видели?

Девушка поморгала круглыми, совершенно совиными глазами:

— Вроде встречала где-то. А вам зачем?

Я вздохнула:

— Эта дама предложила мне заниматься частным образом со своими детьми, посулила большие деньги, целых пятьдесят долларов за час, а я, дура старая, потеряла ее визитку, вот только фото и есть. Честно говоря, я надеялась, что она ваша постоянная клиентка...

Танюша спрятала инструменты.

— Полсотни баксов отличный заработок, моей маме больше ста рублей за урок никто не платит!

Я вздохнула:

— Вот поэтому и я приехала сюда, а маникюр так, для отвода глаз.

— Где же я ее видела? — бормотала Таня. — Определенно, я знаю эту тетку... Вот что, посидите.

Схватив снимок, она исчезла за матовой дверью с табличкой, на которой золотом горели слова: «Только для обслуживающего персонала».

От скуки я принялась разглядывать зал. Огромное помещение с множеством окон было слишком ярко освещено. Парикмахерши, все как на подбор молоденькие девочки с невероятными, экстремальными стрижками, двигались вокруг клиенток, словно танцуя. Инструменты у них крепились на поясе, в специальных ячейках. Впрочем, посетительниц было немного, я насчитала только трех. Из угла доносились звуки тихой музыки, пахло хорошими сигаретами и французской парфюмерией.

Дверца хлопнула, вернулась Танюша. Ни слова мне не говоря, она подошла к тощенькой черноволосой девчонке с бритым затылком и показала ей фото. Мастерица сдула со лба несуразно длинную челку и замахала руками.

— Точно, — воскликнула маникюрша, — то-то она мне все время знакомой казалась!

Быстрым шагом Танечка подошла к столику, вернула мне снимок и сообщила:

— Это не клиентка, а врач.

— Врач? — удивилась я.

— Ну да, — кивнула Танюша, — причем очень хороший, из санэпидемстанции. Нас приходит проверять. Но, надо сказать, Мартина Андреевна очень квалифицированный специалист. Посоветовала нам какие-то таблетки пить для профилактики гриппа, не поверите, все кругом в соплях путались, а мы как майские розы.

— Телефон ее можно узнать?

— Элементарно, — засмеялась Танечка и снова ушла.

Когда она минут через пять, вернувшись, сунула мне бумажку, я с чувством произнесла:

— Спасибо, огромное спасибо.

— Не за что, может, и моей маме когда-нибудь повезет такого богатого клиента найти.

— Сомневаюсь, однако, — пробормотала я, засовывая бумажку в сумку. — Небось она соврала мне, ну откуда у врача такие деньжищи?

Танюша вздохнула:

— Не переживайте, у Мартины Андреевны баксов как у меня волос.

— Да? — недоверчиво переспросила я.

— Ну посудите сами, — зашептала Танюша, — врач-то она не обычный, а санитарный... Небось не только в наш салон приходит.

— И что?

— Господи! Ну, к примеру, вот в этой комнате десять кресел для клиентов, а по санитарным нормам положено восемь. Значит, либо еще один зал надо открывать, либо два посадочных места убрать. Опять же, в сауне нет специального покрытия, у педикюрши подается не горячая вода, а теплая, у девчонок слишком яркие лампы, а у Надьки Сомовой бородавки на пальцах, заразная, между прочим, штука! Устранить все неполадки просто невозможно. Надо будет закрываться, и то всего не переделаешь. А Мартина глаза на это закрывает, ну ее поэтому тут бесплатно стригут, красят, делают массаж и, естественно, вручают конвертик. Понятно теперь?

— Более чем, — обрадованно сообщила я и поехала домой.

Пожалуй, не стоит больше шляться по городу. На санэпидемстанции давным-давно закончился рабочий день, доберусь до милейшей Мартины Андреевны завтра.

По странному стечению обстоятельств дома никого не оказалось. Тихо радуясь несказанной удаче, я приняла ванну, спокойно поужинала и легла в кровать.

Когда глаза уже закрылись, в голове молнией мелькнула мысль: а ведь некоторые женщины так живут всегда, тихо, заботясь только о себе. Мне же с восемнадцати лет приходится тащить на своих плечах груз материальных забот. Жизнь твердо вдолбила в мои мозги правило: сама не сделаешь, никто не поможет. И отчего только дамы, не имеющие семьи, чувствуют себя ущербными? Я бы расчудесным образом жила одна, но судьба выкинула иную фишку. Мысли стали путаться, и я мирно заснула, свернувшись клубочком под одеялом.

— Вилка, немедленно вставай, — гаркнул кто-то над ухом.

Я подскочила от неожиданности, плохо понимая, что происходит. В углу спальни у зеркала стоял голый Олег. Освещенный слабым светом ночника, муж пробормотал:

— Умираю.

Так, волноваться нечего, с ним опять приключился приступ радикулита.

— Сильно болит? — пробормотала я, нашаривая тапки. — Сейчас анальгин принесу, ложись спокойно.

— Не приближайся ко мне, — прошипел супруг, предостерегающе вытягивая вперед руки, — ни в коем случае.

— Почему?

— У меня проказа!

— Не городи чушь, — обозлилась я, зажгла верхний свет и заорала от ужаса.

Все тело Куприна покрывали непонятного происхождения синеватые прыщи.

— Что это?

— Говорю же, проказа, — прошептал Олег.

— Где ты ее взял?

— Неделю назад бомжа допрашивал, — так же шепотом ответил муж, — такого страшного, лицо как у льва, складки на лбу, щеках, язвы кругом... Свидетель убийства, да и сам преступник.

— И что?

— Отправили его в следственный изолятор, а оттуда в панике доктор звонит, мало того, что у парня букет заразных болячек, так еще он болен проказой. Уникальный случай, один на миллион, «лицо льва», оказывается, первый признак болезни.

Я забилась под одеяло. Проказа! Жуткая болезнь, косившая в Средние века население Европы почище чумы. Одно утешение, от бубонной или легочной чумы умрешь мигом, дней через пять после контакта с носителем вируса, а от проказы сразу не скончаешься, долгие годы проживешь, правда, в милом местечке под названием лепрозорий, как в тюрьме, без права выхода во внешний мир. В древности больные проказой обязаны были предупреждать о своем появлении за десять шагов, для этого у них имелся специальный колокольчик. Нынче лепра, так называется по-научному проказа, практически не встречается, редкие больные находятся на государственном обеспечении. Впрочем, лечить их, как и в прежние века, не умеют. Применяют, естественно, какие-то лекарства, но толку чуть.

— Филя, — заорала я, чувствуя, как к горлу подкатывает горячий ком, — Филя, сюда скорей!

Послышался бодрый топот, и первой в спальню ворвалась Лерка. За ней влетели Томуська, Сеня, Юра, Ленинид и Дюшка со щенком в зубах. Ну вот, пожалуйста, опять они все тут ночуют. Лерка окинула взглядом голого Куприна и усмехнулась.

— Вам никто не говорил, что ваша квартира похожа на психиатрическую клинику, причем на отделение для буйных, такое, со стегаными стенками!

Ну, Парфенова, погоди, когда в следующий раз поругаешься с мужем и свекровью, я отправлю тебя жить к Барсуковой! Но сейчас, ей-богу, мне недосуг выяснять отношения с бабой.

— О господи, — закричала Тома, — что с тобой, Олежек?

— Говорит, проказа, — сообщила я.

Лерка взвизгнула и вжалась в угол. Юрка всплеснул руками:

— Бомж!

— Ага, — кивнул Олег, — он самый.

— Спокойствие, — провозгласил Филя, — только спокойствие, был контакт?

— Да.

— Тесный?

— Что ты имеешь в виду?

— Ну обнимал носителя, целовал, вступал с ним в половые отношения?

— Со свидетелем убийства, — взревел муж, — с жутким бомжом?!!

Юрка захихикал:

— А чего, он всегда со всеми задерживаемыми сношается.

— Может, это сифилис, раз такие привычки, — прогудела из угла Лерка и уставилась во все глаза на Олега.

Мне не понравился ее хищный взгляд, и я кинула Олегу пижамные брюки.

— Оденься.

— Давно это было? — вопрошал Филя. — Ну когда с бомжом дело имели?

— На той неделе, — ответил Олег.

— Ну, — засмеялся ветеринар, — у проказы инкубационный период то ли двадцать, то ли двадцать пять лет, точно не помню. Маловероятно, что у тебя лепра, скорей чесотка. Ты с ним ручкался?

— Ага, — ответил муж, — ручку давал, протокол подписывать.

Ветеринар задумчиво бормотал:

— Опять же не похоже. Отчего по всему телу, нет, ребята, надо врача звать.

— И санобработку пригласить, — зудела Лерка, — он сегодня на кухню входил, в ванную, туалетом пользовался, мне, например, совсем не хочется пятнами покрываться.

— Заткнись, — велел Сеня.

— Вот у нас на зоне мастырщик был, — завел Ленинид, — симулянт то есть. Неохота ему работать, сожрет упаковку анальгина разом, и готово, точь-в-точь такими прыщами идет, докторица каждый раз пугалась.

— Ну-ка, — спросил Филя, — что у тебя на тумбочке за лекарства? Может, и впрямь аллергия.

Быстрым шагом он подошел к кровати.

— Так, вольтарен, реопирин, метиндол, диклофенак в свечах... Что пил?

— Как прописали, — ответил Олег, — по две таблетки три раза в день, правда, не получилось, я только вечером принял.

— Какое?

— Что какое?

— Лекарство какое: вольтарен, реопирин или метиндол?

— Все! — оповестил муж.

Филя прикусил нижнюю губу, потом потряс коробочкой, где лежали свечи с диклофенаком.

— И это тоже съел? Одной не хватает!

— Нет, — обозлился Олег, — я их в задницу себе засунул! Конечно, съел, жутко противно, просто отвратительно, касторка нектаром покажется, кто только для больных людей такое выпускает! Меня чуть не стошнило, до сих пор во рту вкус жира!!!

Я зарылась лицом в подушку и затряслась от

смеха. Бедный, бедный, никогда до сих пор ничем не болевший майор не знал, что следует делать со свечами.

— Вот тут ты оказался не прав, — сдавленным голосом прошептал Филя, — во-первых, свечи не жрут, а, как бы тебе ни казалось странным, на самом деле засовывают в задницу, принимают, так сказать, не орально, а анально. Во-вторых, метиндол, реопирин и вольтарен — это разные названия одного и того же лекарства. Ты просто слопал огромную дозу и получил соответствующую кожную реакцию.

— Но, — начал заикаться Олег, — но все эти коробочки лежали у кровати! Вилка! Это все ты виновата!

Я выглянула из подушек:

— Доктор, между прочим, написал названия лекарств на бумаге.

— Наверное, — вмешалась Тома, — наверное, он просто думал, если не будет одного, ты купишь другое!

Я растерянно смотрела на пятнистого мужа. А что, даже красиво, словно леопард.

— Ну и дура ты, Вилка, — отмерла Лерка, — и Олег хорош: проказа, проказа... Ну какого черта всех разбудили?

— Что теперь делать? — спросил Сеня.

Филя перечислил препараты:

— Диазолин, супрастин, кларитин... Впрочем, нет, опять все разом слопает. Есть дома антигистаминные препараты?

— От глистов, что ли? — спросил папашка.

— У нас гутталакс, цитрамон и теперь еще вот эти, от радикулита, — удрученно сказала я, — только при чем тут глисты?

— Ладно, — крякнул Филя, — завтра утром сам куплю. Ты, Олежка, ложись, это не смертельно.

Юра захихикал:

— Слышь, Куприн, свечка-то вкусная была?

— Сам попробуй, — буркнул Олег, ныряя под одеяло, — можешь хоть все слопать.

ГЛАВА 26

Санэпидемстанция располагалась в здании, напоминавшем школу. Трехэтажное, из красного кирпича, с большими, просторными коридорами, высокими потолками и огромными окнами. Мартина Андреевна пришла к десяти. Я, сидевшая у ее кабинета с девяти утра, изображала самое сладкое выражение на лице и тут же взяла быка за рога.

— Дорогая Мартина Андреевна, мне посоветовала к вам обратиться Лена Федулова.

— Несчастная Леночка, — грустно сказала дама, — слушаю вас внимательно, в чем проблема.

Минут пять я рассказывала о желании открыть кафе на территории, подведомственной Мартине, потом выслушала кучу абсолютно бесполезных советов, достала кошелек.

— Нет-нет, — замахала руками дама, — для Леночкиных подружек консультации абсолютно бесплатно. Когда откроетесь, тогда посмотрим...

— Большое спасибо, — ответила я, — вы давно были знакомы с Леной?

— Всю жизнь, — вздохнула Мартина, — с момента рождения.

— Да ну?

— Я живу в соседней квартире с Марьей Михайловной, — пояснила врач, — дружила еще с покойной Люсей.

— Это кто? — удивилась я.

— Люсенька — мать Лены, — пояснила Мартина.

— А Марья Михайловна тогда кто? — изумилась я. — Бабушка Никиты, я всегда считала, что она мать Леночки?

Доктор вздохнула:

— Нет. Марья Михайловна сестра Людмилы, старшая. Милочка родила Лену очень рано, только-только школу окончила. Марья Михайловна очень расстраивалась, что сестра осталась без высшего образования. Мила удивительно рисовала, они все в этой семье художницы, дар передается, очевидно, по женской линии. Никиточка очень приятный ребенок, но богом не отмечен. Хотя, если учесть, кто у него отец!

Доктор поджала губы, потом продолжила:

— Ну, а когда Люсенька скончалась, Марья Михайловна стала воспитывать племянницу. Она никогда не скрывала от Лены правду, все свои знали, что Марья Михайловна на самом деле ее тетя. Но Леночка звала ее мамочкой и очень любила, слушалась во всем, один только раз наперекор пошла, когда замуж за этого торгаша выскочила! С Марьей Михайловной просто припадок случился, когда она правду узнала! Хотите чаю?

Я кивнула.

— Бедная, бедная Леночка, — вздыхала врач, — я с самого начала чувствовала, что этот брак плохо завершится!

— Но они казались такой счастливой парой!

Мартина всплеснула руками:

— Господь с вами! Леночку убили из-за того, что муженек занялся торговлей наркотиками! Героин! Вроде прятал дома огромную партию, чуть ли не двадцать кило, милиция не нашла, хоть обыск делала, а братки явились к Лене! Ну, а дальше неизвестно, то ли она, дурочка, не отдавала порошок, то ли и впрямь не знала, где муженек-подонок отраву хранил! Ужас! Марья Михайловна как чувствовала, хоть и не материнское сердце, а вещун... Как она убивалась, когда Лена замуж выходила!

— Надо же, — пробормотала я, — мы с Леночкой были очень близки в последний год, мне всегда казалось, что теща обожает зятя. Знаете, она всегда так уважительно о нем говорила: «Павлик бизнесмен, Павлик носит Лену на руках, Павлик великолепный отец».

— А что ей оставалось! — всплеснула руками собеседница.

— Ну выгнала бы его!

— Так они же отдельно жили!

— Ведь не сразу, несколько лет у Марьи Михайловны кантовались. Мне еще Леночка рассказывала, что обижалась на мать, та сидит целыми днями дома, а потребовала, чтобы няньку наняли, лень было к Никите подойти.

— Какая чушь! — возмутилась Мартина. — Да, Марья Михайловна сидит, как вы выразились, дома, но она пишет картины. Ее работы продаются, и несколько лет, до того, как Павел начал зарабатывать, они жили на средства, которые добывала теща. Естественно, она не могла заниматься младенцем. Да если хотите знать, Марья Михайловна умнейшая, тактичная дама. Знаете, что она мне накануне свадьбы Леночки сказала?

— Нет, откуда.

— Так слушайте.

Мартина уже спала, когда в дверь осторожно позвонили. Она привыкла к тому, что соседи, занедужив, частенько бегут к ней за советом, конечно, она давно работает на санэпидемстанции, но за плечами медицинский институт и пара лет на «Скорой помощи». Так что померить давление, посоветовать лекарство от поноса и даже перебинтовать несерьезную рану Мартина вполне может. Не глядя в глазок, она распахнула дверь и увидела Марью Михайловну.

— Вы заболели? Давление опять скачет? — спросила врач, увидав красные глаза соседки.

Но дама покачала головой.

— Можно у тебя посижу минут десять?

Тут Мартина увидела, что Марья Михайловна просто плачет.

— Господи, — перепугалась доктор, — да что стряслось?

— В общем, ничего особенного, Лена замуж собралась.

— Но ей же только пятнадцать! — оторопела Мартина.

— Через месяц шестнадцать стукнет.

— Ну, ерунда, зачем вы так расстроились! В этом возрасте они все себя Джульеттами мнят, — засмеялась врач. — Пройдет!

— Она беременна.

— Немедленно заставьте ее сделать аборт! — возмутилась Мартина. — У меня есть гинеколог знакомый, все шито-крыто провернем. Хотите, я с девочкой поговорю, объясню, что беременность в столь юном возрасте наносит вред организму матери и ребенка...

— Уже семь месяцев, — тихо вымолвила соседка.

— Да вы что, — ахнула Мартина, — как же так!

— Не заметила, — каялась Марья Михайловна, — вижу, потолстела она чуть, так решила, что слишком много сладкого ест. Голые мы дома не ходим... Чуть не скончалась, когда узнала.

— Ну дела, — качала головой врач, — а кто отец?

— Ужас, — вздохнула Марья Михайловна, — просто катастрофа. Жутко неотесанный парень, грубый, ничего не читал в своей жизни, кроме программы телевидения, родители — алкоголики... И как только он в художественную школу попал! Одним словом, могло быть хуже, да некуда. И он будет жить тут!

— Ну его в армию возьмут небось, а Леночка за два года передумает.

Марья Михайловна покачала головой:

— Во-первых, ребенок все равно родится, помешать этому событию уже нельзя, а потом...

Она замолчала.

— Не пускайте их к себе жить, — возмутилась Мартина, — представляете, что начнется? Парень этот, возможно, тоже пить затеет... Хотя в армию возьмут.

— Да никуда его не заберут! — в сердцах воскликнула соседка. — Другие жуткие деньги платят, чтобы избавиться от службы, в институты рвутся, абы куда, лишь бы с военной кафедрой, а этому повезло!

— В чем?

— Мать-алкоголичка, — пожала плечами Марья Михайловна, — вот и родила урода, пальцев у него нет на левой ступне, признали негодным...

— Что же Леночка в нем нашла?

— Не знаю...

— Все равно к себе не пускайте, — советовала Мартина, — раз такие взрослые, пусть у алкоголички поживут, может, тогда Лена поймет...

— Понимаешь, — вздохнула Марья Михайловна, — я не могу с ней конфликтовать.

— Почему?

— Так квартира ее.

— Но вы же здесь всю жизнь живете? — изумилась Мартина.

— Нет, — покачала головой Марья Михайловна, — ты, Тиночка, в этом доме с рождения, ну-ка вспомни, когда ты меня первый раз увидела, ну?

Мартина задумалась.

— Вы шли с Людмилой, у нее был огромный живот, она меня увидела и говорит: «Знакомься, Тинуша, это моя сестра, старшая...»

— Вот-вот, — сказала Марья Михайловна, — у нас мать одна, а отцы разные, но мы все равно дружили, поэтому, когда Мила забеременела, я к ним с мамой переехала, чтобы помочь, думала, ненадолго, а вот как вышло! Милочка умерла, а я с Леной осталась, опекунство оформила, только прописаться мне не разрешили.

— Почему?

— В семидесятые годы, — пояснила художница, — людям не разрешали прописываться на площадь к тем, кого они опекают, чтобы не было махинаций с квартирами. А жилищные условия у нас с Людмилой, мягко говоря, оказались разными. У меня десять метров в коммуналке, а у младшей сестры четырехкомнатная квартира у метро...

— Что же потом не прописались?

— Да как-то недосуг было, — вытирала глаза Марья Михайловна, — забыла совсем, да, видно, зря. Вчера-то мы поспорили, вот Леночка и заявила: «Ты мне не указ, не нравится с Павлом жить — уезжай! Это моя квартира».

— Какая мерзавка, — вскипела Мартина, — вы ее растили, кормили, поили.. Вот она, благодарность!

— От детей вообще благодарности ждать не следует, — усмехнулась соседка, — только идти мне некуда. В десятиметровке работать невозможно...

Нет, придется с молодыми контакт искать. Только тяжело, горько и обидно...

Она замолчала и вытащила из кармана платок. Мартина не знала, что сказать.

— А дальше что? — тихо спросила я.

— Ничего, — пожала плечами Мартина. — Павел переехал к Лене, потом Никитка родился. У нас квартиры соседние, стены в блочных домах сами знаете какие, кашель и то слышно, только у них всегда тихо было. Марья Михайловна молодец, наступила себе на горло и стала жить вместе с наглым мальчишкой. И ведь она их кормила, поила, а потом Павел разбогател, и Федуловы съехали, Марья Михайловна одна осталась. Зря Лена на мать злилась! Не та родная, что на свет родила, а та, что вырастила! Леночка всегда присмотренная была, а Никиту бабушка любила, на субботу, воскресенье всегда забирала, ну чего еще от старухи хотеть? У меня, например, ни мать, ни свекровь никогда детей к себе не брали... Ну разве что раз в году приглашали на свой день рождения, да и то замечаниями замучают: на этот стул не садись, по обоям руками не води, чашки не бери, туалетом не пользуйся... Господи, страшно-то как! Ну зачем она за этого негодяя замуж вышла? Почему не познакомилась с работящим нормальным парнем?

Вопрос повис в воздухе без ответа. Я расстегнула сумочку, вытащила снимок и спросила:

— Вам, наверное, захочется иметь это фото.

— У меня есть точь-в-точь такое, — ответила Мартина, — я еще страшно переживала. Нас Нелли сфотографировала за неделю до Леночкиной гибели. Представляете, прихожу по работе в салон «Митико», а там Лена укладку делает. Нелличка и предложила: «Давайте, я вас сниму на память у входа». А как у вас это фото оказалось?

— Лена дала мне книгу почитать, — быстро сказала я, — оно внутри лежало, а сейчас я увидела вас и все думала: где встречались, где мы встречались... Кто это, Нелли?

— Королева, Нелли Королева, самый модный модельер этого года, а говорите, что дружили с Леной, они же с Нелличкой неразлучны были!

— Ах, Нелли, — протянула я, — надо же, совсем ее не узнала в этом дурацком пальто.

— Да уж, одевается она, прямо скажем, странно... Только в розовом свингере, как вы выразились, дурацком пальто, стою я, Нелли нас снимала, ее на фото нет.

Я глупо захихикала и попыталась выкрутиться из идиотского положения:

— Я не вас имела в виду, я не узнала парня в дурацком прикиде!

Мой палец уперся в Монте-Кристо. Мартина пожала плечами:

— По-моему, совершенно обычное пальто, чем оно вам не понравилось?

— Одежда и впрямь ни при чем, больно у мужика морда противная! Кто он такой? Никогда его не видела у Лены.

— На мой взгляд, очень даже ничего, — протянула врач, — красавчик хоть куда, впрочем, я его тоже не знаю, мне показалось, что он не с Леной был.

— А с кем?

— С Нелли. Вокруг нее вечно всякие кавалеры крутятся, она пользуется успехом, хоть и не красавица. Ну да это и понятно. Мужики любят богатых баб, а у Королевой кошелек просто лопается. Сами небось знаете, сколько денег за платье берет. И ведь никому скидки не делает. Я один раз, в июне, перед днем рождения наведалась к ней, думала, по знакомству скосит немного. Как бы не так! Ни копеечки не уступила! Она, наверное, и с Леночки бешеные деньги брала, хоть и подругой считалась. Неприятная дама, алчная, расчетливая, неприветливая...

У метро я купила телефонную карточку и пошла искать автомат. Естественно, все не работали. Наверное, Томуська права, нужно купить мобильный, вон радио каждый день рекламирует какой-то дешевый вариант.

Наконец один из таксофонов отозвался гудком. Я набрала номер Гвоздиной и заорала:

— Катька!

— Вилка, — со вздохом произнесла подруга, — ты мне жутко надоела! Чего еще тебе надо??? Между прочим, отвечай, знаешь, что поцарапала на моих сапогах каблук?

— Замажь фломастером!

— С ума сошла, да? Обувь за пятьсот долларов мазюкать дрянью.

— Ну извини, уж и не знаю, как это вышло.

— Да и черт с ними, — сказала легкомысленная Катюшка, — узкий носок ушел в прошлое, теперь носят квадратный, так что я сапожки больше носить не буду!

— Тебе имя Нелли Королева что-нибудь говорит?

— Конечно! Жутко модная портниха, которая называет себя модельером. У нее весь бомонд одевается: писатели, артисты, жена Роговского...

— Кого?

— Ну этого, депутата Думы, который все кричит: «Ограбили народ, суки, верните деньги пенсионерам, а заводы рабочим!»

— Лысый такой, носатый?

— Точно!

— А он тут при чем?

— Совершенно ни при чем!

— Зачем же ты его вспомнила?

— К слову пришлось.

— Дай адрес.

— Откуда же мне его знать? — удивилась Гвоздина. — И потом, зачем тебе Роговский?

— Он мне не нужен.

— Ты же адрес просишь!

— Да не его!

— Чей тогда?

— Нелли Королевой, — терпеливо растолковывала я, — ну где ее салон расположен?

— На проспекте Мира, второй дом слева от метро, — затарахтела Катька. — Ты туда не ходи.

— Почему?

— Во-первых, как цены увидишь, тут же замертво упадешь, это не для простых людей, там из наших только Алка Барсукова может себе позволить прикид приобрести, а во-вторых, вход строго по записи...

— Барсукова здесь при чем, она же всегда везде в джинсах шляется!

— Не скажи, — захихикала Катька, — тут ее намедни по телику показывали. Прикинь, сидит Барсукова в этаком наряде, фиолетовом, ни в сказке сказать, ни пером описать... Ну поговорили они с корреспонденткой о литературе, Алка, кстати, молчит, что под англичанку косит... Ее спрашивают: «Вы что пишете?» А Барсукова глазки вниз и скромненько отвечает: «Да так, просто балуюсь, ерунду всякую, не стоит и рассказывать, в основном перевожу Нору Бейтс!» Ничего себе ерунда, всю Россию книгами завалила, печет она их, что ли?

— Короче, — велела я, — быстрее говори, при чем тут Барсукова.

— Так ведущая мило поинтересовалась: «Где вы одеваетесь?» А Алка ответила: «Этот костюм шила Нелли Королева». Ну...

Я не стала ожидать конца фразы, шлепнула трубку на рычаг, тут же схватила ее вновь и через пару минут услышала голос Аньки:

— Алле.

— Ань, это Вилка, позови мать.

— Не могу.

— Почему?

— Она еще норму не выдала.

— Ладно, сейчас приеду.

— Хлеба купи, — не растерялась Анька, — пачку масла и пельменей, жрать хочется.

Спустя час я грохнула на пол в их прихожей два туго набитых пакета и спросила:

— Одного не могу понять, отчего вы в магазин не сходили?

— Некогда, — пояснила Анька, роясь в шуршащих упаковках.

— Ясно, пельмени варить умеешь?

— Эка невидаль, — фыркнул ребенок, — зафигачить их в кипяток и все дела. Ты зачем «Киндер-сюрприз» купила?

— Вам в подарок.

— Больше не делай этого, — серьезно заявила Анька. — Они жутко дорогие, яйца шоколадные, рублей по двадцать небось брала.

Это еще одно непонятное явление в семье Барсуковой. Детей здесь никогда ни в чем не ограничивали, их комнаты, между прочим, завалены игрушками и одеждой. А вот поди же ты, выросли совсем неизбалованными.

— Давай, Нюша, разводи кипяток и фигачь пельмени, — приказала я и пошла по коридору.

— Ты куда? — испугалась девочка.

— К матери.

— Ой, не ходи, она еще норму не выдала!

Но я уже распахнула дверь. Ответственная Алка пишет каждый день по пятнадцать страниц. Что бы ни случилось: пожар, землетрясение, наводнение... Барсукова все равно выдаст на-гора норму. Правда, она всегда врет читателям и журналистам, что является только переводчицей милейшей англичанки Норы Бейтс. Но я-то знаю, кто кропает до противности сладкие книжонки.

Кстати, пожар у них недавно был. В доме жутко старый лифт, вот и полыхнуло в машинном отделении. Слава богу, дети были в школе. Как только до Алки дошло, что здание может сгореть, она сунула под мышку рукопись недописанного романа и, пинками подгоняя собак и кошек, вылетела во двор.

А теперь представьте картину. Все жильцы высыпали на улицу, одетые по-зимнему, с чемоданчиками. Умные люди прихватили деньги, документы, драгоценности... Алка же оказалась на холоде в окружении своих животных, с какой-то «Вечной любовью» под мышкой. Она даже не догадалась вытащить из шкафа шубу. Схватила с вешалки первое, что подвернулось под руку: плащевую куртенку Женьки. И это все! Нет, вру, в карманы куртешки она запихала хомяков, крыс и жабу. Пока пожарные пытались справиться с огнем, а настоящие женщины с громким визгом лишались чувств, падая на руки к мужикам, Алка забилась в пожарную машину и лихорадочно дописывала норму, ей предстояло наутро тащить рукопись в издательство. Барсуковой даже не пришло в голову, что можно позвонить и сказать: «Ребята, сегодня не приеду, у нас пожар был!» Нет, раз обещала, значит, обещала, и ничто не должно помешать.

ГЛАВА 27

— Что надо? — рявкнула Алка. — Отвяжитесь, я только на девятой странице.

— Дай мне фиолетовый костюм от Королевой! — потребовала я.

Не поворачивая головы, подруга крикнула:

— В коридоре, в шкафу.

Я закрыла дверь. Вот так! Даже не поинтересовалась, кому и зачем нужна эксклюзивная, отвратительно дорогая шмотка. Хотя Барсукова небось и не помнит, кто у нее сейчас гостит.

Я нашла шкаф, вытащила костюм и натянула поверх брюк мягко шуршащую юбку. Так и есть, велика. У меня сорок четвертый размер, а у Аллы полный сорок восьмой. Отлично, путь к модной портнихе открыт, только ехать туда придется завтра, сейчас уже шесть, наверное, мадам Королева в театре или на банкете, а может, на фуршете... Милейшая Нелли скорей всего ведет светский образ жизни.

На кухне я слопала тарелочку совершенно разварившихся пельменей и сказала:

— Не умеешь ты, Анька, пельмени варить, вон все полопались.

— Ну и что, — хмыкнула девица, — тебе не вкусно?

— Нормально.

— Вот и хорошо, — резюмировала Анька, — главное — не внешний вид, а суть, душа!

«Интересно, где она у пельменей?» — подумала я и взялась за телефон. Как там Никитка? Может, принести чего надо, лекарства, еду.

Услыхав мой вопрос о здоровье Федулова, медсестра неожиданно сказала:

— Сейчас Дмитрия Кирилловича дам, он как раз дежурный.

В трубке послышалось шушуканье, и знакомый молодой голос осторожно поинтересовался:

— Кто спрашивает о Федулове?

— Виола Тараканова, его учительница, если помните, Дима, я была у вас, Никиточка пришел в себя, вот...

— Федулов скончался.

Я чуть не выронила трубку.

— Когда?

— Время смерти семнадцать десять.

— Но... как же? От чего? Он же пришел в сознание...

— По телефону таких справок не даем.

— Погодите, Дима, — заорала я, — вы ведь дежурите?

— Да.

— Сейчас я приеду.

— Хорошо, — спокойно согласился врач, — подниметесь на третий этаж в 323-ю комнату.

Чувствуя, как из глаз начинают горохом катиться слезы, я выскочила на проспект и тормознула машину.

Долгие годы, проведенные в нищете, приучили меня считать не только рубли, но и копейки. Даже при теперешнем устойчивом материальном положении я не способна отказаться от прежних привычек. В частности, никогда не пользуюсь такси или бомбистами, мне и в метро хорошо: тепло, уютно и пробок нет. На тех, кто злобно орудует локтями, я просто не обращаю внимания. И потом, скажите, ну где я еще могу спокойно почитать, дома? Не смешите меня, в этом проходном дворе никогда нет покоя. Но сегодня я не могу трястись в подземке, потому что из глаз все время льются слезы.

Дима мрачно сидел за столом, где возвышался электрочайник, в углу шелестел газетой другой парень в белом халате. Скользнув по мне ленивым взглядом, он не счел необходимым поздороваться и вновь уткнулся в «Мегаполис».

— Почему он умер? — тихо спросила я.

Дима тяжело вздохнул:

— Отек легких.

— Из-за чего?

— Много причин. Долго лежал, началось воспаление легких. Организм ослаблен, травмы тяжелейшие...

— Но он пришел в себя!

Врач развел руками:

— Такое случается.

Мы замолчали. Слезы опять потекли у меня по щекам. Дима встал и вышел. Я тупо сидела у стола, разглядывая чайник, недоеденный торт, булку и крупно нарезанную колбасу. Другой врач, развалившись в кресле, спокойно листал газету. За все время он не произнес ни слова.

— Выпейте, — велел вернувшийся Дима и сунул мне в руки стаканчик с остропахнущей коричневой жидкостью.

Я покорно проглотила лекарство и спросила:

— Где он?

— В морге.

— К нему нельзя?

— Нет.

— Но...

— Нет!

— Ему, наверное, страшно среди трупов, — пробормотала я.

— Он мертв, — жестоко сказал Дима, — тело отдадут родственникам.

— Его мать умерла, отец в тюрьме, а бабушка в больнице. Я могу забрать ребенка?

— Зачем?

— Его же надо похоронить!

Дима встал.

— Нет, вам не отдадут.

— Но...

— Существует предписанная законом процедура.

— Но...

— Ступайте домой.

— Послушайте...

— Нам не о чем разговаривать, — сухо ответил доктор и буквально выставил меня за дверь.

Еле-еле передвигая ноги, я двинулась к выходу. Как назло, путь лежал мимо палаты, где еще недавно находился Никита. Сама не зная почему, я открыла дверь, увидела пустую кровать, выключенную аппаратуру. Не мигали разноцветные лампочки, не бегал по экрану зеленый зайчик. Я рухнула на стул, опустила голову на матрас и зарыдала в голос. Ну за что? Почему? Чем провинился маленький, чистый, светлый ребенок? Есть ли бог на свете?

— Ну-ну, не убивайся так, — раздался тихий голос, и чья-то легкая рука коснулась моего плеча.

Я подняла голову и сквозь пелену слез увидела старуху с ведром, шваброй и тряпкой.

— Не плачь, — сказала она, — глядишь, и обойдется!

Я достала носовой платок, высморкалась и сказала:

— Что же тут может обойтись? Умер ведь Никитка...

— Ты ему кто?

— Учительница.

— Учительница... — повторила с удивлением бабуся, — а плачешь, как по родному. Вот дела, из родственников-то никто и не пришел.

Чувствуя жуткую усталость, я пробормотала:

— Мать его убили, бабушка в больнице с инфарктом, отец в тюрьме, только я и осталась. А мне теперь тело не отдают.

Слезы вновь полились из глаз. Нянечка поставила ведро.

— Ой, горе, да успокойся!

Но со мной первый раз в жизни приключилась истерика. Вся усталость бесплодно прошедшей недели, все отчаяние, все разочарование и весь ужас от того, что никак не могу найти ни денег, ни Кристины, нахлынули на меня разом. Утираясь рукавами свитера, отбросив в сторону абсолютно мокрый платок, я рыдала и хохотала одновременно, чувствуя, что сейчас упаду в обморок.

— Свят-свят-свят, — забормотала старушка и брызнула мне в лицо грязной водой из ведра.

Капли, попавшие на щеки, неожиданно отрезвили меня... Я последний раз размазала свитером по лицу слезы и сказала:

— Где тут можно умыться?

— Пошли, — велела бабка.

Ухватив неожиданно цепкой рукой, старушонка проволокла меня до небольшой комнатки с душевой кабинкой и рукомойником. Кое-как я попыталась привести себя в порядок.

— Звать-то тебя как? — поинтересовалась нянечка, видя, как я расчесываю волосы.

— Виола.

— Красиво, — одобрила бабка, — а я Елизавета Сергеевна, баба Лиза.

— Очень приятно, — пробормотала я, чувствуя, как в горле ворочается горячий ком.

Баба Лиза посмотрела на меня, потом, словно решившись на что-то, вздохнула и сказала:

— А ну шагай за мной, только вот что... Язык за зубами держать умеешь?

— Я не болтлива.

— Ну и хорошо, накось, надень быстренько.

И она протянула мне синий халат и косынку.

— Зачем?

— Надевай, говорю, и ничему не удивляйся, поняла, покажу тебе кой-чего, а то прямо сердце переворачивается глядеть, как переживаешь.

— Вы хотите отвести меня в морг?

— Типун тебе на язык и на задницу, — рассердилась старуха, — в другой корпус пойдем, через галерею. Ну, бери ведро, швабру...

— Да зачем?

— Не пустят тебя, а так, скажу, сменщицу новенькую учу, поняла?

— Нет.

— Ладно, пошли, там разберешься, — загадочно ответила бабулька.

Мы прошли по коридору, спустились на первый этаж, прошлепали по длинному, жутко холодному узкому помещению, потом опять поднялись наверх...

Баба Лиза открыла дверь. Сидевший на стуле пожилой охранник спросил:

— Чего, Лизавета, все носишься?

— Охо-хо, — в тон ему ответила моя провожатая, — ни сесть, ни отдохнуть. Знакомься, Михалыч, новенькая, Виолеттой кличут. Вот, веду хозяйство показывать.

— Давай, давай, — велел секьюрити и закрыл глаза.

— Шагай, — подтолкнула меня в спину бабулька.

Мы пошли по бесконечным коридорам. Баба Лиза уверенно поворачивала то направо, то налево, оставалось лишь удивляться, как нянечка не путается в лабиринтах. Кругом стояла тишина, очевидно, больные дети уже спали. Редкие медсестры не обращали на нас никакого внимания. Звякая ведрами, мы добрались до маленькой двери в самом конце отделения. Баба Лиза приоткрыла ее:

— Смотри.

Я посмотрела в щель и выронила ведро. На большой железной кровати, укрытый хорошим, даже красивым одеялом в новом пододеяльнике, на большой подушке в безупречно чистой, крахмальной наволочке мирно лежал... Никитка. Лицо его выглядело посвежевшим, а палата была намного лучше прежней, хотя тоже оказалась набита аппаратами.

— Это кто? — шепотом спросила я, опускаясь на ведра.

— Дед Пихто, — ответила баба Лиза, закрывая дверь. — Чего расселась, пошли в каптерку, там и поговорим.

— Почему он не в морге?

— Туда живых-то не возят.

— Значит, Кит не умер?!

— Дошло наконец до Якова, что Матрена безрукая, — невпопад сообщила старуха.

— Так он не умер?

— Видела же, спит себе тихонечко.

— Но зачем тогда Дима мне соврал?

— Ты давай двигайся, — зашипела нянечка, — а то не ровен час пойдет кто!

На мягких, подгибающихся ногах я пошлепала за бодро бегущей вперед бабкой. Обратный путь показался бесконечным. Наконец Елизавета Сергеевна втолкнула меня в крохотную комнатенку, где в одном углу стояли швабры, веники, бутылки с «Белизной» и другими дезинфицирующими средствами.

— Садись, — приказала она.

Я плюхнулась на колченогую табуретку.

— Объясните, что происходит.

— Слушай, — сказала баба Лиза, — чистое кино приключилось.

Где-то около трех часов дня Никите стало хуже, и врач принял решение снова подключить ребенка к аппарату искусственного дыхания. Ничего ужасного в этом не было, Никита тяжелый больной, а для них характерны такие скачки физического состояния.

С мальчиком проделали все необходимые процедуры, доктор ушел, медсестра тоже, а бабе Лизе велели быстренько вымыть пол в палате.

Елизавета Сергеевна приволокла ведро и швабру. Она всю жизнь работает в этой больнице санитаркой. Живет рядом, имеет комнату в коммуналке, семьи нет... В общем, за долгие годы при медицине баба Лиза научилась обращаться с больными получше некоторых медсестер, особенно молодых, у которых пальцы трясутся, когда надо укол сделать или катетер ввести. А бабе Лизе господь подарил золотые руки, все у нее получалось легко, главное же, безболезненно, вот только образования не имелось, но Елизавете Сергеевне достаточно было поглядеть на ребенка, чтобы сказать, уйдет ли тот из клиники живым и здоровым. Никита, несмотря на тяжелое состояние, не показался нянечке безнадежным. На его лице не было печати смерти, и добрая старушка, искренне жалевшая всех ребят, даже обрадовалась, что Федулов явно поправится.

Одним словом, она вошла в палату и сразу сообразила, что тут что-то не так. Аппарат искусственного дыхания, когда работает, очень противно гудит, у бабы Лизы всегда от этого равномерного шума начинается головная боль. Но сегодня он молчал, а Никита лежал сине-серый... Елизавета Сергеевна бросила взгляд на механические легкие и увидела, что штепсель вынут из розетки.

Забыв про артрит, давление и больные ноги, баба Лиза кинулась за врачами.

Поднялась суматоха. Потом Никиту переложили на каталку, прикрыли простыней и увезли, а в отделении объявили, что Федулов скончался. Но Лизавета Сергеевна знала, доктор Дима соврал, жив парнишка. А потом в больницу пришел симпатичный молодой парень и попросил нянечку рассказать про штепсель и розетку... Выслушав ее повествование, он сказал:

— Елизавета Сергеевна, припомните, никого в коридоре не встретили?

— Нет вроде, — растерялась бабка, — ну дети ходили...

— А из посторонних?

— Кажись, никого.

И тут парень заявил:

— Подумайте, это очень важно, вы вошли в палату буквально через минуту после того, как кто-то выдернул штепсель!

— Что ты, — замахала руками нянька, — у нас подобного не бывает!

— Федулова хотели убить, — пояснил парень, — очень вас прошу, если вспомните вдруг что, сразу позвоните. И еще, ради безопасности мальчика мы объявили его умершим, так что уж, пожалуйста, никому ни гугу. Кстати, а как вы догадались, что Никита жив?

Баба Лиза усмехнулась:

— Поработал бы с мое в больнице, тоже бы понял. Его по коридору Дима вперед головой вез, да еще сам, трупы у нас сестры или санитары убирают.

— При чем тут голова? — удивился парень.

— Так мертвых вперед ногами отправляют!

— Да?

— Завсегда, ты, видать, не болел.

— Не пришлось, слава богу.

— Значит, запомни. Живого всегда вперед головой везут, медики люди суеверные, даже в лифте пробуют развернуться!

Она замолчала. Я лихорадочно пыталась сообразить, что делать. Потом вытащила из сумки снимок, на котором беспечно смеялась Лена.

— Ну, посмотрите, не было здесь такого мужика?

— Ой, так это же мастер. Приходил в палату к мальчику чего-то чинить. Я с ведром вхожу, а он как раз оттуда, с чемоданчиком и в спецовке, — подскочила баба Лиза. — А ты кто?

— Не пугайтесь, — тихо ответила я, — я правда учительница Никиты, только ищу сама того, кто убил его мать. Вот она, слева.

— Красивая была, — с жалостью вздохнула Елизавета Сергеевна. — А молодая какая, прямо девочка! Вот беда, вот беда!

Домой я бежала, не чуя под собой ног. Монте-Кристо! Нет никакого сомнения, это он убил Лену... За что? За деньги! Господи, он бандит! Узнал от кого-то, что у Лены дома огромная сумма, и ограбил! Да только полмиллиона не нашел или не смог сразу утащить... Что-то не так получается... Ладно, ясно одно. Эта сволочь, называющая себя именем благородного графа, столь ловко отомстившего всем своим врагам, этот мерзавец совершенно точно знает, где Кристина!

ГЛАВА 28

Увидав меня в прихожей, Аким поднял палец вверх и провозгласил:

— Хорошая жена не бегает до ночи по улицам, когда муж болеет!

— Олег дома? — удивилась я.

Из ванной вынырнула Томуська с грелкой. Услыхав мой вопрос, она тихо ответила:

— Привезли в шесть.

— Привезли? Кто?

— Шофер, на машине.

Я понеслась в спальню. Похоже, дело совсем плохо, у Олега на работе никогда не допроситься автомобиля. Впрочем, сейчас многие милиционеры, поняв, что нечего надеяться на государственный транспорт, обзавелись собственными кабриолетами. Одно время им даже давали талоны на бензин, но потом перестали... У МВД вечно нет денег, а еще удивляются, что в стране разгул преступности. Ну скажите, каким образом несчастный мент на рассыпающихся на ходу «Жигулях» 1990 года выпуска способен догнать «БМВ», выпущенный в

1999 году? Значит, Олегу совсем нехорошо, если его привез шофер...

— Тише, — шикнул Филя, услышав мое тревожное: «Ну как?» — Он спит, снотворное ему уколол.

— Болит, да?

— Похоже, что очень, — вздохнул ветеринар, — а все потому, что безответственный человек. Разве можно с радикулитом на работу бегать? Вылежать требуется дома, в тепле, минимум неделю. Это и ежу понятно. Вон, Юрка говорил, у Олега в кабинете стол у окна стоит и жутко дует... Конечно, он и будет болеть все время. Иди, Вилка, попей чайку, устала небось после работы.

Я пошла по коридору и вновь налетела на Акима.

— Безобразие, — занудел свекор, — столько бабья в квартире, а хлеба никогда нет, что же нам, масло на сыр мазать? Давай, Виола, топай в булочную.

— Уже поздно, папа, — осторожно возразил, выходя из комнаты, Филя, — небось все закрыто и темно...

— Ничего, — быстро ответила я, — у метро круглосуточный супермаркет, только скажите сразу, что еще купить.

— Вот, — старик сунул мне в руки список, — действуй.

Я, одеваясь, не утерпела:

— Сами же недавно так красиво повествовали, что женщина должна домашнюю работу делать: готовить, стирать, а мужик обязан продукты притаскивать. Почему сами не сходили?

Аким посинел.

— Это в нормальной семье, а не в караван-сарае! Я, между прочим, сегодня суп варил и стиральную машину гонял, так что тебе за жратвой шкандыбать!

Я вздохнула. Тесное общение, даже дружба с Ленинидом наложила отпечаток на словарный запас свекра. «За жратвой шкандыбать». Раньше он не позволял себе подобных выражений. Ну-ка посмотрим, что тут написали. Так, молоко, сыр, масло, колбаса, яйца, кефир, хлеб... Бутылка водки!!! Однако, Аким дает. Значит, сначала папенька поил свата пивом, а теперь они повысили градус!

— На водяру перешли, — не утерпела я. — Сорт не указали, ну и к какой марке душа лежит? «Гжелку» желаете?

Аким из синего стал фиолетовым.

— Я не пью совершенно, а уж, как ты изволила выразиться, водяру вообще не употребляю. Просто безобразие, до чего отвратительно изъясняется нынешняя молодежь!

Я почувствовала легкую тошноту. Хорош словесник, напомнить ему про то, как он только что послал меня «шкандыбать за жратвой»? Нет, пожалуй, не стану, а то до утра прозудит.

Натянув куртку, я подумала секунду и завязала длинный черный шарф. Странная, однако, погода на улице! Вчера термометр показывал ноль, а сегодня минус пятнадцать. Москвичи еще не успели перестроиться, и кое-кто бежал по обледенелым улицам с непокрытой головой... Но мне не хочется мерзнуть, поэтому в придачу к шарфику прихвачу еще и варежки, Томуськины, из овчины.

— Вилка, — велел Филя, — дорогую водку не бери, самую простую проси.

— Думаешь, Аким отравится? — хмыкнула я.

Филя поморгал глазами, потом робко улыбнулся:

— Нет, отец водку не пьет, это для Олега.

— Он тоже «беленькую» не употребляет, — удивилась я.

— Компресс ставить, — пояснил ветеринар, — на поясницу...

— Понятно, — вздохнула я и побежала на проспект.

Между прочим, воспитанный Филипп мог бы сам предложить сгонять в магазин! Но нет, он даже не пошевелился, увидав, что я собираюсь выходить на улицу. Да, «хорошее воспитание» Акима дало буйные всходы...

В супермаркете, кроме меня, был еще только один покупатель: пьяноватый мужик неопределенного возраста.

— Давай ханку, — прохрипел он продавщице и, увидав, что та протянула руку к бутылке под названием «Исток», гневно добавил: — Офонарела? У рабочего человека-то нет денег на такую штуку, вон ту доставай!

Получив поллитровку, украшенную блеклой этикеткой, он, пошатываясь, выполз на улицу.

— И мне такую же, — сказала я.

Девчонки, стоявшие за прилавком, оглядели мою куртку, шарфик...

— Не берите, — тихо сказала одна, — это чистый самогон, вот для таких и держим.

— Компресс поставить надо, спиртовой...

— А, тогда конечно, — вмешалась другая девчонка, — но пить не советуем. Ой, Танька, смотри!

Сквозь огромное стеклянное окно, словно в гигантском телевизоре, можно было наблюдать немое кино. Вышедший из магазина алкоголик поскользнулся на обледенелом тротуаре и, пытаясь сохранить равновесие, замахал руками. Упасть парень не упал, но с ним произошла другая катастрофа. Вожделенная бутылочка выпала, угодила прямиком на чугунную крышку канализационного люка и, естественно, разлетелась вдребезги.

Алкоголик застыл над местом трагедии. Я невольно хихикнула, даже скульптура великого Микеланджело «Оплакивание Христа» не выглядит столь впечатляюще. На лице парня отразилась истинная мука, потом он сорвал с головы вязаную шапочку, швырнул ее на лед и затопал ногами. Губы его шевелились, но звук не долетел в магазин через толстую витрину...

— Представляешь, что он говорит! — хихикнула одна из девок.

— Да уж, горе у парня, — добавила другая.

— Новую купит, — сказала я.

— Не сегодня, — заржали продавщицы. — Он, бедняга, из карманов всю мелочь вытряс, мы ему даже пятьдесят копеек простили! Ну и беда у него, вон как убивается!

Я стала оглядывать ряды банок. Так, возьму консервированную кукурузу...

— Ой, смотрите, чего удумал, смотрите! — заорали торгашки.

Я обернулась и обомлела. Пьяница, встав на четвереньки, старательно, как собака, пытался вылакать водочную лужу. Мне стало противно, ну до чего же может докатиться человек! Отвернувшись от омерзительной сцены, я стала набивать сумку.

Минут через десять, держа в обеих руках пакеты, я с превеликой осторожностью выбралась наружу. Не хватало только рухнуть, как тот бедняга-пьянчура. В ту же минуту мои глаза наткнулись на алкоголика. Он стоял на четвереньках, приблизив лицо к крышке люка. В моей голове вскипело возмущение. Каков идиот? Градусник подобрался к минус пятнадцати, темное небо усеяли крупные, яркие звезды... небось дома заждались ханурика несчастная жена да малые дети, а их муж и папенька все никак не может долакать водку!!!

Вне себя от злости я пнула парня пакетом.

— Эй, хорош, поднимайся да двигай к себе, окоченеешь!

— М-м-м, — раздалось в ответ.

— Вставай, замерзнешь.

— М-м-м.

— Тебя что, паралич расшиб?

— М-м-м.

Такое поведение мужика показалось мне странным. Может, ему и впрямь плохо? Конечно, иметь дело с алкоголиком противно, летом я старательно обхожу стороной их храпящие на газоне тела. Но сейчас зима, мороз, мужик может замерзнуть насмерть. Нельзя же обречь человека на кончину только из-за того, что он хлебнул лишку...

— Давай, шевелись...

— М-м-м...

Полная недоумения, я наклонилась вниз, пригляделась и ахнула. Водка разлилась по чугунной крышке, а на улице жуткий холод! Поняли, что произошло? Абсолютно верно. Многие из нас в детстве побывали в подобной ситуации, когда лизали железный замок или прутья забора, покрытые заманчиво блестящим, искрящимся инеем. Не знаю, как вы, а я однажды простояла полчаса, «приварившись» языком к щеколде гаража, пока сердобольная соседка не принесла чайник с теплой водой.

— Ты прилип! — закричала я. — Идиот! Кретин! Разве можно облизывать крышку люка!

Парень скосил глаза вбок и опять замычал.

— Погоди, — засуетилась я, — сейчас.

Девчонки-продавщицы, умирая от смеха, нагрели воды и вручили мне чайник. Я вытащила «Тефаль» на улицу и принялась поливать люк.

— Гражданочка, — раздался командный голос, — чем занимаемся?

Я подняла глаза, увидела страшно серьезного милиционера лет двадцати, круглощекого и пухлогубого.

— Вот, пьяницу отмораживаю, гляди, языком приклеился!

Патрульный присел на корточки, потом заорал:

— Колян, Петька, топайте сюда, чего покажу!

Захлопали дверцы, и из бело-синего «жигуленка» вылезло еще два мента, один совсем юный, другой постарше. Оба держали в руках дымящиеся пластиковые стаканы с «лапшой за пять минут».

— Ну и ну, — хихикнул молодой, — первый раз такое вижу.

— Чего только не случается, — философски заметил старший.

В эту минуту алкоголик отодрал язык и заорал:

— Ну чаво уставились, идиоты! Мужика не видели!

— Ты это, потише, не бузи, — пригрозил первый патрульный, — мы при исполнении.

— Так и исполняли бы, — злобился парень, из которого странным образом улетучился весь хмель, — сидели в машине, жрали, а я на четвереньках стоял!

— Вот интересное дело, — возмутился пожилой, — мало ли кто как ходит!

— Идиот! — рявкнул парень.

— А за это ответишь, — нахмурились менты.

— Ладно вам, ребята, — вмешалась я, — пусть домой идет. У него от мороза мозги помутились.

— Скажи гражданке спасибо, — велел один из постовых, — кабы не она, худо бы тебе пришлось!

— А пошли вы все, — гаркнуло небесное создание и удалилось.

— Человек — тварь неблагодарная, помнящая только зло, так говорил Шопенгауэр, — с чувством произнес молодой патрульный, — пошли, ребята, лапшу дожуем, хоть и остыла.

Я посмотрела им вслед. Мент, цитирующий Шопенгауэра... Это что-то новенькое. Хотя Олег, например, хорошо образован, но у него за плечами юрфак, а дорожно-патрульная служба имеет, как правило, «в анамнезе» только школу милиции.

Домой я пошла, еле двигая замерзшими ногами.

— Ну, наконец-то, — вздохнул Аким, — за смертью тебя посылать, купила?

— Да, — буркнула я.

— Что так долго? Все проголодались!

Я молча вешала куртку в шкаф. Между прочим, невестка, молодая женщина, отправилась поздно вечером за едой и задержалась. Вдруг на нее бандиты напали? Нет бы заволноваться!

— Ну, пришел ужин? — поинтересовалась Лерка, высунувшись в коридор.

— Где ты шлялась? — зудел Аким. — Нет, ответь, куда подевалась? Очень и очень странно. Муж лежит хворый, а жена постоянно исчезает...

— То-то у Олега голова болит, — противно захихикала Парфенова.

— При чем здесь голова? — удивилась я. — Как с ней радикулит связан?

— Рога растут, — радостно пояснила Лерка. — Знаете анекдот? Приходит мужик к доктору и говорит:

«Мне жена изменяет».

Ну врач в ответ:

«Сочувствую, конечно, но чем я помочь могу?»

«Понимаете, все жду, когда рога появятся, а они не растут...»

«Голубчик, это же такое образное выражение...»

«Значит, не будет рогов?»

«Нет, конечно».

«Слава богу, успокоили, а то я решил, что у меня в организме кальция не хватает».

Никто не улыбнулся. Парфенова хихикнула.

— Совсем не смешно?

— Нет, — каменным тоном заявила я. — Между прочим, я так задержалась, потому что отдирала парня, который прилип языком к чугунной крышке канализационного люка!

Аким секунду смотрел, не мигая, на сумки, потом сказал:

— Пойди температуру померяй, чушь несешь!

— Ей-богу!

— Тьфу, врунья, — пробормотал свекор и исчез на кухне.

— Знаешь, Вилка, — радостно заявила Лерка, — я всегда своим клиенткам советую: бабы, здоровый левак укрепляет брак. Нет ничего страшного, если пару раз на сторону сбегаете, только врите с умом. Ну не надо придумывать невероятные вещи, лучше что-нибудь попроще, понормальней. Ну, к примеру, поезд метро в тоннеле остановился, автобуса целый час не было, в ближайшем магазине не нашлось любимых сигарет, вот и задержалась на два часа! А ты: мужик, который прилип к люку! Это даже не смешно.

— Я никогда не вру!

— Ой, таких людей нет, — отмахнулась Парфенова.

— Я не изменяю Олегу!!!

— Ладно, ладно, — закивала Лерка, — не кипятись, не изменяешь, просто имеешь парня для траханья. И, между прочим, я очень хорошо тебя понимаю! Куприна никогда дома нет, ясное дело, взбеситься можно!

— Заткнись! — прошипела я и дернула от злости вешалку. В ту же секунду та выскочила из креплений и пребольно стукнула меня по голове. Пальто, куртки, шапки полетели на пол.

— Зачем же мебель ломать? — фыркнула Лера и убежала.

Я вытащила из кладовки молоток и стала прибивать вешалку на место. Потом, чувствуя, что сейчас разрыдаюсь, ушла в ванную, пустила теплую воду, налила туда пены и нырнула в мелкие пузырьки. Струя с шумом лилась и лилась, усталость уходила, в голове постепенно светлело.

Примерно через час я вползла в спальню, где сильно пахло спиртом. Олег спал, откинув одеяло. Филя обмотал брата шерстяным платком, а поверх натянул на него теплый спортивный костюм, мужу было жарко. Я осторожно зажгла ночник и открыла газету... «Скандалы». Олег зашевелился, я быстро выключила свет, но супруг не проснулся. Он повернулся с боку на бок, тяжело вздохнул и пробормотал:

— Тараканова... Тараканова...

Я умилилась и прикрыла его одеяльцем. Мало найдется на свете мужей, вспоминающих во сне фамилию супруги...

— Рейд, — продолжил Олег, — рейд, тараканы!

Я со вздохом вновь включила ночник. Нет, он вовсе не обо мне думает, а о домике-ловушке для прусаков. Интересно, чем это приспособление так поразило его воображение?

ГЛАВА 29

К Нелли Королевой я явилась к одиннадцати утра.

Железная дверь была украшена панорамным глазком. Я позвонила.

— Вам кого? — донеслось из крохотного динамика.

— Королеву.

Замок щелкнул, я вступила в дом моды. Впрочем, назвать «домом» небольшое трехкомнатное пространство было как-то слишком. Очевидно, модельер просто арендовала одну из квартир под офис.

Молоденькая, худенькая, коротко стриженная девочка приветливо посмотрела в мою сторону.

— Нелли вас ждет? На какой час вы записаны?

— Нет, она обо мне не знает.

— Ну тогда, боюсь, ничего не получится...

Я нагло плюхнулась в кресло, вытянула ноги и сообщила:

— Просто безобразие! Заплатила, между прочим, большие деньги, а вещь надеть невозможно!

— Какую? — насторожилась девочка.

— Вот эту, — протянула я, вытряхивая из пакета костюм Барсуковой.

Администраторша осторожно взяла пиджачок и пробормотала:

— Это Нелли шила.

— Естественно, — фыркнула я, — Королева, собственными ручками.

— И что с ним?

Я молча взяла юбку и натянула поверх брюк.

— Ой, — девица всплеснула руками, — да он вам жутко велик, так похудели, да?

— Нет, это вы так мерки снимаете!

— Но такое просто невозможно, и потом, разве перед тем, как приобрести вещь, вы ее не мерили?

— Когда у вас примеряла, все было о'кей, — нагло врала я, — а дома вон что оказалось! Небось спутали размеры и кому-то отдали мой костюмчик, а мне вручили юбку с пиджаком от коровы.

— Нелли не тиражирует вещи, — отбивалась служащая. — Она все шьет в единственном экземпляре.

— Ничего не знаю, хочу свой костюм! Не уйду отсюда без него, так и знайте.

— Нелли, — закричала девица, — выгляни!

Одна из трех дверей, выходивших в холл, с треском распахнулась, и из нее вылетела еще одна девчонка, чуть старше первой, лет двадцати пяти с виду. В приемной моментально удушающе запахло французскими духами: сладкими, даже приторными. Но девушке шел такой пряный, восточный аромат. Нелли походила на цыганку. Огромная копна иссиня-черных волос рассыпалась по плечам, чуть раскосые карие глаза, пухлые, чувственные губы, смуглая кожа... Эсмеральда, да и только. Сходство с воспетой Виктором Гюго танцовщицей было и в фигуре девушки: тонкая талия, длинные ноги, точеная шея. Роль Квазимодо в этой встрече явно отводилась мне.

— Что случилось, Кара? — чуть хрипловатым меццо осведомилась Нелли.

— Вот, костюм... — бестолково объясняла Кара.

Королева секунду послушала ее невнятный лепет, потом мигом подскочила ко мне и велела, указав пальцем с кроваво-красным ногтем на примерочную кабинку:

— Надевайте.

Я влезла в костюм и вышла в холл. Нелли поджала губы, обошла меня со всех сторон и приказала:

— А ну идите в кабинет!

Подталкиваемая кулаком в спину, я очутилась

в длинной комнате, залитой безжалостным светом десятка люминесцентных ламп. Посередине тянулся стол, заваленный тканью, мелками и деревянными линейками. У стен скучали манекены. На одном красовалось ярко-синее вечернее платье, щедро расшитое «алмазами», на другом пиджак из блестящей желтой парчи. На мой взгляд, на Черкизовском рынке можно купить куда более элегантные вещи.

— Немедленно отвечайте, где взяли костюм, — резко спросила Нелли, вытаскивая пачку «Парламента».

— Шила у вас.

— Не врите.

— Ей-богу...

Королева скривилась:

— Смешно, право. Во-первых, всех своих клиентов я отлично знаю, во-вторых, эта вещь делалась для Аллы Барсуковой, в-третьих, вы вообще, судя по виду, не из тех, кто одевается у модельеров... Ну, колись, дорогуша! Тебя нанял Баркин или Маконин?

— Зачем?

Нелли хлопнула ладонью по столу. Розовая шелковая ткань с тихим шорохом сползла на пол.

— Да затем, чтобы узнать, какие модели я готовлю к Неделе московской моды. Ладно, сколько он тебе пообещал?

— Кто?

— Думаю все-таки, что Баркин, — спокойно пояснила Нелли. — Маконин хоть и сволочь, но до наема шпионов не опустится.

— Вы ошибаетесь...

— Ну-ну, — хмыкнула Нелли, — давай договоримся. Заплачу тебе малую толику, а ты скажешь, что я представлю вот это синее платье...

Я тяжело вздохнула:

— Нет, правда. Костюм я взяла у Барсуковой...

— И зачем? — удивилась Нелли. — Хотите под себя подогнать? Ну это трудно...

Я секунду смотрела в ее красивое, породистое, умное лицо, потом неожиданно вытащила фотографию и сказала:

— Слева Лена Федулова, к сожалению, покойная, справа врач санэпидемстанции Мартина Андреевна. А вы их щелкнули перед салоном «Митико», верно?

Нелли открыла форточку, вышвырнула окурок и спокойно осведомилась:

— Точно. Мы с Леной в «Митико» прически делали и маникюр. А вы кто? Милиция?

— Нет, — пробормотала я, — тут такое дело случилось... Вы знаете этого парня?

— Почему я должна вам это рассказывать? — ухмыльнулась Нелли.

Я подошла к ней вплотную:

— Ты любила Лену?

Королева кивнула:

— Она была моей лучшей подругой, ужасно...

— Этот парень, — отчеканила я, — уж извини, не знаю, кем он тебе приходится, этот красавчик скорее всего и убил Лену!

— Да? — подняла бровь Нелли. — Он на такое не способен!

— Такой хороший? — издевательски протянула я.

— Нет, такой слизняк, — парировала Королева, — трус, альфонс, жиголо...

— Фамилию его скажи...

— Только после того, как узнаю, в чем дело, — отрезала Нелли, — давай, выкладывай!

Уж не знаю почему, но я внезапно рассказала ей все. Про преподавание немецкого языка, Никиту, убийство Лены, похищение Кристины и «синдикат великих художников». Умолчала только о побеге из тюрьмы Павла.

Королева слушала молча, она ни разу не прервала меня даже восклицанием, но, когда фонтан сведений иссяк, Нелли открыла бар и предложила:

— Давай тяпнем!

— Мне лучше чаю, совершенно не переношу алкоголь.

— Ладно, — покладисто согласилась модельер и включила чайник, — а мне требуется коньяк. Такая информация!

— Ты давно дружила с Леной?

— Два года назад она пришла платье заказывать на Новый год, вот с тех пор мы и сошлись, — вздохнула Нелли, — честно говоря, я думала, у Ленки от меня нет тайн. А тут картины, деньги жуткие... Мне-то она всегда внушала, что Павел зарабатывает, а она так, ерунду получает...

— Парня как фамилия? — нетерпеливо спросила я.

— Не знаю!

У меня опустились руки:

— Не может быть! Он с тобой был?

— Нет, — вздохнула Нелли, — с Леной.

— Ну-ка расскажи, в подробностях, — приказала я.

— А нечего рассказывать, — пожала плечами Королева, — хотя, слушай, может, и пригодится.

Месяца за три до смерти Лена пришла к Нелли страшно возбужденная, раскрасневшаяся... Она познакомилась на улице с парнем. Выходила из супермаркета, несла пакетик с деликатесами, одновременно с ней к двери подбежал красивый блондин, случайно ее толкнул... Хлипкие ручки пакета оторвались, покупки разлетелись по мостовой. Парень, извиняясь, кинулся поднимать свертки... Вот так состоялось судьбоносное знакомство.

Юноша произвел на Лену самое лучшее впечатление. Воспитанный, интеллигентный, образованный, не чета мужиковатому Павлу, способному рассуждать только о повышении цен на оптушке... Нет, Родион был совсем другим, из одной, так сказать, стаи с Леночкой. Разгорелся роман. Первое время художница просто упивалась общением. Но головы Лена не потеряла. Мужа на любовника не меняют, старая истина мудрых женщин. Ленуся с огромным удовольствием ходила с Родионом в театры, на концерты или вернисажи. Столкнуться с общими знакомыми она совершенно не боялась. Павел никогда не посещал подобные места и практически никого не знал из художников. Если говорить честно, Леночка все же немного стеснялась неотесанного мужа... Зато Родион выглядел блестяще, в идеальном костюме, с безупречным маникюром и парфюмом, улыбчивый...

Но через два месяца у Лены потихоньку начали открываться глаза. Любовник оказался не столь хорош, каким казался с первого взгляда... У него никогда не было в кошельке наличных денег, что, учитывая великолепную, дорогую одежду, казалось просто странным. В кафе и ресторанах всегда расплачивалась Лена, она же возила Родиона на машине, и встречались они у Федуловой в мастерской. К себе домой Родя даму не приглашал. И еще, он никогда не дарил ей подарки, предпочитая получать их от любовницы. Вначале Лене было жутко приятно вручать парню милые безделушки: запонки, галстуки, перчатки, потом пошли в ход часы и золотые браслеты, пуловеры от «Саш» и пиджаки от «Хуго Босс». В октябре Лена пришла к Нелли, села в кресло и с жаром воскликнула:

— С Родей все!

— Надоел красавчик? — ухмыльнулась подруга. — Что так скоро?

— Прикинь, в какую ситуацию я попала, — нахмурилась Лена и рассказала следующее.

Они с Родей поехали вечером в Дом архитектора на фуршет. Кавалер галантно пошел с тарелкой дамы к длинному столу. Лена спокойно ждала, когда он вернется с угощением. Внезапно Родиона схватила под руку довольно пожилая особа, лет пятидесяти, не меньше, вся обвешанная с ног до головы брюликами.

Парень, затравленно озираясь, что-то говорил тетке. Но та держала его совершенно по-хозяйски цепко.

Лене не понравилась ситуация. Быстрым шагом она подошла к наглой даме и спросила:

— Родя, милый, ты скоро?

— Родя? — с удивлением повторила бабенка. — Милый? Интересное кино, однако!

— А что вам не нравится? — осведомилась Лена.

— По какому праву ты так разговариваешь с моим парнем? — спросила старуха.

— Что? — обомлела Лена. — Вы головой не тюкнулись? Это мой кавалер!

— А-а-а, — протянула тетка, — ясненько.

После этого она впилась в Ленино плечико костлявой ручкой в пигментных пятнах и прошипела:

— Слушай, кисонька. Этот молодой человек живет со мной год, вернее, жил, потому что я его, конечно, теперь выставлю и заведу себе другого. Но имей в виду, весь его лоск — моих рук дело. Вот этот костюмчик, пальто, духи... Я его одеваю, кормлю, пою, взамен же требую лишь одного: быть в моей постели, когда мне захочется. Словом, это мой трахальщик. Хочешь, забирай его себе, только учти, содержание Родечки — дорогое удовольствие. Впрочем, ты, похоже, не нуждаешься, да и мальчик наш с нищей связываться не станет, небось навел справки про твой счетец в банке, голуба!

Сначала Леночка решила, что столкнулась с сумасшедшей. Честно говоря, художница ожидала, что Родион сейчас рассмеется и скажет: «Мадам, вы меня с кем-то спутали!»

Но красавец молчал. Леночка посмотрела на его породистое, аристократическое лицо и спросила:

— Это правда?

— Правдивее не бывает, — заверила старуха, — ну сама посуди, на какие доходы он так одевается?

— Родион актер, — попыталась ответить Лена.

Соперница расхохоталась:

— Отставной козы барабанщик! Ты хоть знаешь, как его театр называется?

— Да, — сказала художница. — «Сирано».

— А ты там была?

— Пока не пришлось...

— Да Родион просто тебя не звал, — припечатала дама. — Сбегай, поинтересуйся, что за коллектив да на каких ролях там Родька. Нет, дорогуша, наш с тобой паренек не Олег Меньшиков!

Внезапно Родион поставил тарелку и быстрым шагом пошел на выход.

— Давай, давай, — заорала старуха, — катись, гондон использованный!

Потом повернулась к Лене и с интересом спросила:

— Ну ладно я, возраст уже не юный, вот и приходится такого нанимать, но ты? Молодая, красивая, что тебя к жиголо потянуло?

Леночка растерялась и невпопад ляпнула:

— Я думала, он меня любит!

Старуха похлопала художницу по плечу:

— Душенька моя, ну какая любовь у дождевого червя? Хотя, если Родька тебе нравится, пользуйся, мне без разницы, но имей в виду, ни о какой страсти тут и речи быть не может, все как у Карла Маркса и Фридриха Энгельса.

— Почему? — удивилась Лена. — При чем тут Маркс и Энгельс?

— Все по формуле, ими придуманной, — ухмылялась противная старуха. — Да, ты молодая, не учила этого в институте, как я. Товарно-денежные отношения называется, товар — деньги — товар. А чтобы тебе сподручней понять было, объясню попроще. Пока Родьку содержишь — он тебя трахает, как только перестанешь, Ромео теряет всю свою страстность. Поняла, голуба?

Выдав последнюю фразу, старушенция со стуком поставила на стол бокал с красным вином. Алая жидкость взметнулась вверх и растеклась под фужером кровавой лужей. Лена уставилась на испорченную скатерть. Больше всего она боялась разрыдаться.

Домой она не поехала, просто села в машину и принялась курить. В душу заползло раскаяние. Павел был первой любовью Лены. На фоне маменькиных сыночков из старших классов Федулов резко выделялся своей взрослостью. Одноклассники были детьми, расстраивающимися из-за отметок, боящимися родительского гнева и не имеющими в кармане денег. Кое-кто, правда, уже ухитрился потерять невинность, в спешке, используя момент, когда предки укатили на дачу.

Павел же в школу ходил нерегулярно, да и приняли его туда не за талант, а потому что маменька там служила уборщицей, мыла классы. После уроков его частенько поджидали друзья в кожаных куртках и размалеванные девицы в мини-юбках... Средства на жизнь он зарабатывал сам, разгружая по вечерам товар у магазинов, а учителя обращались к нему на «вы» и никогда не ругали за несделанные домашние задания. К тому же он был недурен собой, веселый, контактный... Половина школьниц сохла по Федулову, поэтому, когда он обратил внимание на Лену, та моментально согласилась пойти на свидание.

Кто же мог подумать, что все перерастет в серьезные отношения и рождение ребенка.

Лена курила и курила, салон машины давно наполнил синеватый дым, но она не открывала окно. Память услужливо подсовывала воспоминания. Вот Павел трет морковку на мелкой терке, чтобы потом отжать для беременной Леночки сок, вот встает ночью к Никитке, а потом рысью несется на молочную кухню... Да, после окончания школы, где-то курсе на втором, Леночка поняла, что они с Павлом не слишком подходящая пара. Вокруг девушки клубились совсем другие люди, рассуждавшие о Босхе, Малевиче и авангардном искусстве. Павел, оказываясь на вечеринках, терялся, правда, у него хватало ума молча сидеть за столом, пока другие вели заумные разговоры...

Потом Лена внезапно начала зарабатывать, а у Павла никак не шел бизнес... Одним словом, отношения у них совсем зашли в тупик. Но о разводе они не заговаривали. Федуловых по-прежнему многое связывало, только это была не духовная общность, а материальная. Квартира, дача, а главное, Никитка, которого и отец, и мать обожали без памяти. Ради сына, собственно говоря, они и жили вместе...

Лена включила мотор и поехала в ГУМ. Неожиданно простая мысль пришла ей в голову. Павел —

отличный муж, заботливый отец, добрый семьянин. Ни разу Леночка не видела его пьяным, он абсолютно неконфликтен, всегда в хорошем настроении, а когда она неожиданно перетащила свою кровать в другую комнату, разрушив супружескую спальню, ничего не сказал, словно не заметил... Так чего ей еще надо? К тому же Павел изо всех сил старается заработать, просто ему пока не везет. Значит, решено, сегодня же кровать возвращается в общую спальню. В браке случаются кризисы, и слава богу, что Павел повел себя умно. Он, наверное, надеялся на то, что жена поймет свою ошибку. Леночке стало совсем гадко, когда она поняла, что благородство души продемонстрировал неотесанный муж, а не она, утонченная художница... Полная раскаяния, Лена вошла в ГУМ, купила в ювелирном отделе золотой браслет с пластинкой, выгравировала на ней надпись: «Любимому, единственному Павлу от жены Лены» и помчалась домой перетаскивать назад кровать.

— Погоди, погоди, — влезла я, — что ты путаешь! Говоришь, она в Родионе разочаровалась, а фото-то сделано на днях.

— Так ты не дослушала, — пояснила Нелли, — этот гадкий альфонсишко начал буквально преследовать Ленку. Звонил, умолял о свидании...

Лена встретилась с бывшим любовником, тот принялся петь ей о чувствах... Но Федулова только смеялась. Родя говорил:

— Она все придумала, я актер...

Но Лена качала головой:

— Дорогой, здесь у тебя вышел облом, ищи другой объект.

Тогда Родион сменил тактику. Как он узнавал Леночкины планы, оставалось загадкой. Но стоило художнице прийти на выставку, фуршет или презентацию, первым, кого она там видела, был Родя, шедший навстречу с широкой улыбкой на лице.

— Ей-богу, — ухмыльнулась Нелли, — кабы не знать, чем мужик зарабатывает себе на хлеб с икрой, поверишь в неземную любовь, он кружил вокруг Ленки, словно коршун над добычей. И тогда в «Митико» мы прямо обалдели, когда его увидели, сидит в холле, курит. Ну откуда он вызнал, что мы в салон собираемся!

— Еще раз скажи, как называется его театр?

— «Сирано», — ответила Нелли, — расположен на Фестивальной улице, извини, дом не знаю. Только ехать тебе туда не надо.

— Почему? — спросила я, вставая.

— Он не способен никого убить, — спокойно пояснила Королева, — характер не тот, студень, а не мужик.

Я пошла к двери. А вот тут, дорогая, ты, несмотря на весь свой ум, ошибаешься. Холодцом тоже можно убить, если заставить человека съесть разом десять килограммов.

ГЛАВА 30

На Фестивальную улицу я принеслась в полуобмороке и начала расспрашивать аборигенов о «Сирано». Но никто, ни тетка с коляской, ни молодая пара, ни старушка, тащившая огромную капусту, не смогли ничего мне сказать об этом коллективе. Не пролили на свет ситуацию и лоточники. Хлебом торговала украинка, «ангорскими кофтами» молдаванка, а возле ящиков с мандаринами прыгало в слишком тонких для нынешнего морозного ноября ботинках «лицо кавказской национальности». В полном отчаянии я вошла в небольшой магазинчик, торгующий колбасой, и безнадежно спросила:

— Девочки, тут где-то есть театр «Сирано»!

— А за углом, — небрежно проронила рыжая девица, — со двора войдите, там вывеска есть и касса ихняя.

Обрадовавшись, я полетела в указанном направлении и ткнулась носом в красивую белую дверь с золотой ручкой. «Сирано» — значилось на медной табличке, начищенной до невероятного блеска.

Я толкнула неожиданно легкую дверь и очутилась перед довольно крутой лестницей, застеленной ярко-желтой дорожкой. Ступеньки вели вниз, очевидно, устроители театра переделали под нужды сцены подвал. Я пошла по лестнице и уперлась в стол, за которым сидела дама без возраста. Взглянешь слева — ей двадцать, зайдешь справа — все сорок.

— Слушаю вас, — расплылась в улыбке дама.

— Я никогда не была здесь...

— Это легко исправить, спектакль, правда, уже пять минут как начался, но можно тихонько войти.

— А билет?

— Сто рублей, — ответила кассирша и, взяв у меня ассигнацию, протянула кусок синей бумаги, на котором стоял штамп «Билет. «Сирано».

— Но здесь нет ни номера ряда, ни места...

— Идите, сядете на свободное кресло. Программку не желаете?

Отдав еще двадцать пять целковых, я стала обладательницей тоненького листочка, отпечатанного, очевидно, на ксероксе. Владимир Нилов «Городской роман».

Ни имя автора, ни название пьесы ни о чем мне не говорили. Подталкиваемая любезной кассиршей, я вступила в крохотный, наполовину пустой зальчик и плюхнулась в ближайшее кресло.

На ярко освещенной сцене вовсю шло действие.

— Он ответит за это, — патетически восклицал тучный парень, удивительно похожий на актера, рекламирующего пиво «Толстяк», — он должен умереть!

— Нет, — взвизгнула девица с вытравленными до белизны прядями, — нет!

— Да, — настаивал жиртрест — и тогда мы станем свободны, — Монте-Кристо, иди сюда.

Услыхав знакомую кличку, я чуть не свалилась на пол и во все глаза уставилась на подмостки. Из левой кулисы вышел рослый, картинно красивый блондин.

— Ну, решились? — спросил он фальшиво-бодрым тоном, но мне было наплевать на его отвратительную игру. Круг замкнулся, я нашла негодяя, мерзавца и подонка. Но действовать дальше одной было опасно.

Стараясь не шуметь, я вышла из зала.

— Не понравилось! — воскликнула кассирша и быстро добавила: — Мы не возвращаем деньги!

— Нет-нет, все очень мило, — поспешила я успокоить ее, — только у меня астма, а в зале жутко душно...

— Да, — протянула администраторша, — с вентиляцией и впрямь беда!

Я вздохнула и спросила:

— А сколько еще будет длиться представление?

Дама глянула на огромные круглые часы, висевшие на стене:

— Спектакль идет три часа пятнадцать минут, с двумя антрактами...

— Он ведь только начался?

— Да.

— А вы видели вещь?

— Конечно, — засмеялась тетка, — очень интересная, прямо захватывающая...

— Там есть такой Монте-Кристо, — уточнила я, разворачивая программку, — э-э, Родион Кирсанов... Не знаете, он во всем спектакле занят? А то иногда «убьют» в первом акте, и артист домой бежит.

— Нет, — улыбнулась дама, — у Роди в этом спектакле много выходов, и в финальной сцене он занят, а почему вы интересуетесь?

Я сделала круглые глаза и, старательно изображая идиотку, засюсюкала:

— Хорош невероятно, просто шоколадка. У меня тут в соседнем доме подружка живет, дама незамужняя, большая любительница мужского пола, вот хочу ей показать, какие красавцы бывают! Если минут через сорок приведу ее, продадите билет?

— Конечно, — затараторила служительница Мельпомены, — обязательно, без проблем.

Мило улыбаясь, я вышла на улицу и сломя голову понеслась домой. Олег, вот кто мне нужен. Хорошо еще, что мы живем в двух шагах от Фестивальной, можно сказать, повезло, а то бы пришлось объясняться по плохо работающему телефону.

Муж полусидел в кровати, читая газету «Скандалы».

— Пришла? — нахмурился он. — Значит, не послушалась, отправилась наперекор мне носиться по городу! Отвратительно, имей в виду...

— Слышь, Олег, — прервала я его, — дело об убийстве Федуловой Лены у кого в производстве?

— Сколько раз просил, — завел муженек, — заметь, по-хорошему, ласково, не лезь в мои дела, не суй...

— Убийцу зовут Родион Кирсанов, — прервала я стоны супруга, — работает в театре «Сирано» актером, сейчас играет спектакль, если поторопитесь, успеете его взять, это в двух шагах от нас, в подвале, за магазином «Деликатесы».

Куприна словно ветром смело с ложа.

— Блин! — заорал он, путаясь в платке, упавшем с поясницы.

Вместе с шерстяной шалью на пол свалились вощеная бумага и куски ваты, в воздухе мигом повис резкий запах дешевой водки. Забыв про радикулит, муж схватил телефоны — домашний и сотовый — и принялся одновременно орать в обе трубки, пересыпая речь не совсем парламентскими выражениями.

Через десять минут он натянул на себя куртку и дернул дверь, я рванулась за ним.

— Разворот через левое плечо, — скомандовал муженек, — приказываю идти в спальню.

— Фиг тебе, — обозлилась я, — во-первых, я нашла убийцу, а во-вторых, являюсь главным свидетелем, это с меня требовали полмиллиона баксов за жизнь Кристины.

— При чем тут Кристя? — разинул рот мой майор.

— Побежали, — велела я, — на ходу объясню.

— Вы куда? — поинтересовался Аким, высовываясь из комнаты. — Ночь на дворе, скоро девять, пора спать ложиться. Эй, Олег, ты отца не слушаешь?

— Пошел в жопу, старый идиот, — рявкнул Куприн, застегивая куртку, — в жопу! Надоел хуже горькой редьки!

Я замерла с раскрытым ртом. Так, сейчас начнется артобстрел из дальнобойных орудий, но Аким неожиданно ляпнул:

— Ну хорошо, согласен, я идиот, но почему старый? Между прочим, еще даже о-го-го что могу!

Не отвечая, Олег заскакал по лестнице, я ринулась за ним, ощущая, что в голове быстро-быстро бегает горячая точка. Однако Аким иногда выдает поразительные реакции, не обиделся на слово «идиот», зато оскорбился, услыхав эпитет «старый»!

К театру мы подлетели, запыхавшись донельзя. Бедный Олег, до которого на бегу доходила правда о Кристе, только и мог, что изредка вскрикивать:

— Блин, вот блин, ну и блин!

Несмотря на то, что мы жутко торопились, у входа в театр уже стоял автобус и белые «Жигули». Увидав нас, из легковушки выскочили Юрка и пара незнакомых мужиков. Олег подбежал к ним.

— Ну е... — понеслось от группы парней, — блин, ..., блин... блин.

Что их на этом блине заклинило! Потом супруг свистнул:

— Эй, Вилка!

Я сделала вид, что не слышу. Можно и повежливей обойтись с дамой, нашедшей отвратительного похитителя детей и киллера.

— Иди сюда, — заорал Юрасик, — хватит выдрючиваться.

Сохраняя полную невозмутимость, я двинулась на зов. Ну погоди, Юрка, еще попросишься переночевать.

— Значит, слушай, — велел мне муж, — спускаешься вниз и встаешь около кассирши, — твоя задача сделать так, чтобы бабенка не завизжала и никого не спугнула. Справишься?

— Элементарно, Ватсон, — хмыкнула я.

Юрка захихикал. Олег поджал губы:

— Значит, считаешь себя Шерлоком Холмсом?

Юра махнул рукой. Двери автобуса с омерзительным скрипом распахнулись, и наружу, словно гречневая крупа из разорванного пакета, высыпались здоровенные парни в камуфляжной форме и черных вязаных шапочках-шлемах, сквозь прорехи которых нервно поблескивали глаза. У каждого в руках имелось оружие, у большинства на поясах болтались ножи, а ноги были обуты в жутковатые ботинки с железными носами.

Все это омоновцы проделали в полнейшей тишине. Один из них, очевидно, главный, поднял руку, подчиненные мигом построились цепочкой. Командир растопырил пальцы, строй раздвинул ноги. Слаженность их действий завораживала, происходящее напоминало балетную постановку, где каждый исполнитель четко знает свою роль.

— Давай, — пихнул меня в спину Олег, — двигай, Рейд, истребитель тараканов!

Дивясь на его последнюю фразу, я пошла по ступенькам вниз, не слыша, а чувствуя сзади мягкие шаги вооруженных до зубов людей. Да, трудно понять мужчин. И что он привязался к несчастной ловушке для прусаков?

Кассирша, увидав меня, расплылась в улыбке:

— Привели подружку?

— Ага, — кивнула я, — причем не одну, она, знаете ли, с кавалерами веселилась, ну мальчики тоже захотели посмотреть на спектакль.

— Это очень хорошо, — воодушевились баба, — и сколько вас?

— Много, — ответила я и вплотную подошла к администраторше, — только они ребята с характером, вам лучше стоять молча!

— Что это? — прошептала кассирша, увидав, как серо-зелено-черная лента омоновцев беззвучно спускается по лестнице. — Что?

Я уперла несчастной бабе под ребра указательный палец и велела:

— Молчи, а то выстрелю.

Администраторша всхлипнула и упала в обморок. Я аккуратно усадила ее на пол, в самый угол. Вот и славненько, теперь она точно не заорет.

«Змея» из омоновцев втянулась в зал, оттуда неожиданно раздались аплодисменты, потом вопль:

— Всем оставаться на местах.

Я по-прежнему держала администраторшу за плечо. Баба пришла в себя и, мотая головой, бестолково вопрошала:

— Что? Что? Что?

— Молчи, — шикнула я, и совершенно зря...

В зале раздавались крики, мат, грохот... Потом все неожиданно стихло, и к лестнице начали выбегать перепуганные зрители. Их оказалось немного, человек пятнадцать. Дрожащими руками, швыряя номерки на столик администраторши, они хватали с вешалки пальто и куртки. Но кассирша, все еще плохо воспринимая происходящее, только бормотала, по-прежнему сидя в углу:

— До свидания, приходите еще.

— Ну уж нет, — фыркнула одна баба, — к вам больше ни ногой.

Как только последняя зрительница, натянув шубу, исчезла, из зала послышался топот. Сначала, распахнув дверь, вышли два милиционера, за ними следовал третий мужчина. Он вел перед собой согнутого пополам Монте-Кристо. Одной дланью омоновец держался за волосы негодяя, другой — за его вывернутую назад правую руку. Чуть поодаль с хмурым лицом шагал Олег. Поравнявшись со мной, муж бросил:

— Покажи!

Омоновец рванул голову арестованного за белокурые пряди вверх.

— Ой! — взвизгнул Монте-Кристо.

— Молчать! — рявкнул один мент.

Второй, не раздумывая, пнул задержанного ногой в тяжелом ботинке. Мне не нравится, когда избивают беззащитных людей с заломленными назад руками, но Монте-Кристо следовало убить на месте.

Отпихнув от себя упавшую, словно куль, администраторшу, я подлетела к альфонсу и, вцепившись ногтями в его порочное, картинно красивое личико, заорала:

— Ублюдок, дрянь, немедленно отвечай, где Кристя, иначе велю расстрелять тебя во дворе!

Менты кинулись ко мне и оттащили в сторону. Извиваясь в их железных объятиях, я вопила:

— Пустите немедленно, волки позорные, дайте урыть подонка!

— Ну тише, тише, — бормотали милиционеры.

Изловчившись, я приподнялась на локтях и долбанула ногами по голове склоненного Монте-Кристо. Омоновец, держащий негодяя за волосы, не ожидал подобного поворота событий, а может, удар оказался слишком сильным, только парень неожиданно остался стоять с прядями белокурых клоков в кулаке, а Монте-Кристо очутился на полу, приложившись мордой о ступеньки лестницы.

— Не бейте меня, — заверещал он тонким, совсем не мужским голосом, — не бейте, все скажу, это не я придумал, не я, меня наняли... Я только играл роль, клянусь, не я.

— А кто? — тихо спросил Олег, наклоняясь над распростертым актером. — Кто? Говори скорее, голубчик, имечко, которое, кстати, я без тебя знаю, и адресочек, где прячете девочку, давай, лебедь сизокрылый, поторопись. А то сейчас мои люди не удержат госпожу Тараканову, и будет тебе «Рейд», ловушка для насекомых.

Монте-Кристо прошептал какую-то фразу.

— Ага, — удовлетворенно кивнул муж, — так я

и знал, уводи его, ребята, пока Виола с цепи не сорвалась.

Омоновцы поволокли абсолютно не сопротивлявшегося парня во двор.

— Кто? — закричала я, кидаясь к Олегу. — Кто, если не он, убил Лену, и где Кристя?

— Ты все равно не поверишь, когда узнаешь, — вздохнул Олег.

— Кто?

— Иди в автомобиль.

— Кто?

— Сейчас увидишь!

Понимая, что муж ничего не скажет, я села в машину. «Жигули» запетляли по улицам, потом вырвались на Ленинградское шоссе и помчались вперед. Сзади не отставал автобус с омоновцами и желтый «газик», в котором трясся Монте-Кристо с конвойными. И почему его только не повезли в СИЗО?

— Куда мы едем? — спросила я.

— На дачу, — мирно ответил Юрасик и вздохнул, — эй, снежок лег, сейчас бы на лыжах покататься, замерзнуть, потом сесть за стол, а на нем чтоб картошечка, капустка квашеная, сальце, водочка...

Незнакомый мне мент, сидящий возле шофера, крякнул:

— Не трави душу, Юрон, сейчас тебе будет в полном наборе водочка-селедочка-стрелялочка...

Повисла тишина, мужики разом закурили, я согрелась, сидя между Юркой и Олегом, потом зевнула и неожиданно заснула.

— Слушай внимательно, — раздался голос.

Я подскочила от неожиданности и стукнулась головой о потолок. Плохо понимая в первую секунду, где нахожусь, машинально повернулась влево и тут же увидела распахнутые дверцы машины и Олега с Юркой.

— Значит, так, — говорил супруг, обращаясь к Монте-Кристо, — даем тебе последний шанс, единственную возможность облегчить свою участь.

— Да, да, да, — кивал встрепанной головой мерзавец, — все сделаю, все...

— Подойдешь к воротам, скажешь, что привез деньги...

— Да, да, да, конечно!

— Только без глупостей!

— Да, да, да...

— Попробуешь убежать, снайпер выстрелит в ноги. Знаешь, что случается, когда пуля попадает в коленную чашечку? Потом требуется новый сустав ставить, из пластика. Только в тюремных больницах такого чуда в глаза не видывали, поэтому просто оттяпают ходилку, понял?

— Да, да, да, — дрожал красавец, — все сделаю, только не стреляйте.

— Хорошо, — одобрил Юрка, — теперь причешись и умойся, а то у тебя кровь на лице.

Монте-Кристо быстро привел себя в порядок и спросил:

— Воду где взять?

Один из омоновцев ухмыльнулся.

— А ты снегом рожу утри.

Блондин покорно набрал пригоршню белого, не городского снежка и быстро-быстро повозил им по омерзительно прекрасной морде.

— Ну, давай, — велел Олег.

Монте-Кристо подошел к железным воротам, по бокам которых выстроились парни в камуфляже, и нажал на кнопку.

— Кто там? — прокаркал из динамика то ли мужик, то ли баба.

— Я, Родион, деньги привез, — спокойно ответил парень.

Калитка распахнулась, за ней маячила полная фигура, облаченная в куртку с капюшоном, надвинутым на лицо.

— Давай, заходи, — сказала она до боли знакомым голосом, — неужели раньше принесла?

Родион шагнул было вперед, но в ту же минуту омоновцы, сметая актера, ринулись внутрь и схватили существо в куртке. Калитка захлопнулась. Дальнейшее происходило за кадром.

— Где Кристя, — металась я, — где?

— Сиди, — велел шофер, — жди.

— Но...

— Сиди.

— С ума сойти можно, — нервничала я, — ну как вы можете тут рассиживаться, вот так, спокойно, без нервов.

Водитель зевнул:

— Правов не имею вмешиваться, да и привык. Знаешь, из чего в основном оперативная работа состоит?

— Ну стрельба, погони...

— Бывает, — хмыкнул мент, — только в основном ждать приходится, молча и тихо, так что я привыкший, а тебе советую...

Но он не успел договорить. Калитка вновь распахнулась, и появился Юрка с Кристиной, совершенно целой и с виду здоровой.

— Кристя! — заорала я и кинулась обнимать девочку.

Не успела я ощупать ребенка, как железные ворота раскрылись, и омоновцы вытащили на дорогу толстое низкорослое существо, закутанное в пуховую куртку. Широкий капюшон закрывал почти все лицо.

— Ну, — весело спросил Олег, — ну, Шерлок Холмс, знаешь, кто главный в этой милой истории?

— Нет, — пробормотала я, вглядываясь в куль, — нет.

— А все потому, — радостно заявил муженек, — что никакой ты не сыщик, а просто «Рейд» — ловушка для тараканов, покажите, ребята, нам сию морду лица!

Один из омоновцев сдернул с арестантки капюшон, я почувствовала, что сейчас лишусь сознания.

Посреди дороги, растрепанная, со злобно сжатыми губами и прищуренными глазами, стояла... милейшая старушка, добрая мать, бабушка и теща Марья Михайловна.

ГЛАВА 31

Прошло два дня. Тамаре мы ничего не рассказали, и, когда Кристя, переночевавшая у Олега на работе, заявилась домой, Томуська только удивлялась:

— Ну как же так, Кристя! Все каникулы провела на свежем воздухе, а бледная, даже зеленая, словно в подвале просидела!

— Да мы у компьютера все время проиграли, — сообразила ответить девица.

В понедельник мы сидели с Олегом в «Макдоналдсе».

— Ну, — ухмылялся муж, — рассказать всю историю?

— Да, — с жаром воскликнула я.

— Прямо здесь?

— А что, подходящее место, дома же не дадут поговорить!

— Это точно, — вздохнул супруг. — Значит, слушай. Честно говоря, никогда не мог понять теорию относительности, придуманную гениальным Эйнштейном. Ну почему, пролетав в космическом корабле десять своих биологических лет, я вернусь на Землю, где пройдет сто лет, а? Ты можешь мне объяснить?

— Нет, только при чем тут Альберт Эйнштейн?

— Старику, кроме невероятных открытий, принадлежат еще и километры едких высказываний. В особенности мне нравится одно: «Относительно родственников можно сказать много чего... и сказать надо, потому что напечатать нельзя». И дело Лены Федуловой лучшее подтверждение мысли гения, этакое милое, семейное, родственное преступление... Но для того чтобы понять происшедшее, нам нужно вернуться назад, в 50-е годы.

История семьи Корольковых не была уникальной. Жила-была Ольга Королькова, ее муж Михаил да дочка Марья... Но потом Ольга поругалась с супругом, изменила ему и выскочила замуж за любовника. Только тот поставил условие: хочешь жить со мной — никаких детей от предыдущего брака.

Вот Марья и осталась с отцом. Правда, ей в 1956 году, когда разворачивались события, исполнилось девятнадцать лет, и она считала себя взрослой женщиной. Ольга же выкинула невероятный для того времени финт, взяла и родила в 1957 году еще одну дочку, названную Людмилой. Самой Ольге исполнилось ни много ни мало сорок лет. Марью она произвела на свет в 1937-м, едва справив двадцатилетие. Людмилочка появилась на два десятка лет позже. Сами понимаете, что ни о какой дружбе между сестрами речи не шло, слишком велика была возрастная разница.

Новый муж Ольги, Константин, хоть и запретил матери жить с Марией, но против прихода девушки в гости не возражал, был приветлив с падчерицей и даже делал той небольшие подарки на Новый год. Марья не обижалась на мать, понимая, что ей хочется простого бабьего счастья, на Людмилу смотрела спокойно... но потом в ее душе неожиданно поселилась зависть.

Совершенно внезапно Ольга сделала стремительный карьерный взлет, став начальницей «спецателье». Новое служебное положение мигом изменило ее жизнь. Из крохотной хрущовки, принадлежащей Константину, семья переехала в отличную четырехкомнатную квартиру возле метро. Правда, новый дом тоже был блочным, но «хитрым» — кухни у жильцов зашкаливали за двадцать «кубиков», а потолки вздымались на три метра... Прикрепили ее и к «кремлевскому распределителю», на столе появились невиданные продукты... Людмилочка щеголяла в шубке, сшитой из нутрии. Это сейчас манто из этого животного красуется на каждой второй, а в те годы в них наряжалась лишь элита... Марья носила на плечах обычное пальто из буклированной ткани. В ателье разрешили сшить только одну шубку, и она, естественно, досталась пятнадцатилетней Миле... Марья по-прежнему обитала в коммуналке, отца она похоронила, и, хотя Ольга помогала старшей дочери, той было далеко до материального благополучия.

Постепенно в голову молодой женщины змеями стали заползать не слишком хорошие мысли, а после неожиданной смерти отчима Константина их стало еще больше. «Что было бы сейчас? — думала Марья, лежа без сна в своей комнатушке. — Что было бы, если бы не Людмила...»

Но внешне она никак не выказывала ни зависти, ни недовольства, была приветлива с младшей сестрой и матерью. Новый год встречали вместе, сообща пекли пироги на Первое мая и Седьмое ноября, но переехать к ней насовсем Ольга Марье не предлагала, и той часто думалось: все дело в Людмиле...

Однажды Ольга позвала к себе старшую дочь и сообщила сразу две ошеломляющие новости. Одна звучала страшно: у нее нашли неизлечимую болезнь сосудов и сказали, что жить осталось не так много. Второе известие на первый взгляд могло показаться радостным: Милочка ждала ребенка.

Но радостной новость казалась только на первый взгляд, при более детальном изучении ситуация теряла всякую привлекательность. Отца у будущего младенца не имелось. Людмила даже отказывалась назвать его имя. Кроме того, становилось ясно, что девушке придется проститься с мечтой о высшем образовании... Вот поэтому Ольга и сделала старшей дочери предложение:

— Вот что, переезжай к нам, поможешь поднимать ребенка на ноги, Люда окончит институт, а я, дай бог здоровье, обеспечу всех до поры до времени.

Марья понимала, конечно, что из нее хотят сделать няньку и домработницу, не желая доверять ребенка и квартиру посторонним людям... Но в тот год ей стукнуло сорок. Семьи не было, карьера не удалась. Женщина работала в издательстве «Детская литература» внештатно, изредка получая заказы на оформление книжек... Ни денег, ни радости работа не приносила. Умереть с голоду Марье не давала мать. Художница чувствовала себя усталой, старой неудачницей, нищей и никому не нужной. Поколебавшись несколько дней, она ответила согласием и перебралась к матери. Но дальше события приняли совсем уж невероятный оборот

Родив Леночку, Мила стала чахнуть и, когда дочери сравнялся год, тихо умерла от непонятной болезни. Врачи считали ее здоровой, Марья думала, что сестра просто валяет Ваньку, чтобы не учиться и не работать, а вот поди же ты, она скончалась.

Все заботы о маленькой Лене и постепенно слабеющей матери легли на плечи Марьи. Все, кроме финансовых. Ольга продолжала работать, изо всех сил старательно скрывая на службе недомогание.

— Мне бы только Леночку поднять, в институт определить, выучить — и помирать можно, — повторяла Ольга.

Но судьба распорядилась иначе, бабка скончалась, когда внучке стукнуло пятнадцать... Потом Марья узнала о беременности Лены и о Павле...

Отношения с зятем не сложились сразу. Уж больно неотесанным и грубым казался парень. Марья не видела никаких привлекательных сторон в Павле и даже попыталась развести его с Леной. Но девочка проявила неожиданную твердость характера и в первый раз возразила той, которую считала своей родной матерью.

— Я его люблю, не нравится, уезжай к себе, квартира моя, ты тут никто!

Жуткая обида затопила душу Марьи Михайловны. Мигом всплыли со дна души воспоминания... К тому же Леночка, по-детски желавшая добиться всего, чего хочется, неожиданно попала острым шилом в самое больное место. Марью и впрямь не прописали в шикарной квартире. Наверное, Ольга боялась, что после ее смерти старшенькая затеет размен и обманет внучку. Леночка всегда была ее любимицей, и четырехкомнатные хоромы должны были достаться ей. Марье действительно было некуда идти. К тому же после Ольги осталась толстая сберкнижка. Вклад на ней был завещан Лене. Марья могла им распоряжаться только как опекун. Уйдя от наглой, не помнящей добра девчонки, Марья Михайловна вновь оказалась бы нищей, а жить с пьяницей-соседом ей совершенно не хотелось. Пришлось, наступив себе на горло, изображать любовь к нагло расхаживающему по комнатам Павлу... Впрочем, ничего нового в этой ситуации для Марьи Михайловны не было, она до этого точно так жила с матерью и Милой. Хотя справедливости ради следует отметить, что к Леночке она испытывала кое-какие добрые чувства, которые начисто пропали, когда девочка сказала ей про квартиру.

Правда, уже вечером того же дня Леночка плача пришла к матери:

— Прости меня, бог знает, что я ляпнула! Извини, давай прописывайся сюда, ну ее, твою комнату!

Марья Михайловна вздохнула; воспитывая Лену, она так и не почувствовала себя матерью. Настоящая мать всегда простит свое дитя, что бы то ни совершило... Но художница никак не могла забыть гадких слов Лены. Не подавая вида, Марья Михайловна сказала:

— Нет, детка, отдавать комнату государству жалко. Сразу отберут, как только пропишусь, а лишняя жилплощадь нам не помешает, вырастет ребеночек, ему пригодится...

Лена кинулась ей на шею:

— Люблю тебя, ну прости!

— Кто старое помянет, тому глаз вон, — улыбнулась Марья Михайловна.

Успокоенная девочка ушла, но Марья не простила. Более того, семена ненависти, посеянные в ее душе, проросли и дали обильные всходы.

Родился Никита, Марья Михайловна вновь превратилась в няньку. Сначала проживали вклад, завещанный Лене, но потом грянули финансовые реформы, деньги в один день превратились в пыль.

Пришлось продавать кое-какие цацки... Стало совсем кисло, правда, и Павел, и Лена пытались заработать, но все их попытки заканчивались неудачей. С горя Марья Михайловна написала жуткую картину, этакий ужастик на полотне, и от полного отчаяния встала с ней около метро. Мигом рядом притормозил «Мерседес», высунулся парень, похожий на «обожаемого» зятя, как брат-близнец, и гаркнул:

— Сколько?

— Триста, — промямлила Марья Михайловна, забыв прибавить «тысяч».

Еще не было девальвации и в ходу были купюры с огромным количеством нулей.

— Давай, — велел браток и открыл заднюю дверь роскошной тачки.

Марья Михайловна сунула полотно внутрь кожаного салона. Парнишка протянул ей три зеленые бумажки и гоготнул:

— У Коляна день рождения, с ума сойдет, когда увидит.

Потом роскошная иномарка, обдав художницу грязью из-под колес, унеслась. Женщина в растерянности смотрела на огромную сумму... Триста долларов! Она-то просила рубли!

Так Марья Михайловна стала малевать ужастики, улетавшие, как горячие пирожки. За полгода из домработницы и нищей приживалки она превратилась в финансовый столп семьи, отношение к ней родных резко изменилось. Впрочем, и Лена, и Павел были и раньше вежливы, но... но всегда разговаривали с ней слегка снисходительно, свысока, так в некоторых семьях общаются с бабками-пенсионерками. Готовит обед — и ладно, чего еще хотеть. Марью Михайловну подобное положение дико злило, но теперь все изменилось. Зять мигом приглушал телевизор, если теща, высовываясь из мастерской, заявляла:

— Мне мешает громкий звук.

А Леночка встала к плите, приговаривая:

— Работай, мамуся, ты теперь у нас «продажная женщина».

Нуждаться они перестали, но денег все равно не хватало. Но потом Павел принес в дом видеокассету с веселой лентой о мошенниках, подделывающих произведения искусства, и Марья Михайловна решила: а чем я хуже?

— Значит, это она все задумала? — ахнула я.

Олег кивнул.

— Более того, ни слова не сказала ни дочери, ни зятю!

— Как же так? — удивилась я.

— Просто, — пожал плечами муж, — говоря словами протокола, Марья Михайловна вступила в преступный сговор с Машей Говоровой.

Женщина великолепно знала ближайших подруг Лены, Женю Бармину, Катю Виноградову и Говорову. Девчонки часто забегали в гости. Машенька больше всех нравилась художнице, может, потому, что они были тезки, или потому, что Марья Михайловна вычислила в ней родственную натуру: хитрую, жадную, готовую на все за деньги. Одним словом, бабушка рискнула и не прогадала.

Для всех членов «синдиката» Машенька была организатором процесса, она же раздавала деньги за проданные шедевры, каждый раз подчеркивая, что всем достается поровну, но это было не так.

Большую часть забирали себе Марья Михайловна и Говорова, меньшую делили между глупенькими и наивными Леной, Женей и Катей.

— Она обманывала свою дочь! — возмутилась я.

Олег хмыкнул:

— Бизнес! И потом, не забудь, Марья Михайловна терпеть не могла Лену, но ей опять приходится скрывать свои чувства. Ни Говорова, окончившая искусствоведческий факультет, ни Марья Михайловна не умели так рисовать, как Лена, им нужны «кисти».

Начинается полоса финансового благополучия. Лена покупает себе новую жилплощадь и торжественно дарит свою старую квартиру воспитавшей ее женщине. Марья Михайловна только ухмыляется, слушая, как Леночка врет про то, как здорово пошел бизнес у Павла.

Милая старушка не тратит ничего из заработанного, у нее есть мечта: податься через несколько лет в Грецию, купить там домик и доживать свой век на берегу теплого Эгейского моря. Маша Говорова тоже не «высовывается». Потом умирает Женя Бармина, и к делу привлекают Илью.

— Она и впрямь скончалась от кори? — тихо спросила я.

Олег кивнул:

— Да, осложнение на сердце, но это единственная естественная смерть члена «синдиката», остальных убрали с подачи милейшей бабули.

— Но зачем?

— Из-за денег, — коротко бросил Куприн.

Маша Говорова дала маху и на радостях ляпнула про настоящую цену шедевра Леонардо. К тому же Руфина Михайловна тоже примерно представляла, сколько денег можно получить за раритет...

Уж очень Говоровой и Марье Михайловне не хотелось ни с кем делиться.

Сначала сладкая парочка наняла киллера, чтобы убрать Катю Виноградову. Наемный убийца выполнил задание, представив дело как несчастный случай, такое бывает часто: заснула пьяная за рулем, а отработанный газ пошел в салон машины.

Потом собирались убрать Руфину, но та, на свое счастье, уехала в Израиль, навестить дочку...

Затем пришел черед Лены.

— Она решила убить дочь! — закричала я. — Ну ладно, не родную, но все-таки племянницу...

Муж пожал плечами:

— Теперь говорит, что это вышло случайно. История-то еще более грязная, чем ты думаешь!

Месяца за два до аферы с Леонардо Марье Михайловне вконец надоел Павел. Она и раньше ненавидела парня до зубовного скрежета, а теперь совсем обозлилась. Больше всего ее возмущало, что «мармеладник» живет за счет Лены, а окончательно добила старушку новая машина, джип, который та купила мужу. Вместо того чтобы откладывать заработанные средства, не мог же «синдикат» существовать вечно, неразумная девчонка транжирила доллары на мужлана и противного, избалованного сына!

Терпение Марьи Михайловны лопнуло, и она наняла Монте-Кристо. Перед ним поставлена стратегическая задача: влюбить в себя Леночку и убедить ту выгнать мужа!

Сначала все складывалось просто великолепно. Марья Михайловна тихо ликовала, когда, приехав к Леночке в гости, обнаружила, что дочка перебралась спать в отдельную комнату. Но потом случился облом, и Леночка вновь воссоединилась с супругом. Марья Михайловна решила не сдаваться и приказала Родиону по-прежнему оказывать Лене знаки внимания. Монте-Кристо, готовый за деньги на все, начинает охоту.

— Так вот откуда он знал, где бывает Федулова, — догадалась я, — ему Марья Михайловна говорила.

— Конечно, — подтвердил Олег, — но потом завертелось дело с Леонардо, в котором Монте-Кристо тоже отвели свою роль.

ГЛАВА 32

Понимая, что такая удача, как картина великого мастера, оказавшаяся в руках за бесценок, приходит лишь один раз в жизни, Марья Михайловна тщательно отнеслась к делу продажи шедевра. К этому привлекли Вербова Максима Ивановича.

— Погоди-ка, — прервала я Олега, — Вербов? Это он приходил к Марье Михайловне в тот день, когда напали на Никиту! Художница сказала мне, будто она одолжила у мужика деньги на ремонт кухни, десять тысяч рублей, и должна отдать, но грабители украли эту сумму.

— Ага, — хмыкнул Куприн, — правильно, только не десять тысяч деревянных, а полмиллиона «зеленых».

— За что?!

— Вербов — мировая величина среди оценщиков картин, доктор наук, профессор, старый друг Марьи Михайловны. Конечно, Руфина подтвердила покупателям подлинность картин, кстати, из предосторожности и Аркину, и Конкину показывали подлинник, но потом-то всунули лажу.

— Погоди, погоди, — заволновалась я. — Как лажу? Разве у одного из них не подлинник?

— Слушай, — обозлился Куприн, — будешь прерывать меня каждые пять минут — ничего не узнаешь! Да, им всучили подделки, а Вербов успокоил хозяев: нервничать не следует, в их руках настоящий Леонардо. Вообще-то уважаемый Максим Иванович никогда не занимался подобными делами, но тут дрогнул. Внучка замуж выходила, захотелось ей квартирку купить, машину, отправить в заграничное путешествие... Вот и оскоромился.

Наглые девицы знали, что ничем не рискуют. Богатые покупатели всегда обращались для проверки картин к Руфине. Только она занималась этой работой в Третьяковке. Маша советовала: «Вы проверьте полотно».

Человек шел в галерею и... попадал к Руфине. Кроме нее, еще был Вербов, но он никогда не занимался оценкой, и вот всего один раз решил подзаработать, тем более что старая знакомая Руфина успокоила его: «Все будет в порядке».

Сначала все шло по плану. И Аркин, и Конкин были абсолютно уверены, что получат подлинник, существовала единственная задержка — в деньгах. Сразу снять наличкой два миллиона долларов со счета трудно, поэтому денежки попали в руки Говоровой 27 октября. И тут для Марьи Михайловны и Маши разом кончилось везение.

Все дела с покупателями имела Говорова, хитрая старуха оставалась «за кадром». 25 октября Маша позвонила покупателям и категорично заявила:

— Если не берете картину, так и скажите, найдем другого покупателя, такого, который сразу расплатится.

И Аркин, и Конкин, понимая, что подобный раритет за смехотворную сумму в два миллиона долларов попадает в руки не каждый день, мигом обещают одно и то же.

— Второго ноября деньги точно будут у вас.

Словно сговорившись, они называют одно число. Марья Михайловна, страшно довольная, облегченно вздыхает и 26 октября отправляется в Питер на свадьбу дочери своей подруги.

Но уже 27-го числа утром Конкин звонит Говоровой и сообщает:

— Все о'кей, встречаемся в полдень.

А затем, будто нарочно, следует известие от Аркина.

— Жду в 13 дня для окончательного расчета.

Растерявшаяся Машенька становится к двум часам обладательницей огромной суммы. Испугавшись при виде такой кучи денег, уложенной в две совершенно неподъемные сумки «Самсонит», Говорова мчится к Федуловой. Она знает, что у той дома имеется сейф. Но безумное количество пачек не может влезть в довольно маленькое хранилище, и Лена укладывает миллионы в тайник, о котором не знает никто, кроме Павла. «Хитрый» телевизор был куплен Леной на выставке «Ваша безопасность», и до недавнего времени она хранила там всякие ценности. Теперь же ящик был забит банкнотами, но влезли туда не все. Полмиллиона баксов она положила в кожаный чемоданчик, сверху покидала вещи Никиты и... задвинула саквояж к себе под кровать. Говорова, пристроив деньги, а Лена не сказала ей, куда прячет баксы, звонит Марье Михайловне в Питер с радостным сообщением:

— Все в порядке, деньги у меня.

Но старуха чуть не падает в обморок от ужаса.

Дело в том, что она уже давно решила ни с кем не делиться, вся сумма должна принадлежать только ей. Катя Виноградова уже погибла, и ее смерть не вызвала у членов «синдиката» удивления, несчастный случай может произойти с каждым. Следующей жертвой должен стать Павел. Правда, сейчас, находясь под арестом, Марья Михайловна клянется, что все убийства затеяла Маша Говорова, что она заставляла старуху плясать под ее дудку... Но следующей жертвой намечен Павел. Избавиться от зятя теща решает просто.

26 октября, вечером, перед отъездом в Питер, она забегает к дочери и внуку, якобы для того, чтобы проститься перед поездкой. Улучив момент, Марья Михайловна засовывает любимому зятю под матрас пакет с героином, а потом, недолго сомневаясь, звонит из Питера и сообщает в соответствующие органы о «наркодилере».

Поэтому сейчас, услыхав от Говоровой, что деньги у Лены, бабуся приходит в дикий ужас. С минуту на минуту в квартиру к Федуловым явится милиция. Собственно говоря, Марья Михайловна и отправилась в Питер, чтобы не присутствовать в Москве во время ареста...

— Немедленно отвези деньги к себе, — орет старушка, — быстрей!

Говорова, ничего не понимая, звонит Лене, но та бубнит в ответ нечто невразумительное: в квартире идет обыск.

Милиция сработала быстро. Мигом уточнила личность Павла, узнала о его копеечных доходах, практически неработающей жене, квартире, даче, машине... и 27-го вечером ловушка захлопнулась.

Что пережила Лена, когда по дому расхаживали люди в форме, неизвестно. Но ясно одно, она не потеряла присутствия духа. И когда в комнатах начался обыск, Леночка улучила момент и, вытирая заплаканные глаза платочком, толкая перед собой Никиту, подошла к входной двери и попросила у дежурившего там мента:

— Разрешите мальчика к соседям отвести? Ну зачем ему на этот ужас смотреть?

Леночка была очаровательной девушкой с испуганным лицом, Никитка выглядел совершенным малышом. Да еще хладнокровная Лена нагло сунула менту под нос открытый чемоданчик и заявила:

— Тут его вещички и книжки...

Если бы «на часах» стоял опытный сотрудник, номер бы не прошел. Но у двери тосковал молоденький, девятнадцатилетний сержантик, впервые попавший на подобное задание.

— Ладно, — разрешил он, — уводи мальца!

Леночка отвела Никиту в соседнюю квартиру и оставила там чемоданчик, который сержант-лопух даже не обыскал. За тайник в телевизоре девушка была спокойна, она даже включила какую-то программу и демонстративно уставилась в экран. Единственное, что ее злило, так это глупость Павла, решившего по непонятной причине заняться наркотиками, поступка глупее в создавшейся ситуации нельзя было придумать.

Милиция уходит, забрав Павла и героин, найденный под матрасом. Леночка спешит обрадовать Говорову: деньги целы.

Возвратившаяся из Питера, Марья Михайловна решает действовать спешно. Теперь ей жутко мешает Лена. В дело вступает Монте-Кристо. Он звонит бывшей любовнице и сообщает, что узнал об аресте ее мужа и сейчас приедет к ней домой вместе с потрясающим, уникальным адвокатом... Но у законника только час свободного времени, поэтому пусть Лена сидит и ждет.

Как раз в этот день Никитка занимается немецким. Преподавательница, Виола Тараканова, милая женщина, и Леночка просит ее об услуге — забрать к себе картину.

Тут Олег замолчал, потом спросил:

— Тебе не показалась странной эта просьба?

Я пожала плечами:

— Нет, она не хотела, чтобы полотно, которое предполагалось выставить на вернисаже, было конфисковано, вот я и взяла его, а что?

— Да ничего, — пожал плечами супруг, — но потом неужели ты не задумалась, куда подевался настоящий Леонардо?

— Мне казалось, что он у кого-то из покупателей, — растерянно сказала я.

— Нет, дорогая, жадные девицы впарили обоим мужикам туфту, а настоящего Леонардо предполагали продать за границу, и дамы нашли покупателя среди западных дипломатов, чей багаж на таможне не досматривается. Но для пущей страховки полотно решили «записать».

— Это как?

— Да очень старый способ. Поверх ценной картины малюют какой-нибудь натюрморт или портрет, а потом смывают и вновь имеют раритет.

— Значит, пейзаж, — ахнула я, — пейзаж... это Леонардо?

— Именно, моя радость.

— Но почему Лена мне его отдала?

— Она же не знала, что ее через пятнадцать минут убьют! Думала, всунет глупой училке на денек-другой...

— Но почему мне? Отчего не Маше или Руфине?

Куприн тяжело вздохнул:

— Ох, сдается мне, они в этой компании друг друга стоили. Большие деньги — большое испытание для дружбы, и Леночка его не выдержала. Знаешь, что она сказала Руфине?

— Нет.

— Милиция якобы конфисковала полотно.

— Да ну?

— Точно, а та сообщила Говоровой: Леонардо пропал.

Только милая Лена хотела сама завладеть бесценной картиной. Она и впрямь боялась, что та попадет в опись, поэтому и попросила тебя припрятать раритет. Считала, что через два-три дня получит ее назад. Она ничем не рисковала. Ты женщина аккуратная, порядочная, а пейзаж, подписанный «Федулова», никому не нужен. Но вышло по-иному.

Обозленная тем, что Леонардо попал в руки милиции, Марья Михайловна решает заграбастать себе все денежки. Она даже радуется: Машу и Руфину можно будет не убивать, им скажут, что в дом к Лене ворвались бандиты и украли деньги. Только не подумайте, что Марье Михайловне было жалко подельниц, нет, ей просто не хочется тратить лишние доллары на киллера.

Итак, ты и Никита идете в мастерскую, буквально через пять минут в квартиру входит Монте-Кристо и киллер, которого Леночка принимает за адвоката.

— Так вот почему она открыла дверь! — воскликнула я.

— Ага, Лена не боялась Родиона. Они проходят в спальню, и киллер достает оружие, требуя сказать, где деньги.

Перепуганная Лена рассказывает про телевизор, чемоданчик, и... ее убивают. Бедная женщина должна бы догадаться, что человек, знающий местонахождение денег, жив до тех пор, пока молчит.

Сделав дело, киллер исчезает, он профессионал высокого класса, получивший за дело большую сумму.

Несчастный Монте-Кристо, дрожа от ужаса, набивает сумки деньгами из телевизора и едет к Марье Михайловне. Про Никиту он не вспомнил. Киллер про мальчика не знает, а Марья Михайловна, забыв, что начались каникулы, считает, что внук в школе, мысль о визите репетитора даже не приходит ей в голову.

Получив состояние, бабушка пересчитывает купюры и обнаруживает, что не хватает полмиллиона. В гневе она устраивает допрос Родиону.

— Ты все пачки вынул, идиот?

Тут только бедняга, у которого поджилки трясутся, вспоминает:

— Она говорила, что пятьсот тысяч в чемоданчике, в кладовой!

— Немедленно поезжай и забери, — велит старуха.

Но у Монте-Кристо начинается истерика. Он отнюдь не Аль Капоне, а трусливый, слабый человек, привыкший жить за счет других. Привести в дом киллера он согласился только из-за денег. И потом, Родя наивно полагал, что Лену убьют тихо, отнюдь не на его глазах, но вышло-то по-иному!

— Нет, — кричит Монте-Кристо, — ни за что!!!

Марья Михайловна понимает, что перегибать палку не стоит, и мирно говорит:

— Хорошо, хорошо, иди отдыхай.

— А деньги? — блеет парень.

— Вот получу оставшееся и отдам, — обещает старуха.

Но идти самой на квартиру к только что убитой дочери бабе не хочется. Тем более что перепуганная учительница немецкого языка уже сообщила ей, что Никиту надо забрать из бассейна, а в квартире милиция, приехавшая «на труп». Нет, самой отправляться за чемоданчиком опасно, и Марья Михайловна просит наивную репетиторшу об услуге.

Олег замолчал. Честно говоря, я тоже не знала, что сказать.

— Ты, моя радость, — продолжил супруг, — сломя голову кидаешься на помощь. Мало того, что приносишь чемоданчик, так еще и обещаешь добыть для старухи договор купли-продажи на Леночкину квартиру. Бабушка не хочет терять ни копейки, а Лена и впрямь в свое время покупала апартаменты на ее имя, объяснив той, что Павел уходит от налогов. Словом, в этой семейке все друг другу врут, но в выигрыше в конечном счете оказывается бабуся.

Глупенькая репетиторша убегает, Марья Михайловна распахивает чемоданчик и столбенеет. В нем денег нет, там только детские вещи.

Художница призывает к ответу Монте-Кристо, но тот клянется, что видел, как Лена раскрывала сначала телевизор, демонстрируя им деньги, а потом чемодан с тугими пачками... Родион опять начинает убиваться по поводу того, что забыл с перепугу про него, но Марья Михайловна мигом приходит к выводу: деньги похитила учительница.

В голове у нее моментально складывается план. Через какое-то время явится Вербов за своими полмиллиона долларов, но Марья Михайловна, которая сначала скрепя сердце хотела расплатиться с экспертом, теперь, лишившись пятисот тысяч, понимает, как обмануть интеллигентного дядьку. В жертву приносят Никиту.

— Родного внука!!!

— Да она терпеть его не могла, так же как и Лену, — восклицает Олег, — вот и решила избавиться, только времени на вызов киллера нет, в запасе всего пара часов, все должно быть готово до прихода Вербова. Прибывшему Монте-Кристо ласковая бабуля вручает сначала двадцать тысяч долларов в качестве задатка за услуги, а потом, пообещав дать еще целых полмиллиона, вручает пистолет и приказывает:

— Убери Никиту.

— Откуда у нее оружие?

— Эка невидаль, купила на рынке.

Монте-Кристо цепенеет от ужаса, но художница распахивает дверь в комнату... Дальше показания негодяев расходятся. Родион уверяет, что бабка силком всунула ему пистолет и случайно нажала на курок... Якобы Кирсанов не хотел убивать и даже сопротивлялся, просто так получилось. А Марья Михайловна твердит: он сам выстрелил.

Поскольку выстрелов было два, милиция склонна верить старухе. Затем они устраивают разгром в квартире, и бабуля убегает в магазин, чтобы явиться в нужный момент с шоколадными яйцами в руках. Одним словом, получилась редкая ситуация, когда уничтожены все зайцы. Вербов, увидевший дикий разгром и лужу крови у окна, не смеет даже и заикаться о деньгах. А ненавистный внук мертв.

Правда, вскоре выясняется, что Никита жив, и это обстоятельство пугает бабулю. Мальчик видел, кто его убивал! Стоит ему прийти в себя, и делу конец!

Марья Михайловна сообщает соседям, что у нее инфаркт, и съезжает на дачу. Она звонит каждый день в больницу и тихо радуется. Доктор Дима всегда говорит одно и то же: «Состояние крайней тяжести, мальчик без сознания».

Понимая, что Никита скоро скончается, бабуля начинает операцию по выколачиванию денег из репетиторши. Изрезанное пальто Томы, похищение Кристи — все, по ее мнению, должно напугать Виолу и заставить ее вернуть украденное.

— Но почему она не похитила меня?

Олег засмеялся:

— Во-первых, с ребенком легче справиться, чем со взрослой женщиной, не забывай, их с Родионом только двое.

— А вот и нет! — завопила я. — В иномарке кто-то держал пистолет у виска Кристи!

— Это была Марья Михайловна со своим строительным приспособлением.

— Кто же сидел за рулем?

— Совершенно посторонний человек, водитель наемной машины, которому сказали, что дело идет о семейной разборке. Алкоголичка-мать хочет отнять у мужа и свекрови ребенка. Да шоферу, собственно, было все равно, ему хорошо заплатили.

— Все-таки странно, что меня не похитили и не убили.

— Милая, — с жалостью произнес Олег, — ну включи воображение! Она же знает, что у тебя муж работает в органах. Да через полчаса вся милиция на уши встанет, оно ей надо? А так, запугали бабу до полусмерти, она сама деньги вернет. А насчет того, что не убили... Знаешь, я совсем не уверен, что, привези ты чемодан с деньгами, не получила бы «в награду» пулю. Да и Кристю вряд ли отпустили живой и здоровой. Страшное дело жадность, ведь она имела в запасе три миллиона пятьсот, с лихвой должно было хватить на безбедную старость, а поди же ты, еще хотелось.

Я тяжело вздохнула:

— Да, запугали меня капитально, до отключки сознания. Довело меня до кондиции сообщение о тарелке. Ну откуда они узнали, из какой посуды ты ешь суп?

Олег улыбнулся:

— Эта баба хороший психолог. Бытовые детали лучше всего убеждают жертву: мучитель знает все. Да у Кристи спросили, та и рассказала.

Дальше события развивались бурно. Маша Говорова, которой ты принесла картину, мигом сообщила об этом Марье Михайловне. Они встретились утром, перед работой. Маша отдала старухе Леонардо и подписала себе смертный приговор. Они влезают в переполненный троллейбус, Марья Михайловна стоит вверху, Говорова на подножке...

— Она ее столкнула! — заорала я.

Куприн ухмыльнулся.

— Уверяет, будто та сама сорвалась, только в это верится с трудом. Финита ля комедиа, и картина, и деньги у бабуси, делиться не с кем. Руфину она не воспринимает всерьез. Думаю, еще должны были умереть ты, Кристя и Родион.

— Ужасно... такая милая дама, просто бабушка Красной Шапочки!

— Ну уж нет, скорей родная сестра Бабы Яги. Кстати, именно после смерти Говоровой я сообразил, что дело как-то связано с моей женой.

— Почему?

— Все-таки ты дура! — с чувством воскликнул муженек. — Явилась в отделение милиции, представилась Руфиной Михайловной...

— Ну и что? Откуда ты догадался, что это я?

— Ты фамилию назвала неправильную — Рейд, а Руфина — Киселева.

— Подумаешь, отчего ты решил...

— А увидел у тебя в сумке коробочку «Рейд» — истребитель тараканов» и сразу представил всю картину. Вот сотрудник спрашивает: «Ваше имя и отчество?» «Руфина Михайловна», — спокойно сообщаешь ты, но далее следует вопрос: «Фамилия?» И мою женушку охватывает паника, она-то не знает ее! В голове невесть как всплывает реклама про таракanью ловушку, назойливо повторяемая во время всех ее самых любимых криминальных сериалов, а язык сам по себе брякает: «Рейд». Ну так или не так?

Я молчала.

— Сказать-то нечего, — резюмировал Куприн.

— А как ты догадался про Марью Михайловну? — я быстро перевела разговор на другую тему.

— Да постепенно. Сначала просто удивился, отчего бандиты устроили такой разгром в квартире...

— Ну и что? Воры всегда все разбрасывают!

— Понимаешь, самые ценные вещи остались на полках, даже посуду побили ерундовую, богемский хрусталь и антикварный сервиз Кузнецова не тронули... Потом, дом, хоть и построен по специальному проекту, все равно блочный, слышимость хорошая, но соседи утверждали, что шума не слышали. И кот...

— Кот?

— Ну да, у Марьи Михайловны перс.

— Модест! Точно, она его обожала донельзя!

— Вот-вот, соседка то же самое сказала, она еще удивилась: «Ну куда Марья его дела? Всегда мне оставляла, когда уезжала...»

Мы проверили всех ее знакомых: кота ни у кого не было, впрочем, ни в одну клинику города не привозили Королькову... Следовательно, бабуся, прихватив любимое животное, где-то прячется. И я задал себе вопрос: почему? Из-за чего бабушка даже не показывается в больнице у внука? Кстати, Вилка, это из-за тебя на Никитку покушались второй раз!

— У тебя всегда я виновата!!!

— А кто велел доктору Диме сказать бабушке, что Никита пришел в себя и что ребенок видел убийцу, вот она и послала Родиона, а тот выдернул вилку аппарата. Хорошо еще, что нянечка сразу вошла в палату.

— Вот почему он бормотал: бабушка, бабушка. Я думала, мальчик зовет Марью Михайловну.

— А ребенок пытался сообщить, кто его хотел убить! Потом явился Павел...

— Кто?!!

— Павел Федулов.

— Так его посадили! — лицемерно удивилась я.

— Мужика отпустили, поняв, что кто-то его просто подставил. Правда, попросили никому не сообщать об освобождении. А он сопоставил кое-какие факты и явился ко мне с заявлением: героин подсунула теща, больше некому. Кстати, он сослался на тебя, якобы ты посоветовала ему ко мне обратиться...

— Ну, — забормотала я, вспоминая, как прятала «беглеца» у Барсуковой, — ну...

— А потом позвонил юноша Илья, — откровенно издевался Куприн, — и опять выяснилось, что мой мобильный телефончик дала некая дама Виола, сотрудник органов... Странно, однако! Кстати, Марью Михайловну мы так и не нашли, никто не знал, что у нее есть домик в Подмосковье, а на Монте-Кристо вышли через тебя, так что прими мою благодарность.

— Смеешься, да?

— Нет, правда, спасибо, — сказал Олег и замолчал. — Ну, — отмер через минуту муж, — теперь все ясно?

— Нет!

— Что еще?

— Так куда подевались полмиллиона долларов? Они же не могли испариться?

— Естественно, не могли, — вздохнул Олег, — а ты вспомни, кого встретила в квартире Федуловой, когда по просьбе Марьи Михайловны пришла за чемоданчиком?

— Мне открыла дверь уборщица, такая тетка, которая убирает места преступлений, вот не помню имени... Я еще удивилась, что ее одну в квартире оставили.

— Ага, — кивнул Олег, — Лидия Ковригина. Марья Михайловна хоть и гадина, но сама отмывать ковер от крови воспитанной ею девушки не смогла. Знаешь, и у жабы случаются нервные припадки.

Лидия живет, вернее, жила с ней в одном подъезде, Марья Михайловна частенько общалась с ней... Милой бабуле и в голову не могло прийти, что соседушка проявит любопытство и упрет деньги. До этого момента Лидию характеризовали как исключительно честную даму, но, очевидно, сумма оказалась слишком велика, и Ковригина засунула пачки к себе в сумку, а чемодан набила вещами Никиты. Марья Михайловна предупредила уборщицу, что за ним придет женщина. Лидочка попросту обокрала бабулю, но художница о ней даже не подумала, решив, что денежки у тебя.

— И где Ковригина?

Олег развел руками:

— Ищем, пока безрезультатно.

Я посмотрела в большое окно. Мимо закусочной текла толпа, занятая своими делами.

— Какой ужас, — вырвалось у меня, — убить девушку, которую воспитывала, как родную дочь, ее ребенка... Неужели в сердце Марьи Михайловны не нашлось ни капли любви? Настоящее чудовище!

— Чудовище без красавицы, — подвел итог Олег.

ЭПИЛОГ

Забегая далеко вперед, скажу, что Никита выздоровел и живет с отцом. Павел по-прежнему торгует мармеладом, а я хожу к ним репетировать Кита, но уже не за десять долларов, а за сто рублей. Дела Павла идут не блестяще, но на жизнь им хватает.

Марья Михайловна ждет суда, надеюсь, что она получит по заслугам.

В другом СИЗО в таком же ожидании томится и Монте-Кристо, окончательно потерявший весь свой внешний лоск.

Доллары конфискованы, картина Леонардо тоже. К суду, очевидно, привлекут и Руфину Михайловну с Ильей, но пока они отпущены под подписку о невыезде.

Аркин и Конкин, услыхав о том, что купили

подделки, и глазом не моргнули. Оба вели себя совершенно одинаково.

— Да, — ответили они, — мы знали, что приобретали копии, а что, это запрещено? Какие два миллиона долларов, вы что, таких денег у нас не было! Заплатили копейки...

Окруженные адвокатами, бизнесмены стояли насмерть, а потом сверху последовал звонок. Начальство приказало не жать на олигархов. Дело о подделках начало рассыпаться на глазах, тем более что Руфина и Илья, поняв, что милиция не знает имен никого из покупателей, кроме Аркина и Конкина, стали вести себя нагло, отказываясь давать показания.

Но это все было впереди. 10 ноября, в День милиции, Томуська испекла пирог. Мы сели около восьми вечера за стол в «тесном» семейном кругу — я, Кристя, Тома, Ленинид, постоянно хватающийся за поясницу Олег, Семен, Филя и Аким.

Парфенова, помирившись с Витькой, слава богу, покинула нас накануне. У Юрки с Лелькой произошло перемирие, и приятель вкушал плоды семейного уюта у себя дома.

— Ну, — сказал Семен, — за праздник!

Ленинид крякнул:

— Если бы мне сказали, что я стану отмечать день мента, ни за что бы не поверил.

— Пей давай, — велела я.

Олег охнул.

— Болит? — спросила Тома.

— Жуть, — ответил мой супруг, — словно гвоздь в спину вогнали.

— Ну пошли, — приказал Филя, — укол сделаю.

Постанывая и покряхтывая, муженек поднялся, и тут раздался звонок в дверь.

— Кто бы это мог прийти? — подскочила Кристя.

— Сиди, — вздохнула я и пошла в прихожую.

На пороге стоял, улыбаясь, высокий парень с чемоданом, из-за его плеча выглядывала худенькая темноволосая девушка.

— Здравствуй, Вилка!

— Добрый день!

— Ты меня не узнала?

— Э... простите...

— Гриша я, — ухмыльнулся парень, — из Израиля, сын Жени, ты же обещала меня принять с девушкой, вот мы и приехали. Знакомься, это Майя! Правда, мы собрались не в декабре, а раньше...

— Гришка! — обрадовалась я. — Входи, входи, страшно рада, боже, как ты вырос! Тома, беги сюда, глянь, кто приехал!

Начались объятия, поцелуи, знакомство... Но не успели все опять сесть за стол, как ожил звонок.

— Если это Лерка, — мрачно заявил Аким, — моя нервная система не выдержит!

Я с интересом посмотрела на свекра. Надо же, до сих пор считала, что старик бесчувственный, как амеба.

На этот раз в открытую дверь хлынула целая толпа: полноватый мужик лет сорока с характерным, огромным носом, задастая бабенка и куча разновозрастных детей, целых пять штук. Нет, шесть, нет, все же пять или четыре, просто они все время крутились и прыгали, словом, мельтешили перед глазами — так, что их не сосчитать.

— Вы к нам? — ошарашенно спросил Сеня.

— Простите великодушно, — бархатистым баритоном завел мужик, — нельзя ли увидеть госпожу Тараканову Виолу Леонидовну...

— Ленинидовну, — недовольно поправил папенька и ткнул в меня пальцем, — вот, любуйтесь, Вилка собственной персоной.

— Очень приятно, — закатил глаза гость. — Разрешите представиться: Ицхак Блюмен-Шнеерзон. Вы великодушно разрешили остановиться у вас. Мы ненадолго, всего на месяц или полтора.

— Погодите, — воскликнул Гришка, — кажется, мы летели вместе из Израиля.

— Правильно, — кивнул Ицхак, — я вас тоже приметил, ну, будем знакомиться?

Домашние, не в силах вымолвить ни слова, стояли с разинутыми ртами. Ицхак принял молчание за знак согласия и представил свое семейство:

— Сара, моя супруга, а это наследники, Руфь, Мойша, Исаак и Лия.

Значит, деток всего четверо, но до чего вертлявы!

Первой от столбняка очнулась Томуська.

— Чудесно, мы очень рады, у нас куча раскладушек. Значит, Гришенька и Маечка в одной комнате, а вы в другой... Только тебе, Филя, опять на кухне спать.

— Ничего, — махнул рукой незлобивый ветеринар, — я привыкший!

Томуська повела Гришу с Маей в комнату, Семен исчез на кухне, Филя грохотал раскладушками. Олег охал.

— Болит? — шепотом спросила я.

— Жуть, — так же тихо пробормотал муж, но вслух сказал совсем иное, — ну, что стоите, заносите вещи!

— Дети, — крикнул Ицхак, — тащите поклажу.

С невероятным визгом Руфь, Мойша, Лия и Исаак вцепились в несметное количество баулов и потащили их по коридору. Олег не успел увернуться, Мойша толкнул его чемоданом. Бедный муж, издавший вопль, попытался уцепиться за вешалку, но та, как обычно, выскочила из креплений. Не удержавшись на ногах, Куприн рухнул на пол, вешалка упала сверху, раздался треск, Олег заорал еще раз.

Дети, словно стадо гиппопотамов, пронеслись мимо упавшего. Ицхак и Сара ушли еще раньше. В прихожей остались только я, Аким и погребенный под пальто и куртками Олег.

Я кинулась вытаскивать мужа:

— Милый, тебе, наверное, дико больно!

Но майор легко вскочил на ноги:

— Не поверишь, радикулит совершенно прошел, сначала, когда вешалка сверху сверзилась, думал, умру, а теперь, прямо не верится, все прошло!

— Наверное, позвонок от удара встал на место, — догадалась я.

Олег радостно наклонялся в разные стороны.

— Кайф!

Аким торжественно поднял вверх указательный палец. Я приготовилась выслушать очередную нудятину, но свекор неожиданно сказал:

— Давно следовало огреть тебя этой вешалкой по горбушке.